L'APPÂT

TONY STRONG

L'APPÂT

FRANCE LOISIRS

Titre original : *The Decoy*
Traduction de Jacques Martinache

Édition du Club France Loisirs,
avec l'autorisation des Presses de la Cité

France Loisirs,
123, boulevard de Grenelle, Paris
www.franceloisirs.com

© Tony Strong, 2001
© Presses de la Cité, 2002, pour la traduction française
ISBN 2-7441-6157-8

PROLOGUE

Le jour du départ, les clients sont priés de libérer leur chambre avant midi.

Vers onze heures, le cinquième étage de l'hôtel Lexington est presque vide. On est au cœur de Manhattan, où même les touristes ont un programme chargé à respecter : galeries d'art, monuments, grands magasins… Les éventuels lève-tard ont été tirés du sommeil par le va-et-vient des femmes de ménage, qui bavardent en espagnol, arpentent les couloirs, prennent du linge dans le grand placard situé derrière l'ascenseur, préparent les chambres pour une autre vague de clients attendus dans l'après-midi.

Çà et là dans le couloir, des plateaux de petit déjeuner abandonnés par terre indiquent les chambres qui restent à faire.

Il n'y a pas de plateau devant la 507.

Chaque matin, un exemplaire encore plié du *New York Times* est posé devant chaque chambre, cadeau de l'établissement.

Dans le cas de la 507, le cadeau a été ignoré. Le journal est encore sur le paillasson, personne n'y a touché.

Consuela Alvarez garde la 507 pour la fin, mais lorsque toutes les autres chambres ont été faites, elle tape finalement à la porte avec son passe, annonce « Femme de chambre », attend.

Personne ne répond.

La première chose que Consuela remarque en entrant, c'est le froid. Un courant d'air glacé agite les rideaux. Avec un claquement de langue désapprobateur, elle va à la fenêtre, tire sur le cordon. Une lumière grise inonde la pièce. Consuela ferme la fenêtre en faisant délibérément du bruit.

La personne étendue dans le lit ne réagit pas.

— Il faut vous lever, maintenant, s'il vous plaît.

Les draps tirés par-dessus le visage lissent les contours du corps de la personne endormie, comme si elle était enfouie sous une couche de neige.

Consuela a un soudain pressentiment. L'année dernière, ils ont eu un suicide au deuxième étage. Une sale affaire, un jeune garçon s'était pendu dans la salle de bains. Et l'hôtel était plein, il a fallu nettoyer la chambre, la préparer pour le client suivant. Consuela se signe. Nerveusement, elle pose une main sur la couverture, là où doit se trouver une épaule, la secoue.

Très vite, une fleur rouge s'épanouit sur la blancheur du drap, à l'endroit que sa main a pressé.

Elle sait maintenant qu'il est arrivé quelque chose, quelque chose de grave. Elle touche de nouveau le corps, cette fois du bout du doigt. De nouveau, comme de l'encre s'étalant sur un buvard, une anémone rouge fleurit sur le tissu.

Faisant appel à tout son courage, la femme de chambre rabat le drap.

Pendant un long moment, elle reste immobile puis, instinctivement, elle lève la main droite pour se signer de nouveau. Mais cette fois, la main qui touche le front ne finit pas le geste et se porte en tremblant à la bouche pour étouffer un cri.

PREMIERE PARTIE

Ridicule pendu, tes douleurs sont les miennes!

Baudelaire
« Un voyage à Cythère »,
Les Fleurs du mal

1

Quelqu'un lui a posé un lapin.

C'est ce que vous penseriez en la voyant attendre seule au bar de l'hôtel Royalton, essayant de faire durer son bloody mary au maximum : une jeune cadre à un rendez-vous. Peut-être un peu plus jolie que la moyenne. Un peu plus sûre d'elle. Habillée avec un peu plus d'audace. Elle n'est pas venue directement du bureau, c'est évident.

Le bar est bondé et quand une table se libère enfin, elle s'empresse de s'y asseoir. A l'autre bout de la salle, un jeune homme portant trop de bijoux croise son regard et sourit. Elle détourne les yeux. Il dit quelque chose à ses compagnons de beuverie, qui ont un rire bref avant de retourner à leur bière.

— Pardon…

Elle lève la tête : un homme se tient devant elle. Il porte un costume d'une coupe décontractée mais coûteuse qui suggère autre chose que l'habituel employé rasoir de grande société, ses cheveux, peut-être un peu trop longs pour Wall Street, lui descendent sur le col.

— Oui ? fait-elle.

— Excusez-moi mais… c'est ma table. Je suis simplement allé aux toilettes. J'ai laissé mon verre pour retenir ma place, explique-t-il en montrant son whisky.

Autour d'eux, une ou deux têtes se sont tournées avec curiosité dans leur direction, mais il n'y aura pas d'affrontement, pas de déversement de stress new-yorkais.

La femme est déjà debout, elle accroche son sac à son épaule.

— Désolée. Je ne m'étais pas rendu compte…

Les têtes se retournent, reprennent leur conversation.

L'homme s'écarte pour laisser passer l'intruse, qui part elle aussi du même côté, en un bref pas de deux.

Bien sûr, il lui demande de rester, qui ne le ferait pas ?

— A moins que vous ne voyiez pas d'inconvénient à partager, dit-il, désignant la table.

Un moment, la jeune femme paraît hésiter, mais, bon, le bar est plein à craquer, il n'y a aucun autre endroit où s'asseoir. Elle hausse les épaules.

— Pourquoi pas ?

Ils se rasseyent tous les deux, s'observent plus attentivement du coin de l'œil. Elle porte un ensemble Donna Karan, une veste en laine noire moelleuse qui épouse sa silhouette mince, fait ressortir son teint pâle et rend ses yeux étonnamment plus bleus qu'ils ne le sont en réalité.

— Vous attendez quelqu'un ? demande-t-il d'une voix subtilement changée, chargée maintenant d'un intérêt sexuel. Il est peut-être bloqué par la neige. C'est la pagaille à La Guardia, je suis obligé de passer une nuit de plus ici.

Elle sourit intérieurement parce que c'est bien joué, cette façon d'essayer de savoir si la personne qu'elle attend est un homme ou une femme, et de lui annoncer en même temps qu'il est seul à New York.

— On dirait que je risque d'attendre un moment, dit-elle. Hey ho.

— Hey ho, répète-t-il, sans savoir au juste ce qu'elle entend par là. Laissez-moi vous offrir un autre verre.

Il fait signe à la serveuse.

— Qu'est-ce que vous buvez ?

— Un bloody mary, merci.

— D'où vous êtes ? Je n'arrive pas à situer votre accent.

— De l'Idaho, à l'origine.

— Vraiment ? Je n'avais encore jamais rencontré de fille de l'Idaho.

Quelque chose dans sa façon de prononcer le mot « rencontré » lui donne une connotation provocante, presque sexuelle, et cette fois, elle sourit pour de bon.

— Mais vous *rencontrez* beaucoup de filles, c'est ça ?

Il lui rend son sourire.

— Quelques-unes.

A son étonnement, il s'aperçoit qu'ils sont en train de flirter et que leurs corps poursuivent leur propre conversation tandis qu'il lui révèle qu'il est avocat et qu'elle se récrie : Non, impossible, vous n'êtes pas assez moche pour ça... Dans l'industrie du disque, précise-t-il, et elle demande s'il est à New York pour les affaires ou pour le plaisir.

Les deux, espérons-le, répond-il. Il se renverse en arrière, croise les jambes, lui adresse un large sourire confiant. Il a le temps de s'amuser un peu, après tout.

— Avant de rentrer retrouver votre femme et vos gosses.

Le sourire se lézarde.

— Qu'est-ce qui vous fait croire que je suis marié ?

— Les hommes séduisants le sont toujours, sou-pire-t-elle.

La serveuse finit par apporter leurs consommations, et comme cela lui a pris plus de cinq minutes, l'avocat lui passe un savon. Il fait de l'épate. Elle s'excuse d'un air boudeur en invoquant la cohue puis elle s'éloigne et tire sur son oreille droite, presque comme pour en extir-per les paroles désobligeantes du client et les jeter par terre. Sans quitter l'avocat des yeux ni interrompre la conversation, la fille qui prétend être de l'Idaho a appré-cié. *Je pourrais me servir de ça.*

Le geste est enregistré, rangé quelque part dans son système de classement mental.

L'avocat se prénomme Alan, il lui tend une carte de visite professionnelle sur laquelle son nom est écrit en lettres d'argent en relief. Elle lui apprend qu'elle s'appelle Claire, s'excuse de ne pas avoir de carte. Ce n'est pas l'usage, dans sa branche, murmure-t-elle, un sourire amusé relevant les coins de sa bouche.

Il lui demande ce qu'elle fait. Le minimum, répond Claire qui, d'un mouvement de tête, indique la serveuse, harcelée maintenant à une autre table, et déclare qu'elle exerçait ce métier avant.

— Avant quoi ?

— Avant de me rendre compte qu'il y a des moyens plus faciles de se faire du fric.

Une lueur de compréhension s'allume dans les yeux de l'avocat. Il ne précipite pas les choses, cependant, et lui parle de ses clients d'Atlanta : l'idole des jeunes qui a un penchant pour les mineures, le chanteur heavy-metal macho qui est homo mais n'ose pas l'admettre. Il lui confie, avec une certaine lourdeur, qu'il y a beaucoup d'argent à gagner en faisant ce qu'il fait : rédiger des contrats pour des types que leur tempérament rend incapables de les respecter, et qui ont donc besoin de gens comme lui aux deux bouts : pour établir le contrat et pour obtenir son annulation. Finalement, il suggère, puisque le copain ne viendra manifestement plus, d'aller ailleurs, dans un restaurant ou une boîte, comme elle voudra.

— Un endroit… cher, insiste-t-il.

Il est lourd, indéniablement.

Encouragé par le silence de Claire, il ajoute à voix basse :

— Ou alors nous pourrions nous faire servir dans ma chambre. Elle est juste au-dessus.

— Le service en chambre peut être très cher aussi, prévient-elle.

Après une très courte pause, elle poursuit :

— Si je suis dans la chambre.

Après une longue expiration, il reprend :

— Je ne suis pas le seul à être ici pour affaires, c'est ça ?

L'ironie lui étire de nouveau les coins de la bouche quand elle fait observer :

— Vous comprenez vite, Alan.

— Je suis avocat. C'est mon boulot de savoir quand un témoin ne dit pas la vérité.

— Je suis un témoin ? murmure-t-elle.

— Plutôt une participante, j'espère.

Elle regarde la serveuse tirer un stylo de sa chevelure pour le tendre à un client. Autre geste à archiver.

— Drôlement habile, le coup de la table, reconnaît-il d'un ton admiratif. Me lever comme ça sous le nez du personnel…

— Tout s'apprend, dit-elle avec un haussement d'épaules.

Il se penche en avant avec une mine de conspirateur.

— Ça va chercher dans les combien, le service en chambre, ici ?

Son sourire s'est élargi : il est avocat, le marchandage fait partie du plaisir.

— C'est combien, en général ? repartit-elle.

— Tu crois que je fais ça tous les jours ?

Elle lui touche le bras.

— Disons que tu as l'air de savoir ce qu'il en est.

Radouci, il propose :

— Deux cents, ça irait ?

— C'est le tarif à Atlanta ?

— Pour cette somme, on a beaucoup de choses, à Atlanta, assure-t-il.

— Le plus que tu aies jamais payé, c'est combien ?

— Cinq cents, avoue-t-il.

— Compte le double, déclare-t-elle.

— Sept cents ?

— Pour un avocat, tu n'es vraiment pas doué en maths, Alan, dit Claire avec une expression faussement attristée. Ravie de t'avoir connu.

— Bon, bon, capitule-t-il. C'est d'accord.

— Quel est le numéro de ta chambre ?

— 1409.

— On monte chacun par un ascenseur différent, tu me retrouveras là-haut dans le couloir. Et je veux la moitié d'avance.

Il cligne des yeux.

— Je serai juste devant toi, argue-t-elle.

— Oui, bien sûr. Simplement... il n'y a pas un peu trop de monde qui risque de nous voir ?

— J'aime autant ça. Laisse l'argent sur la table, comme si tu payais les verres.

Il pose six billets sur le plateau de marbre. Au moment où ils se lèvent pour partir, Claire en ramasse négligemment cinq et les glisse dans son sac.

Les ascenseurs exigus du hall sont bourrés de clients montant à leur chambre. «Quatorzième», dit-elle, ne pouvant atteindre le tableau. Quelqu'un appuie pour elle. Alan attend le suivant, l'air impatient.

La cabine s'arrête au troisième étage pour laisser sortir plusieurs personnes. Claire descend en même temps qu'elles. Dès que les portes se sont refermées derrière elle, elle se retourne et presse le bouton avec la flèche pointée vers le bas. Pendant que le deuxième ascenseur arrive, elle tire la Minicam de son sac, appuie successivement sur *Rewind*, *Play*, *Rewind*, jusqu'à ce qu'elle entende sa propre voix : « ... tu me retrouveras là-haut dans le couloir... » Elle place alors sa main devant l'objectif et appuie de nouveau sur *Record*.

Elle est maintenant dans un ascenseur qui descend. Deux mannequins habillés pour une soirée en discothèque la regardent avec curiosité quand elle remet la caméra dans son sac. Elle ne leur prête aucune attention.

Elle est de retour dans le hall, alors qu'Alan est encore en route vers les hauteurs, dans ce qui est presque certainement l'ascenseur le plus lent de New York.

Dehors, il continue à neiger. Le long du trottoir, les bouches d'incendie portent toutes une perruque blanche. Claire traverse l'avenue d'un pas rapide et se dirige vers une limousine extra-longue qui attend, moteur tournant au ralenti. Elle ouvre la portière.

Elle doit avoir autour de quarante-cinq ans, la femme d'Alan, et son look à la fois chic et décalé laisse penser qu'elle était elle-même dans le showbiz avant de commencer à faire les enfants d'Alan et à organiser ses dîners d'affaires. Assise tout près de Henry sur la banquette arrière, elle frissonne malgré l'air chaud soufflé par les aérateurs latéraux. Elle a l'air terrifiée.

— Tout va bien ? s'enquiert Henry.

— Très bien, répond Claire, sans son accent de l'Idaho.

De sa vraie voix, aux intonations britanniques, elle demande à la cliente, comme elle le fait toujours :

— Vous êtes sûre de vouloir entendre ça ? Vous êtes sûre de ne pas plutôt vouloir rentrer et essayer d'arranger les choses ?

Comme toutes les autres, la femme répond :

— Je veux savoir.

Claire lui remet l'appareil en disant :

— En gros, il fréquente régulièrement des prostituées. Pas seulement quand il est en voyage. Il a parlé d'une passe qui lui aurait coûté cinq cents dollars à Atlanta.

Les yeux de l'épouse s'embuent ; Henry lui passe un bras autour des épaules.

— Je suis désolée, dit Claire avec embarras.

Elle se coule hors de la limousine, Henry lui tend une enveloppe de sa main libre. Quatre cents dollars. Pas mal pour un engagement d'une heure. En la lui remettant, il murmure :

— Et lui, il t'a donné quelque chose ?

— Non, non. Je l'ai laissé dans le hall, je le jure. Tout est sur la cassette.

— Je le saurai si tu mens.

— Je sais.

Il hoche la tête, satisfait, et Claire lève la main pour faire signe à un taxi.

Claire Rodenburg. Presque vingt-cinq ans et presque belle. Couleur des yeux : bleus ; couleur des cheveux : variable ; profession… D'après son passeport, elle est actrice, mais en réalité, c'est plutôt variable, là aussi.

Elle n'avait pas conscience, en embarquant pour son vol à prix réduit, six mois plus tôt, à Gatwick, qu'il lui serait aussi difficile d'obtenir du travail — n'importe quel travail — aux Etats-Unis. Habituée à l'attitude détendue des employeurs britanniques à l'égard des travailleurs itinérants, elle avait découvert un marché de l'emploi saturé d'étudiants pleins d'ardeur, où l'on ne pouvait ouvrir un compte en banque sans numéro de sécurité sociale, ni louer une chambre sans référence bancaire.

Elle avait réussi à se bricoler un patchwork de boulots à temps partiel, se ruant de chez un traiteur, où elle servait de renfort pendant le coup de feu, à un bar du Lower East Side dont le patron se souciait plus de l'aspect de ses serveuses que de leurs papiers. Mais il pouvait choisir dans une réserve inépuisable de jolies filles et ne voyait pas l'intérêt d'en garder une trop longtemps. De cette façon, si les types du fisc ou de l'Immigration venaient l'inspecter, il pouvait prétendre que les papiers de la nouvelle étaient en cours de régularisation. Au bout de trois mois, il annonça à Claire, sans méchanceté particulière, qu'il était temps pour elle d'aller voir ailleurs.

Elle dépensait tout ce qu'elle gagnait en spectacles, pas les gros succès hypernuls ni les comédies musicales européennes interminables présentées à guichet fermé à Broadway, mais les pièces moins courues, au Circle in the Square ou au Pyramid Club, où elle apprenait les noms des meilleurs metteurs en scène et agents.

Les auditions annoncées dans *Variety* ne concernaient que les danseuses de revue et les figurants, mais il fallait bien commencer quelque part.

A son premier essai, la directrice de casting lui avait demandé de rester. Après le départ des autres, elle s'était approchée de Claire d'un air pensif, tenant à la main le formulaire que toute candidate devait remplir avant la séance en indiquant son nom, sa taille, son expérience professionnelle et le nom de son agent.

« Je vois que tu n'as pas d'agent, chérie, avait-elle ronronné.

— Pas dans ce pays. J'en ai un chez moi, en Europe.

— Je voudrais te faire connaître une amie à moi. Je crois que ça l'intéresserait de te représenter. »

L'agent, Marcie Matthews, avait effectivement été ravie de faire la connaissance de Claire. Elle l'avait invitée à déjeuner chez Orso, un restaurant italien situé au cœur du quartier des théâtres, et avait jeté dans la conversation les noms des spectacles pour lesquels elle lui obtiendrait une audition, des metteurs en scène et des producteurs qu'elle allait lui faire rencontrer.

Jusqu'à ce qu'elle découvre que Claire n'avait pas de permis de travail.

« Arrête. Pas de carte verte ?

— C'est vraiment si important ?

— Ça l'est si tu veux travailler, avait sèchement répondu Marcie.

— Il n'y a pas quelque chose que je pourrais faire ? Juste pour gagner un peu d'argent…

— Si, bien sûr. Danser sur une table, faire du strip, poser nue. Ce qu'on appelle les emplois de charme, bien que personnellement je ne voie pas trop où est le charme là-dedans. »

D'une main ornée de bagues, Marcie avait balayé cette possibilité et conclu :

« Je ne travaille pas dans ce secteur mais je peux te donner des noms de gens qui le font.

— Il n'y a vraiment rien d'autre ? »

Marcie avait soupiré.

« Je devrais pas te le dire mais j'ai beaucoup d'amis dans ce métier. Je pourrai peut-être te brancher sur un ou deux trucs. (Elle avait levé de nouveau la main pour devancer les remerciements de Claire.) Sur les post-synchros aussi. Les gens de la pub veulent toujours des accents britanniques. Mais ce sera dur. Si j'étais toi et si je voulais vraiment travailler aux Etats-Unis, je rentrerais en Angleterre faire une demande. »

Claire avait haussé les épaules.

« Tu veux rester à New York ? Bon, je te le reproche pas. Mais t'attends pas à ce qu'on t'accueille à bras ouverts. Le temps où on ouvrait grand les portes aux masses opprimées aspirant à la liberté est fini depuis longtemps. »

Claire trouva un autre boulot de serveuse et attendit. Attendit.

Elle décrocha une seule post-synchronisation, et une audition pour un rôle sans texte dans un clip vidéo pop. Au cours de la séance, elle dut se mettre en sous-vêtements et mimer une promenade à cheval. Elle n'obtint pas le rôle.

Un autre mois s'écoula.

Elle avait fait la connaissance de plusieurs autres actrices en herbe et partageait une chambre avec l'une d'elles, une Texane sympathique du nom de Bessie. Claire lui payait la moitié du loyer en liquide, ce qui réglait le problème des références bancaires. Malheureusement, ça ne réglait pas celui du manque quasi permanent de liquide.

C'est alors qu'elle reçut un coup de fil de Marcie lui demandant si elle accepterait d'avoir un entretien avec un vieil ami à elle, Henry Mallory.

« Je serai franche avec toi, dit l'agent au téléphone. C'est quelque chose que tu n'auras peut-être pas envie de faire. Mais ça rapporte gros et je sais que tu serais bonne à ce genre de truc. »

2

L'inspecteur Frank Durban monte par l'ascenseur, accompagné du directeur du Lexington, d'une pile de valises métalliques contenant du matériel, d'un technicien de scène de crime et d'un couple de touristes trempés par la neige.

C'est la quatrième fournée de matériel, et le directeur de l'hôtel commence à se sentir nerveux.

Le silence est brisé par l'un des touristes, qui veut savoir ce qui se passe :

— On tourne un film ?

L'hypothèse est tout sauf stupide, puisque la logistique d'un service de police moderne inclut un équipement comparable à celui d'une équipe de tournage : des projecteurs, des caméras, des moniteurs vidéo, plus tout un tas de gens, en l'occurrence des spécialistes des empreintes digitales, avec leur mallette à maquillage sous le bras, et une véritable petite armée de techniciens, un talkie-walkie accroché à la ceinture.

— C'est exact, répond le directeur d'une voix tendue. Un film.

Frank Durban lève les yeux vers le plafond de la cabine.

— Y a qui dedans ? demande la femme. Quelqu'un de connu ?

Le directeur jette un regard désespéré à Durban, mais le policier est en pleine inspection des dalles du plafond.

— River Phoenix, finit par bredouiller le directeur.

La femme hoche la tête, impressionnée.

— Il est mort, marmonne Durban à mi-voix.

— Je veux dire un film sur River Phoenix, se corrige le directeur. Avec un sosie.

La cabine s'arrête au quatrième étage, le couple sort.

— Vous avez besoin de figurants ? dit l'homme, maintenant la porte ouverte.

— Mon mari est vraiment bon, souligne la femme. Vas-y, chéri, fais-leur Clint Eastwood.

Durban soupire, regarde sa montre ostensiblement. Perdant patience, le directeur écarte la main du touriste de la porte de l'ascenseur.

— Passez une bonne soirée, lui souhaite-t-il sèchement. J'espère que votre séjour sera agréable.

Le trio resté dans la cabine monte au cinquième en silence.

Après avoir quitté la femme de l'avocat, Claire demande au chauffeur de taxi de la déposer devant un Théâtre du secteur 53ᵉ et Broadway. Bessie, sa colocataire, vient de débuter dans une comédie musicale, et Claire a promis de passer à la soirée donnée après la représentation. Ce n'est pas vraiment une première, juste un changement de troupe dans ce spectacle qui tient l'affiche depuis deux ans. Les possibilités d'y exprimer une quelconque originalité sont, il est vrai, quelque peu limitées, principalement parce que les acteurs jouent des moutons qui chantent et qui dansent.

Quand Claire arrive là-bas, la troupe traîne dans les coulisses, étourdie par les applaudissements. L'endroit sent le maquillage, la peinture des décors et les projecteurs, l'odeur particulière du théâtre, qui agit sur elle comme une drogue. Elle s'arrête, prend une longue inspiration.

Un bref instant, l'envie lui transperce les tripes. Claire a pénétré dans le royaume interdit. Elle chasse aussitôt ce sentiment : ce serait injuste de jalouser Bessie pour son grand soir. Elle aperçoit son amie, la serre dans ses bras pour la féliciter.

Bessie répond distraitement à son étreinte. Elle persiste, remarque Claire, à draguer l'un des jeunes comédiens de la troupe, qui se trouve pour l'heure au sein d'un petit groupe occupé à flatter sans vergogne le metteur en scène, sorte de crapaud boursouflé dont les plaisanteries sont sûrement loin d'être aussi drôles que leurs rires le suggèrent. Claire la laisse à son numéro de charme. Bessie l'aime comme une sœur mais, tout bien considéré, Claire fait partie de la concurrence.

Elle regarde sa montre : l'avocat, qui fait les cent pas dans sa suite au Royalton, vient probablement de recevoir un coup de téléphone lui annonçant que sa femme est en bas.

— Hé, Claire, fait une voix.

C'est Raoul Walsh, un gars avec qui elle est sortie deux ou trois fois, juste après son arrivée à New York.

— Ça va, le turbin ?

Est-ce un effet de son imagination, ou accentue-t-il subtilement le mot « turbin » ?

— Pas trop mal, répond-elle. Mon agent m'a dégoté quelques post-synchros. Et je passe une audition pour *Vania* la semaine prochaine…

— Ah ? J'ai entendu dire qu'ils ont donné le dernier rôle à Carol. Carol Reuben, précise-t-il, regardant par-dessus l'épaule de Claire et saluant de la tête une connaissance.

— Oh ! je ne savais pas.

— Des post-synchros, c'est super, assure-t-il. Super.

Il lui sourit, un sourire new-yorkais en toc. Il est assez bon acteur pour jouer la comédie mieux que ça, s'il le voulait, pense-t-elle.

— Et ton ami détective, reprend-il d'une voix traînante, tu continues à travailler pour lui ?

— Henry Mallory ? Oui, de temps en temps.

— Henry Mallory, répète-t-il en tordant la bouche. Seigneur, Henry Mallory. J'adorais ce type quand j'étais gosse. A l'époque où il jouait dans *Le Pied-plat*. Est-ce qu'il…

Il mime un homme qui boit.

— Henry va bien, déclare Claire d'un ton las.

— Bon, à plus, dit Raoul en s'éloignant.

C'est vrai, Henry n'est même pas un vrai détective. Il avait joué autrefois le rôle d'un privé dans une série télévisée, mais son personnage n'avait pas fait long feu. On raconte qu'il était trop soûl pour lire le prompteur.

Quelle qu'en fût la raison, il avait décidé de changer de carrière mais pas de rôle en ouvrant une agence de détective privé, une vraie. Claire était encore une pré-ado lorsque la chaîne de télévision avait fait un procès à Henry pour l'empêcher d'utiliser dans son nouveau métier le nom de son personnage dans le feuilleton.

Son boulot ? Le tout-venant. Adultères. Et chiens perdus.

Marcie lui avait simplement dit au téléphone : « Vas-y pour te rendre compte. Si tu t'entends bien avec lui, on en reparlera, d'accord ? Sinon, ce ne sera jamais qu'une après-midi de gâchée. »

Claire avait pris le métro pour le Lower East Side, s'était battue avec la porte grillagée d'un ascenseur antédiluvien dans un immeuble de bureaux délabré. Au quatrième étage, une rangée de portes portant des noms de sociétés en lettres marron s'étirait comme dans un tableau d'Edward Hopper. *Sahid Import*, *Confection Nutreen*, *Assurances Downey*, et, enfin, *Agence d'Investigations Privées Mallory*.

« Je cherche M. Mallory, avait-elle dit au vieil homme décharné assis derrière le bureau.

— C'est moi », avait-il répondu, reposant ses pieds sur le sol avec raideur.

Son visage taillé à la serpe était encore beau, mais il avait des yeux chassieux, au blanc aussi jaune que ses doigts tachés de nicotine.

« Et vous devez être la nana ?

— La nana ?

— La nana pour qui l'évêque a fait un trou dans le vitrail. »

Devant son air sidéré, il était parti d'un rire bref ressemblant à une toux de poitrine.

« On ne leur apprend plus rien, aux jeunes acteurs, de nos jours ? *Adieu ma jolie*, avec Dick Powell et Claire Trevor. Toutes les bonnes histoires de détective privé commencent avec une nana. »

Elle avait soudain compris pourquoi la petite pièce lui semblait familière. Henry Mallory avait meublé son bureau comme dans un film noir des années 1950. Un gros ventilateur aux pales d'acier brassait un air enfumé au-dessus d'un portemanteau, d'un classeur d'avant-guerre, d'un fauteuil en bois courbé et d'un vieux bureau marron. Le téléphone en bakélite brillait par son absence, de même que la bouteille de bourbon, cette dernière manquant à l'appel uniquement parce que Henry — comme Claire le découvrirait bientôt — planquait en général ses bouteilles dans la corbeille à papier.

« Marcie m'a dit que vous faites passer une audition... » avait-elle commencé.

Il avait secoué la tête.

« Non, pas une audition. Une audition, c'est une centaine de personnes talentueuses qu'on traite comme de la viande avariée sur un étal. Il s'agit plutôt... d'un entretien d'embauche. Vous m'avez été envoyée par un chasseur de têtes, Claire.

— Pour faire quoi ?

— Travailler pour moi.

— Comme détective ? Ecoutez, il doit y avoir...

— Comme actrice, l'avait-il interrompue. D'après Marcie, vous savez jouer. »

Elle avait haussé les épaules.

« Mais est-ce que vous savez *vraiment* jouer ? » s'était-il interrogé à haute voix.

Ses pieds avaient repris position sur le bureau et il s'était renversé dans son fauteuil, examinant Claire avec des yeux qui, malgré leur aspect peu engageant, brillaient d'intelligence, elle le remarquait maintenant.

« Vous savez peut-être marcher sur une scène et faire tout ce que font les acteurs, ces petites manies, ces petites affectations, tous ces trucs à la gomme que les gens appellent jouer. Mais vous pourriez le faire pour de vrai ? Là, dehors ? dit-il, agitant le pouce en direction de la rue.

— J'ai débuté comme actrice professionnelle à quatorze ans.

— Ah-ha. Une gosse d'école de théâtre...

— Nous n'étions pas des gosses.

— Faut l'avoir été soi-même pour savoir, avait-il reparti, son pouce indiquant cette fois sa poitrine. Moi, à quatorze ans, j'ai tourné sous la direction d'Orson Welles.

— Vous avez joué dans un film de *Welles* ? »

Henry avait cligné de l'œil et poussé le deuxième fauteuil vers elle du bout du pied.

« Pose tes fesses, je vais te raconter la fois où je me suis fait séduire par Audrey Hepburn. »

Une semaine plus tard, installée dans un bar tranquille proche de Central Park, Claire avait laissé un homme d'affaires lui confier que sa femme ne l'attirait plus. Plus tard, dans une limousine garée de l'autre côté de la rue, Henry lui avait tendu une enveloppe contenant cinq cents dollars tandis que Claire remettait à l'épouse de l'homme d'affaires l'enregistrement de leur conversation.

Même avec le recul, cela semblait plus intéressant que faire du cheval en sous-vêtements.

3

Frank Durban fixe attentivement l'écran du moniteur vidéo tandis que la caméra balaie le corps. Elle descend, passe sur les poignets, attachés aux montants du lit par des menottes, sur l'effroyable entrejambe sanguinolent, glisse vers les pieds.

— Là, dit-il dans le micro de son casque. Zoome là-dessus.

La caméra se braque sur un petit carré de carton blanc de cinq centimètres de côté tombé au pied du lit.

— On jette un œil.

Le technicien de scène de crime prend le morceau de carton d'une main gantée de caoutchouc, le retourne.

C'est un cliché Polaroid, un gros plan de ce que la caméra vidéo vient de filmer.

— On a trouvé l'appareil? demande Frank.

— Non. Mais on a un portefeuille, par contre, répond la voix dans les écouteurs.

Durban et un groupe de techniciens se tiennent dans la chambre voisine du lieu du crime, provisoirement interdit pour éviter que des indices soient piétinés avant que tout ne soit sur cassette.

— On jette un œil, réitère l'inspecteur.

La caméra oblique vers la table de chevet du lit. Une main gantée pénètre dans le champ, ouvre le portefeuille, en tire un permis de conduire. Malgré le grain de l'image sur l'écran, Frank constate d'après la photo que la victime avait été une femme séduisante.

— Stella Vogler. *Madame* Stella Vogler. Un appartement dans Mercer, énonce le technicien.

— Mercer? s'étonne Frank.

Il réfléchit : un quartier de SoHo, et pas des plus pauvres.

— Mais la chambre était réservée à son nom, n'est-ce pas?

— C'est exact, monsieur, intervient le directeur, qui traîne encore dans les parages.

Pourquoi prendre une chambre d'hôtel à un ou deux kilomètres de son appartement? se demande Durban.

La voix désincarnée du technicien de lieu de crime interrompt ses réflexions :

— Elle vient ici retrouver son amant, il apporte quelques jouets, des menottes, un Polaroid pour prendre des photos porno. Mais le mari est au courant, il la suit et… bam!

— Et après l'avoir tuée dans un accès de rage jalouse, il reste pour prendre quelques photos, lui aussi, ironise Durban. Un petit souvenir…

Vexé, le technicien inventorie le contenu du porte-feuille.

— Six cents dollars. C'était pas un vol.

— Puissamment raisonné, Sherlock, grommelle Durban à mi-voix.

— Et ça, c'est quoi ?

Une pointe de plaisir malicieux s'est insinuée dans la voix du technicien, qui place une carte de visite devant l'objectif de la caméra.

— On dirait que vous avez de la concurrence, inspecteur.

— Qu'est-ce que c'est ?

— « Agence d'Investigations Privées Mallory »... Vous voulez le numéro ?

— Une seconde. Y a quoi au verso ?

Le technicien retourne la carte, la tient de manière à ce qu'elle remplisse l'écran du moniteur. Au dos, quelqu'un a écrit, au crayon :

Claire Rodenburg = l'appât

— Ouais, dit Frank. Ouais, donne-moi le numéro.

Claire et un groupe d'acteurs de la troupe prolongent la fête au Harley Bar. Bien qu'il soit minuit passé, l'endroit est bondé, Springsteen explose dans le juke-box.

Elle commande un martini, le barman remplit un petit verre à ras bord de Jack Daniel's, le fait claquer sur le comptoir.

— J'ai demandé un martini ! lui crie-t-elle par-dessus la musique et le brouhaha en repoussant le verre.

Il le fait glisser de nouveau vers elle.

— C'est comme ça qu'on fait les martinis, dans le coin ! braille-t-il joyeusement avec l'accent australien.

Il lui décoche un grand sourire, comme s'il la mettait au défi de se plaindre.

Il est jeune et musclé, en T-shirt malgré le froid qui s'engouffre dans la salle chaque fois que quelqu'un ouvre la porte d'entrée, et Claire a déjà remarqué la façon dont son torchon, glissé sous sa ceinture, ballotte comme une queue devant ses fesses rebondies lorsqu'il se tourne vers les bouteilles alignées derrière le bar.

Elle prend son verre, le vide et décide :

— Dans ce cas, donne-moi un ocean breeze.

Il verse une mesure de Jack Daniel's dans un verre, y ajoute une autre mesure de Jack Daniel's, complète avec une troisième mesure de Jack Daniel's. Claire avale le tout cul sec, et plusieurs des types debout au comptoir se mettent à applaudir spontanément.

Des applaudissements. Voilà un bruit qu'elle n'a pas entendu depuis un moment.

— Et maintenant, un thé glacé Long Island, réclame-t-elle. Avec beaucoup de thé.

Elle n'est pas la plus belle des collaboratrices de Henry. Selon elle, ce serait plutôt Alana.

Alana a des cheveux de garnement, une voix de petite fille et le corps du mannequin qu'elle a été avant d'atteindre l'âge de vingt-sept ans et de voir se raréfier les engagements des magazines. Elle est névrosée comme un pur-sang, et sa taille, généralement dénudée, est aussi ferme et tendue qu'une raquette de tennis.

Il arrive parfois, néanmoins, que des hommes restent insensibles aux charmes de cover-girl d'Alana et leur préfèrent ceux de Lizzie. Ou, plus précisément, les seins de Lizzie. Gros et crémeux, ils ondulent comme un matelas d'eau chaque fois qu'elle fait un mouvement, ce qui n'est pas très fréquent. Claire jalouse surtout le gauche, celui orné d'un scorpion tatoué sur le renflement supérieur.

Et puis il y a Lola. Si l'épithète «jolie» n'est pas précisément celle que vous choisiriez pour la décrire, elle a indéniablement ses fans. Mi-japonaise, mi-juive, avec les yeux insondables d'une geisha et le vocabulaire d'un mac de Brooklyn, Lola a été strip-teaseuse dans une boîte où les filles dansaient sur les tables. Sa spécialité consistait, pour cinquante dollars de bonus, à se pencher au-dessus du giron d'un habitué et, dissimulée derrière le rideau de ses longs cheveux noirs, à enfreindre pendant une dizaine de secondes environ la règle de l'établissement interdisant tout contact entre les belles et les clients. Elle ne prenait même pas la peine d'ouvrir leur braguette, a-t-elle confié un jour à Claire. Ce n'était pas nécessaire.

Claire n'a jamais voulu savoir comment Henry a déniché Lola.

Mais bien qu'elle ne soit pas la plus jolie, ni la plus sexy, ni la plus polissonne, Claire possède une qualité qui, aux yeux de Henry, la rend unique.

Elle obtient des résultats.

Henry soutient que c'est parce que quelque chose en elle la fait paraître plus abordable que ses autres filles. Claire sait, elle, que ce n'est pas vrai. C'est parce qu'elle est la seule, parmi ses appâts, qui sache *jouer*.

Paul, qui dirige le cours d'art dramatique où elle s'est inscrite, aime à répéter qu'on parle d'acteur parce que tout est affaire d'acte. Pas ce que l'on feint d'être mais ce que l'on devient, pas ce que l'on dit mais ce que l'on fait.

Claire n'en est pas persuadée. Cette « Méthode » qu'elle apprend n'est probablement qu'un ramassis de conneries hollywoodiennes.

Pourtant elle a vu des acteurs entrer en scène avec un rhume, réussir à arrêter l'écoulement de leur nez pendant trois heures et se remettre à renifler au foyer des artistes après avoir enlevé leur maquillage.

Elle a vu des hommes prêts à jeter par la fenêtre tout ce qu'ils avaient — femme, fiancée, famille, carrière —

31

uniquement pour pouvoir passer quelques minutes avec un produit de leur imagination.

Avec elle.

Claire n'est pas fière de ce qu'elle fait pour gagner sa vie.

Mais elle est très fière de la façon dont elle le fait.

4

Le Dr Susan Ling tire avec précaution un long thermomètre d'acier du rectum de la morte et le tient à la lumière. Involontairement, Frank détourne les yeux.

— Quarante-huit heures, diagnostique le médecin légiste. A peu près.

— Vous semblez plutôt sûre de vous, fait remarquer l'inspecteur.

— Oui, répond le Dr Ling, qui empoigne l'une des fesses et la secoue sans émotion. La rigidité cadavérique s'est installée et a disparu. Comptez trois à quatre heures de moins si elle s'est débattue.

La scène du crime a maintenant été filmée sous tous les angles. On a ôté les menottes attachant le cadavre au lit pour permettre au médecin de procéder à l'examen. La pièce sent la viande.

Les fesses et les omoplates de Stella Vogler sont d'un vilain violet sombre, comme si tout le sang du corps s'était lentement accumulé et solidifié dans les parties les plus basses. Ce qui est en gros la réalité, Frank le sait.

Les traces de morsure et de coups de ceinture qui marquent les cuisses, les fesses et le bas du dos composent un tableau moins familier.

Le Dr Ling retourne près de la morte et fait signe à son assistant, qui l'aide à remettre le cadavre sur le dos.

La tête ballotte d'un côté à l'autre, l'amas sanguinolent de l'entrejambe ondule et frémit. Frank se racle la gorge.

— Elle est morte de quoi?

Comme toutes les autres personnes présentes dans la pièce à l'exception de la légiste, il garde les mains dans ses poches, ce qui donne à la scène un air faussement décontracté. Ce n'est qu'une fois que tous les techniciens auront terminé leur travail que les autres seront autorisés à sortir les mains de leurs poches.

— Je ne peux pas vous répondre de façon catégorique avant qu'on ouvre le corps, mais je crois quand même que ça ne fait guère de doute. Vous voyez cette ligne autour du cou?

Frank l'avait remarquée mais s'était bien gardé de faire un commentaire avant le médecin.

— C'est une marque de lien. Provenant peut-être d'une ceinture ou d'un collier très résistant, mais plus probablement d'une corde ou d'un fil de fer. Regardez.

Le Dr Ling tire de sa poche de poitrine un mince stylo-torche et, du pouce, soulève une paupière du cadavre. La cornée est trouble, opaque, comme si Stella Vogler avait souffert de cataracte. Frank a vu suffisamment de morts pour savoir que toutes les cornées prennent cet aspect au bout d'un moment. Il note également que l'œil et sa paupière sont parsemés de petites taches rouges.

— Pétéchies, explique le docteur. De petites hémorragies provoquées par l'éclatement de vaisseaux sanguins. Elle a été étranglée, c'est certain. En l'ouvrant, on trouvera une écume sanglante dans les poumons, prédit-elle, comme si elle parlait de soulever le capot d'une voiture.

— Et les autres blessures?

— Environ vingt-sept hématomes superficiels — c'est difficile à dire parce que certains se chevauchent —, causés par une ceinture ou une matraque. Tous avant la mort. Dix-huit morsures, dont plusieurs ont percé la peau, peut-être après la mort. Il est peu probable qu'elles permettent une identification dentaire, mais on verra ce qu'on peut en tirer.

— Les coups de ceinture, cela faisait partie de jeux sexuels ? Ou c'était une agression ?

Le médecin se penche, passe un peigne métallique fin dans la chevelure de la morte.

— Les mobiles ne relèvent pas de mon domaine, répond-elle. Si l'on s'en tient aux indices médicaux, cela pourrait être aussi bien l'un que l'autre.

Les cheveux de Stella Vogler sont blonds et fins, et les dents du peigne font un bruit de râpe quand le Dr Ling ratisse le cuir chevelu.

— Je peux vous dire qu'elle a été bâillonnée à un certain moment. Il y a des particules de sang séché aux coins de la bouche.

Frank indique les entrailles s'échappant de l'entrejambe.

— Et ça ? C'est quoi ?

Le médecin fait tomber ce que les dents du peigne ont retenu dans une enveloppe, la ferme soigneusement et inscrit quelque chose sur le devant.

— Je ne sais pas au juste, vous devrez attendre l'autopsie.

Elle passe aux mains du cadavre, gratte délicatement sous chaque ongle avec une courte pique en bois prise dans la boîte de relevés d'indices. Les extrémités des doigts, exsangues, ont la blancheur de bougies.

— Bien sûr, mais vous avez peut-être une idée… Il l'a pénétrée avec un objet ? Un couteau, peut-être ?

— Je ne peux pas répondre pour le moment, répète-t-elle.

Elle ouvre à nouveau la boîte, y prend un autre peigne qu'elle passe dans la toison pubienne.

— Je peux vous dire en revanche qu'il y a des contusions, à cet endroit. Postérieures à la mort, semble-t-il.

Elle écarte les poils avec le peigne pour que l'inspecteur puisse voir.

— Après l'arrêt de la circulation sanguine, on n'a pas les couleurs vives des contusions antérieures à la mort. Mais un endroit sensible contusionné se putréfie plus vite que la chair qui l'entoure. Comme une pomme talée.

— Ce qui signifie quoi, d'après vous ?

— Ce que le type lui a fait, quoi que ça puisse être, il le lui a fait après sa mort.

Le Dr Ling remet le peigne dans l'enveloppe, la cachette et y porte une annotation.

— Bon, fait-elle, j'ai terminé.

Elle enlève ses gants et les jette dans un sac. Les boules de latex flasques et laiteuses rappellent à Frank des préservatifs usagés.

— Merci, dit-il.

— On se revoit à l'autopsie, alors, inspecteur.

Il hoche la tête, sort les mains de ses poches. Ses doigts sont raides d'être restés crispés en deux poings serrés.

5

Assis seul au comptoir, Frank Durban sirote une bière. De temps à autre, le barman lui adresse un mot ou deux pour savoir s'il a besoin de quelque chose, de conversation ou simplement d'un autre verre, mais chaque fois Frank secoue la tête.

Même une conversation anodine serait au-dessus de ses forces, ce soir. Ce soir, il veut juste regarder les gens aller et venir. Les jolies filles, reflétées dans le miroir, au-dessus du bar. Celles qui sont encore en vie.

Il se passe quelque chose d'étrange sur une scène de crime. Vous n'éprouvez ni dégoût ni répulsion pour ce que vous voyez. Cela vous paraît parfaitement normal. Comme le tueur, vous regardez le corps nu et meurtri de la victime et vous n'y voyez qu'une matière brute, une occasion d'exercer vos talents professionnels.

Parfois, il se produit aussi un autre phénomène, plus inquiétant que cette froide indifférence. Une réaction instinctive, incontrôlable, presque sauvage. Ni colère ni répugnance, une sorte de vague soif de sang.

Tel un chien qui écarte un autre chien de son repas, vous vous surprenez à montrer les dents devant votre proie, le poil hérissé, tandis qu'au plus profond de vous une voix gronde : *Elle est à moi, pas à toi !*

L'espace d'un instant, alors que le médecin légiste tenait une des mains molles de Stella Vogler dans la sienne et passait sa pique sous un ongle décoloré, Frank avait eu cette réaction.

Il repose son verre, se lève.

Il sait qu'il ne devrait pas ramener le boulot à la maison, mais ce n'est pas lui qui décide : le boulot vient sans être invité.

Lorsque Frank arrivera chez lui, à Brooklyn Heights, le corps mutilé de Stella Vogler y sera déjà. Assis dans la cuisine bordélique, parmi les emballages gras de plats tout préparés. Calé devant l'image vacillante de la télé. Etendu sur le côté sans oreiller du lit.

Il est même possible que Frank apprécie la compagnie.

Il est plus de deux heures du matin. Bessie est rentrée depuis longtemps et le barman tente de persuader Claire de le suivre chez lui. Quand il éteint les lumières de la salle, elle attend au comptoir que les derniers clients sortent sous la neige en titubant. Certains dansent encore, comme après un spectacle. Le barman, dont le nom est Brian, place un piège à cafards par terre au milieu de la salle et branche le système d'alarme. Il n'est toujours vêtu que d'un T-shirt mais prétend qu'il n'a pas froid. Un peu soûls, Claire et lui marchent sous la neige jusqu'à son appartement. Des flocons humides volettent dans le ciel sombre comme du plancton descendant doucement au fond de la mer. Les arbres sont devenus des récifs de corail gris. La respiration de Claire et de Brian forme un panache qui monte et se perd, telles les bulles rejetées par un plongeur, traînée d'argent filant vers l'obscurité lointaine de la surface.

L'appartement est encore plus crade que Brian ne l'avait annoncé ; ce n'est guère plus qu'un matelas entouré de fringues sales. Mais, soudain, Claire ne veut plus que se fourrer dans ce lit, tout habillée, être réchauffée par le gros radiateur d'un corps, dévêtue lentement sous les couvertures, jusqu'à ce qu'elle ait assez chaud pour faire l'amour.

Elle se conduit toujours comme ça, après un travail pour Henry. Pourquoi ? Elle ne saurait le dire.

Comme elle ne saurait dire si les petits cris qu'elle pousse maintenant en attirant le barman en elle sont sincères ou faux, ou un peu des deux.

6

Le lendemain matin, les trottoirs sont recouverts d'une pâte feuilletée de neige humide qui gonfle follement sur les voitures en stationnement et les poubelles. Çà et là sur la chaussée, des grilles d'aération ont fait fondre la neige, creusant des trous qui fument paresseusement au soleil d'hiver.

Claire achète un journal au vendeur du métro pour voir si Bessie a droit à une mention dans les critiques de théâtre. C'est le cas : « Parmi les autres membres de la troupe, la brebis pleine d'énergie jouée par Bessie Heron, la souris Raoul Walsh et la petite cochonne agile et sexy Victoria Kolan se détachent du lot. »

Il y a quelque chose en deuxième page sur une femme retrouvée morte dans un hôtel. La police n'a pas communiqué de détails.

Lorsqu'elle arrive à la petite *brownstone* qu'elle partage avec Bessie, elle trouve son amie encore endormie, recroquevillée sous les couvertures. Claire la réveille, raccroche l'ensemble Donna Karan dans le placard de Bessie après en avoir vidé les poches. Un morceau de carton blanc tombe par terre : la carte de l'avocat.

— Tu m'inquiètes, fait la voix de Bessie sous l'édredon.

— Pourquoi ? C'était marrant.

— Arrête. C'était de la baise dénuée de sens avec un parfait inconnu.

— Ça aussi, répond Claire avec un grand sourire.

— Tu prends des risques.

— Il a mis une capote, qu'est-ce que tu crois !

La tête de Bessie émerge des draps.

— Je te parle pas de maladie, idiote. C'est ta *vie* que tu risques.

— Bessie, dit Claire d'un ton calme, il ne te vient jamais à l'idée que tu es peut-être un tantinet parano ? Enfin, à quoi ça rime, ce truc ?

Elle tend le truc en question, qu'elle vient de trouver dans le tiroir à lingerie de Bessie. Avec précaution, au cas où il serait chargé.

— Qu'est-ce que tu crois ? C'est un pistolet, Claire.

— Ça, je le vois. Qu'est-ce qu'il fait parmi tes culottes ?

— C'est un cadeau de mon père.

— Mais tu aurais préféré une maison de poupée, ce Noël-là, je parie ?

— Un cadeau pour mon départ. Au cas où j'aurais besoin de me défendre dans la grande méchante ville…

Claire repose soigneusement l'arme dans sa cachette. Elle prend un tricot, un chemisier, des jambières noires Alaïa et les jette sur le lit.

— Ça pourrait aussi me servir pour descendre la personne qui pille ma garde-robe, dit Bessie d'un ton songeur.

Claire saute sur le lit en répliquant :

— On n'a pas besoin de marques à la mode quand on est une star.

— Ce qui veut dire ?

Elle la frappe avec le journal.

— Et une critique, une ! Résumé de l'article : tu es brillante. Contribution énergique et éminente à l'histoire de la comédie musicale. Et j'ajoute en prime trois mois de loyer. Désolée du retard.

Se voyant proposer à la fois le journal et l'argent, Bessie saisit d'abord le journal.

Frank a reçu du renfort, trois inspecteurs compétents qui enquêteront avec lui : Forster, Weeks, Positano. Leurs supérieurs — jusqu'au sommet de l'échelle — sont déjà en train de les tanner tous les quatre pour prendre connaissance de la paperasse et donner leur opinion.

La paperasse. Depuis l'aube, Frank tape sur l'ordinateur de son bureau son premier rapport concernant le crime.

Aujourd'hui, on apprend la dactylographie, à l'école de police, a-t-il entendu dire.

Mais il est prêt à parier qu'on ne vous apprend pas à annoncer à un homme que sa femme a été retrouvée morte et violée dans une chambre d'hôtel. On ne vous apprend sûrement pas non plus à deviner s'il était déjà au courant ou non.

— Monsieur Vogler, voyez-vous une raison quelconque pour laquelle votre femme aurait réservé une chambre d'hôtel aussi près de votre appartement ?

Christian Vogler fait non de la tête.

— Elle m'avait dit qu'elle allait chez sa sœur, murmure-t-il.

C'est un homme de haute taille à la peau sombre, aux cheveux coupés si court qu'il pourrait aussi bien être chauve, avec ce genre de physique qui rappelle à Frank les boxeurs professionnels du début du siècle dernier — une poitrine de taureau sur des hanches étroites —, la forme de son corps offrant un curieux contraste avec son costume trois-pièces impeccable, ses chaussures à lacets et ses boutons de manchette. Frank lui donne quarante, quarante et un ans. Quelques années de plus que son épouse.

Il répond à leurs questions d'une voix basse, presque un murmure, mais c'est peut-être dû au choc. Il revient de la morgue, où il a identifié les restes couverts de bleus de sa femme. Le médecin légiste, ou l'un de ses assistants, a entouré le cou de la morte d'un linge pour cacher la marque de la corde, comme on noue une serviette autour d'une bouteille de vin. Malgré cette précaution, Stella Vogler n'était pas belle à voir.

Frank a délibérément choisi d'interroger le mari tout de suite après, au moment où le désarroi est à son comble.

— Et vous, intervient Mike Positano. Vous étiez où y a trois jours ?

— J'ai travaillé tard. A la bibliothèque. Comme Stella était sortie, je n'avais aucune raison de rentrer, argue Vogler avec un haussement d'épaules.

— Elle vous a téléphoné, dit Frank, qui lui montre l'imprimé informatique de l'hôtel. Elle vous a appelé de sa chambre. C'est bien le numéro de votre domicile ?

— Oui, mais je n'y étais pas.

— Encore une chose qu'on a du mal à comprendre, reprend Positano avec douceur. D'après ce document, elle est restée près de trois minutes au téléphone.

Après un silence, Christian Vogler propose une explication :

— Elle a dû vérifier s'il y avait des messages. On peut consulter le répondeur depuis un téléphone extérieur, vous savez.

— Vous avez remarqué s'il y avait des messages, quand vous êtes rentré ?

— Nous avions des messageries séparées.

Frank note l'utilisation. Selon son expérience, les proches mettent généralement une semaine à parler du disparu de cette façon.

— Ou elle aurait pu laisser un message, suggère Positano. Pour vous. Pour vous dire où elle était.

Vogler cligne lentement des yeux. Maintenant que Frank a tout loisir de l'examiner, il remarque la manière presque arrogante avec laquelle il soutient leur regard, la trace de dédain dans ses yeux verts et froids.

— Il n'y avait pas de message.

— Nous aurons peut-être besoin de votre répondeur pour que nos techniciens y jettent un coup d'œil, prévient Positano.

Vogler exprime son accord d'un haussement d'épaules puis croise les jambes. Ses chaussures sont impeccablement cirées, et Frank se demande si elles ont été faites sur mesure.

— Monsieur Vogler, quelqu'un vous a vu, à la bibliothèque ? interroge Positano. Quelqu'un qui pourrait témoigner de votre présence…

— Il y avait des gens, bien sûr, mais personne que je

connaisse, répond Vogler en regardant Frank fixement. Vous ne pensez quand même pas... J'ai besoin d'un avocat ?

L'inspecteur soupire avec ostentation.

Pendant que Vogler téléphone à son avocat, Positano grommelle :

— Tu crois que c'est lui ?

— Trop tôt pour le dire, répond Frank. Mais il n'a pas le comportement d'un type qui vient de perdre quelqu'un.

Positano approuve de la tête.

— Si on essayait le VICAP ?

Le VICAP — programme pour l'arrestation des criminels violents — est une banque de données constituée par le FBI pour traquer les auteurs de crimes en série qui se déplacent d'un bout à l'autre du pays. Trente pages de formulaires informatisés à remplir, uniquement pour savoir si votre affaire ressemble à une autre affaire qui n'a pas été élucidée non plus.

— Même si on a une ressemblance, le VICAP ne nous dira pas pourquoi Stella se trouvait dans cette chambre d'hôtel. C'est le premier problème à résoudre.

Frank se lève, lâche au-dessus de la corbeille le gobelet de café au lait froid de chez Starbucks, avec précaution, pour que le liquide n'éclabousse pas son pantalon.

— De toute façon, c'est cuit pour le moment, ajoute-t-il. L'avocat de Vogler lui recommandera de la fermer jusqu'à ce qu'il arrive.

— Et même après, si je connais un peu les avocats, dit Positano d'un ton morose.

Le médecin légiste place son scalpel sur l'épaule droite de Stella et incise en descendant vers le centre de la poitrine. Elle doit soulever le sein pour couper droit. Puis elle répète le geste en partant de l'autre épaule, de manière que les deux lignes se rejoignent juste sous les côtes. De là, le scalpel descend perpendiculairement à la taille jusqu'à l'estomac de la morte.

Un corps entretenu par la gym, pense Durban. Un ventre légèrement musclé. Toutes ces heures passées sur le Stairmaster pour en arriver là...

Le nombril dessine des volutes complexes et intriquées, comme l'embouchure nouée d'un ballon de baudruche. Le scalpel du médecin le fend en deux, poursuit sa route vers les parties génitales. Qui ont été rasées, grossièrement, pour révéler les contusions dont le Dr Ling a parlé sur le lieu du crime. Le Dr Ling a également procédé à un examen interne, les jambes du cadavre maintenues en l'air par des étriers, en une parodie grotesque de toucher vaginal, tandis que la main gantée du médecin l'explorait.

— La blessure au vagin mesure environ sept centimètres sur deux, dit-elle. C'est une déchirure, pas une incision.

— Faite avec quel genre d'objet ?

— Ce n'était peut-être pas un objet. La plaie a la taille d'un poing humain, approximativement.

Frank sent sa bouche se dessécher.

— Cela aurait pu arriver accidentellement ? Pendant les rapports sexuels ?

— J'en doute. La nature a conçu cette partie du corps pour donner naissance à des bébés. Il en faut beaucoup pour l'abîmer.

Le regard du médecin croise celui de l'inspecteur.

— Nous avons reçu les rapports du labo : on a relevé des traces de stéarate de glycol sur le frottis vaginal.

— Qu'est-ce que c'est ?

— Un composé utilisé dans les crèmes hydratantes. Je dirais que le tueur s'en est servi pour lubrifier sa main. Vous pourriez peut-être vérifier s'il manque l'un des berlingots offerts par l'hôtel...

— Nous le ferons, dit Frank en prenant note.

Maintenant que le corps a été nettoyé, une petite cicatrice ronde, pas plus grande qu'une pièce de dix *cents*, est visible sur l'intérieur de la cuisse.

— Qu'est-ce que c'est ? s'enquiert Durban. C'est le tueur qui a fait ça ?

— Non. Cette cicatrice est vieille de plusieurs années.

— Vous avez une idée de son origine ?

— La femme est peut-être descendue maladroitement d'une moto un jour qu'elle portait un short et s'est brûlée au moteur. Ou elle aura laissé quelque chose tomber sur sa cuisse un jour de barbecue. C'est juste en dessous de la ligne du maillot.

Le Dr Ling hausse les épaules, reprend son travail. Les cisailles avec lesquelles elle s'attaque à la cage thoracique sont grandes comme un taille-haie, et l'effort qu'elle produit pour les refermer la fait grogner.

Frank reste en retrait. Il n'y a pas d'odeur dans la pièce, pas encore. Des grilles de climatisation soufflent en rugissant un air glacé au-dessus de leurs têtes.

Le médecin met un masque chirurgical, extirpe les entrailles de la cavité, poignées d'intestins grisâtres dans lesquels nichent d'autres organes aux couleurs plus vives. Parfois, elle en détache un de quelques coups adroits de son scalpel, le tend à son assistant.

Au bout de quelques minutes, elle s'interrompt et s'approche de la table où les organes alignés attendent d'être disséqués.

— C'est curieux, dit-elle en abaissant son masque. Nous n'avons pas un jeu complet.

— Pardon ? Je ne vous suis pas.

— Il manque la rate. Ce n'est pas un organe très spectaculaire — il ne fait que stocker des globules rouges —, mais il vaut mieux ne pas en être dépourvu.

— Elle a été… prélevée ?

— Je crois que nous pouvons le supposer. Il n'y a aucune autre explication médicale à son absence.

Le médecin et le policier se regardent un moment. Quoi que l'un ou l'autre ait envie de dire, quoi qu'ils pensent, ce n'est ni le lieu ni le moment. Le Dr Ling retourne près du cadavre, se penche au-dessus de la cavité pectorale, coupe et incise. Lorsqu'elle se redresse, Frank peut voir par l'ouverture jusqu'au blanc de l'épine dorsale.

Reste professionnel, s'exhorte-t-il.

Le médecin passe à la tête, fait une incision d'une tempe à l'autre. Relevant un pan de peau, elle met à nu un os couleur ivoire avec le geste précis d'une femme de chambre qui rabat des couvertures.

— Il faut que vous sortiez, maintenant, dit-elle avant de remettre son masque. Vous pourrez regarder à travers la vitre.

Sur un chariot proche où sont disposés des outils électriques, elle choisit une scie circulaire aux dents fines, presse du pouce le bouton. Un moteur électrique se met à hurler, rendant toute conversation impossible.

Quelques instants plus tard, un blizzard de sciure d'os a envahi la pièce.

7

— Je suis dans une boîte, dit Claire.

— Qui t'a mise dans la boîte ?

— Mon père.

— Il y a quoi d'autre dedans ?

Le jeune homme qui pose les questions est assis en face d'elle, si près que leurs jambes s'imbriquent presque.

— Un rat, répond-elle.

— Qui porte quoi ?

Elle réfléchit, mais à peine une seconde.

— Une bague ornée d'un diamant.

— Elle vient d'où, cette bague ?

— D'une belle femme.

— Qu'est-ce que le rat a d'autre ?

— Un couteau.

— Il le plante où ?

— Dans mon ventre.

— Qu'est-ce qui en sort ?

— De la neige.

— Elle devient quoi, cette neige ?

— Mon père la boit.

A l'autre bout de la salle du plateau de répétition, Paul frappe une fois dans ses mains pour les interrompre et porter une appréciation :

— Pas mal. Mais, Claire, tu réfléchis encore trop. Combien de fois il faut que je te le répète ? Ne réfléchis pas, dis la première chose qui te passe par la tête.

— Est-ce qu'ils n'auraient pas pu développer l'idée de la bague ? suggère un autre étudiant. On a l'impression que l'exercice s'est terminé en queue de poisson à ce moment-là.

— Je suis d'accord, approuve Paul. Permutez, maintenant. Claire, c'est toi qui poses les questions à Keith.

Le cours d'art dramatique se déroule dans une salle de répétition vaste et lumineuse proche de l'université. Il ne rassemble qu'une douzaine d'étudiants, et Paul.

Claire se rappelle l'audition qu'elle a passée avec lui quatre mois plus tôt. Les cours de la NYU/Tisch sont parmi les meilleurs, et les candidatures excèdent largement les places disponibles. Claire savait que, même si elle parvenait à payer leur coût exorbitant, elle aurait du mal à se faire inscrire.

Elle avait préparé un monologue — Brecht ou

Tennessee Williams : un texte relevé, littéraire — et attendait nerveusement son tour devant la salle parmi une ribambelle de beautés new-yorkaises très glamour, des créatures sveltes et sûres d'elles qui l'avaient rejetée d'un regard. Quand ce fut enfin à elle, elle entra dans la salle de répétition, déserte à l'exception d'une sorte de petit lutin en T-shirt noir. Assis sur le seul meuble, une table blanche, il jouait avec une cuillère en plastique.

Claire déclina son nom, qu'il feignit d'inscrire sur une tablette avec la cuillère. Puis il baissa les yeux, comme étonné de ne pas pouvoir écrire, trempa la cuillère dans une bouteille d'encre imaginaire et l'agita en direction de Claire.

Aussitôt, elle porta une main à son front pour essuyer l'encre fictive. Le lutin hocha la tête.

« OK, tu es prise. »

Il avait saisi cette fois un vrai stylo et notait quelque chose.

« Comme ça ? »

La réponse avait paru amuser Paul.

« Pourquoi ? Tu veux continuer pour voir si je peux trouver une raison de te recaler ? »

Elle haussa les épaules et il poursuivit :

« Bon. Les cours commencent au début du semestre. On se revoit à ce moment-là. »

Claire avait pris une profonde inspiration.

« J'ai un aveu à vous faire. Officiellement, je ne réside pas à New York. Je n'ai pas de carte verte ni rien. Je ne suis même pas inscrite à l'université.

— Tu sais jouer, non ? »

Nouveau haussement d'épaules.

« J'espère.

— Alors, joue l'étudiante. Si je ne me trompe pas sur ton compte, tu es au moins capable de ça. »

Le premier jour, Paul leur fit interpréter une scène d'*Hamlet* et Claire trouva ses camarades plutôt bons. Puis il les fit rejouer avec un manche à balai en équilibre sur le bout des doigts. La scène s'effondra, les acteurs bredouillant, trébuchant sur une langue non familière.

Paul les réunit ensuite autour de lui.

« Ce que vous avez fait la première fois, ce n'était pas jouer, c'était *faire semblant*. Vous avez copié ce que vous avez vu d'autres comédiens faire, mais ce n'était pas vrai pour vous. Voilà pourquoi vous n'avez pas pu le faire la deuxième fois, quand vous deviez vous concentrer sur autre chose. Aujourd'hui, je ne vous dirai qu'une chose, mais c'est la chose la plus importante que je vous dirai jamais : ne pensez pas. Jouer, ce n'est pas faire semblant ou incarner. Jouer, c'est *faire*.

— C'est un cours qui prend la Méthode pour base ? » avait demandé un des élèves.

Une expression de légère contrariété passa sur le visage de Paul.

« Que je ne vous entende plus jamais utiliser ce terme. Il implique l'existence d'une série de règles ou d'une formule quelconque. La phrase que Stanislavski utilisait lui-même, c'est "habiter le moment". C'est notre objectif. »

Aujourd'hui, ils terminent en improvisant une histoire dans laquelle deux préposés aux toilettes ont été pris pour des chirurgiens du cerveau et opèrent la maîtresse du Président. Claire, allongée par terre, joue la maîtresse. Les chirurgiens viennent de décider de remplacer son cerveau, qu'ils ont malencontreusement mutilé, par l'un des leurs, quand quelqu'un s'avance dans le cercle.

Claire voit un homme vêtu d'un long imperméable marron, ses gros godillots couverts de neige. Il s'arrête et lance «Claire Rodenburg?», sans s'adresser à personne en particulier, et la façon dont il l'a dit fait instantanément comprendre qu'il est flic.

— Vous ne pouvez pas l'emmener! glapit un des chirurgiens. On ne lui a pas encore mis de cerveau!

Une expression de dégoût flotte brièvement sur le visage du policier. Il baisse les yeux vers Claire.

— Mademoiselle Rodenburg?

— C'est une très bonne amie du Président, prévient l'autre chirurgien. Attention à ce que vous faites avec elle.

Elle remarque que l'homme ne paraît pas dérouté par ces absurdités surréalistes. Il tire sa carte de sa poche, la tient assez bas pour que Claire puisse la voir et se présente :

— Inspecteur Frank Durban. Qu'est-ce que vous diriez d'une pause?

Il y a une salle vide à côté, avec quelques chaises en plastique çà et là. Claire s'assied, l'inspecteur reste debout.

— Désolé de perturber votre après-midi, s'excuse-t-il.

Elle a déjà compris de quoi il s'agit. L'avocat qu'elle a arnaqué a porté plainte.

— Laissez-moi vous expliquer… commence-t-elle.

— Je crois savoir qu'il vous arrive de travailler pour Henry Mallory, la coupe-t-il abruptement.

— Oui.

— Qu'est-ce que vous faites au juste pour lui?

— Je vois si des hommes… s'ils sont capables d'être infidèles, répond-elle nerveusement en tripotant ses cheveux. Les clientes de Henry me paient pour que je drague leur mari.

L'inspecteur lui montre une photo protégée par une pochette en plastique.

— Vous reconnaissez cette femme ?

— Oui, fait Claire.

Qui doit cacher sa surprise parce qu'il ne s'agit pas de l'épouse de l'avocat mais d'une autre cliente, dont elle s'est occupée une semaine plus tôt.

— Vous connaissez son nom ?

— Je crois que c'est Vogler, dit Claire d'un ton hésitant. Stella Vogler.

— D'après M. Mallory, c'était une de vos clientes.

— Exact.

— Pourquoi s'était-elle adressée à votre agence ?

Claire lui raconte ce dont elle se souvient, c'est-à-dire pas grand-chose.

Stella s'inquiétait pour son mari, Christian. Ils étaient mariés depuis deux ans et, au cours de cette période, il avait changé. Secret dans son comportement, il avait pris l'habitude de sortir à des heures bizarres sans donner d'explications. D'autres fois, il était évasif, esquivait les questions. Et tout en se montrant plus possessif que jamais envers Stella, il s'était mis à la considérer avec une froideur qui confinait parfois à la haine.

Toujours la même vieille histoire. Claire ne travaille pour Henry que depuis peu de temps, mais elle a l'impression de l'avoir déjà entendue un millier de fois.

L'inspecteur griffonne quelques mots à la hâte sur son calepin et reprend :

— On vous a donc demandé de, euh, faire la connaissance de M. Vogler. Comment ça s'est passé ?

— Eh bien, de façon bizarre.

— Comment ça ?

— Il ne s'intéressait pas à moi.

Frank tapote ses dents de son stylo.

— Ça arrive souvent ?

— Non. C'était la première fois, en fait. D'habitude, je… je réussis assez bien.

— J'imagine.

Un silence gêné s'installe. Claire fixe le sol, Frank s'éclaircit la voix.

— Dites-moi exactement ce qui s'est passé, réclame-t-il.

Le bar était un endroit spacieux et tranquille, la salle de devant d'un ancien restaurant. Le genre d'établissement dont elle ne voyait jamais l'intérieur, du moins pas sur son propre budget.

La femme de Vogler lui avait expliqué qu'il s'y rendait souvent. Il faisait parfois des recherches à la bibliothèque publique et le bar se trouvait sur le chemin qu'il prenait pour rentrer. Invariablement, il s'y asseyait seul, buvait un verre de vin rouge en lisant un livre.

Selon le plan établi, Stella lui avait dit qu'elle quittait New York pour trois jours, lui offrant une occasion idéale s'il avait envie de batifoler dans le dos de sa femme. En fait, elle avait réservé une chambre dans un hôtel proche.

— Le Lexington ?

— C'est ça.

Frank prend note, avec un hochement de tête songeur.

Claire avait commandé un verre et s'était installée au bar, près de l'endroit où Christian Vogler était assis. Au bout d'un moment, elle remarqua qu'il levait la tête pour la regarder. Elle continua à boire lentement son verre et attendit.

Elle en était à son troisième virgin mary quand elle prit conscience que, cette fois, il ne suffirait peut-être pas d'attendre.

A un moment, il s'était levé de sa table et s'était dirigé vers le bar, marchant vers Claire d'un pas rapide, mais ce n'était que pour demander au barman de la monnaie pour le téléphone.

— Combien de temps il est resté au téléphone ?

— Pas très longtemps. Une minute. Peut-être un peu plus.

— OK, racontez-moi ça.

Profitant de son absence, elle s'était approchée de sa table d'un pas nonchalant, avait pris le livre qu'il lisait. C'était un recueil de vers en français.

A son retour, elle avait sursauté, d'un air coupable.

— Oh ! excusez-moi. Il est à vous ?

— Oui, répondit-il sèchement.

Elle lut le titre du livre, le traduisit en anglais.

— *Les Fleurs du mal*, c'est ça ?

— C'est ça.

Il tendit la main pour récupérer le mince volume et, brièvement, leurs regards se croisèrent. Christian Vogler avait des yeux étonnants : vert groseille, avec un anneau secondaire noir, comme si l'iris était entouré de charbon de bois. Claire dut se forcer à regarder de nouveau le livre.

— « J'ai plus de souvenirs que si j'avais mille ans », lut-elle doucement.

Il battit des cils.

— Vous avez un bon accent.

— J'ai fait un peu de français au lycée. Mais c'est un texte difficile... un tombeau de pyramides... non...

— Il y a une traduction à la page suivante. Si cela vous intéresse vraiment.

Claire tourna la page, se mit à lire à voix haute en prenant son temps, marquant les pauses et les ruptures de sa voix de comédienne :

— « Un gros meuble à tiroirs encombré de bilans,/ De vers, de billets doux, de procès, de romances,/Avec de lourds cheveux roulés dans des quittances,/Cache moins de secrets que mon triste cerveau./C'est une pyramide, un immense caveau,/Qui contient plus de morts que la fosse commune... »

Elle s'interrompit, jeta un coup d'œil à Vogler, qui la fixait intensément.

— Continuez, s'il vous plaît.

Elle reprit, plus bas :

— «Rien n'égale en longueur les boiteuses journées;/Quand sous les lourds flocons des neigeuses années/L'ennui, fruit de la morne incuriosité,/Prend les proportions de l'immortalité./Désormais tu n'es plus, ô matière vivante !/Qu'un granit entouré d'une vague épouvante,/Assoupi dans le fond d'un Sahara brumeux;/Un vieux sphinx ignoré du monde insoucieux,/Oublié sur la carte, et dont l'humeur farouche/Ne chante qu'aux rayons du soleil qui se couche… »

Le silence se fit. Pendant que Claire lisait, Christian Vogler avait fermé les yeux. Il les rouvrit, posa sur elle un regard sans expression.

— C'est un peu étrange, dit-elle. Qu'est-ce que ça veut dire ?

Elle remarqua alors la photo illustrant la quatrième de couverture.

— Oh, mais c'est vous ! «Traduit et présenté par Christian Vogler.» Vous êtes poète ?

Il secoua la tête.

— Traducteur. Et uniquement à mes moments perdus.

— De quoi ça parle ? demanda-t-elle, pour relancer la conversation.

A nouveau le regard vide, indifférent.

— Ça ne parle de rien. Le texte ne se rapporte qu'à lui-même.

— Bien sûr, mais pourquoi l'auteur a-t-il écrit ce poème en particulier ?

— Ah ! fit Vogler. Baudelaire avait une vie amoureuse compliquée.

— Tout à fait mon type.

Doucement, Claire, se raisonna-t-elle. Pas si vite.

— Il était intimement lié à deux femmes, dit-il, regardant de l'autre côté du bar comme pour rassembler ses pensées. Quoique « lié » ne soit peut-être pas le mot juste. L'une était une prostituée, une mulâtresse qu'il appelait sa Vénus noire. L'autre était une beauté sophistiquée de la haute société, la femme d'un ami. Elle avait pour nom Apollonie Sabatier, mais les biographes l'appellent la Vénus blanche. La prostituée aimait Baudelaire, qui était son amant, mais il aimait aussi la Vénus blanche.

— Le triangle amoureux.

— D'une certaine façon.

— Qu'est-il arrivé ?

— Il a écrit une extraordinaire série de poèmes érotiques. Il disait qu'il voulait faire quelque chose de complètement neuf, créer la beauté à partir du mal. Ses poèmes abordent toutes sortes de perversions, mais l'effet qui s'en dégage est d'une étrange douceur. Il les a envoyés à la Vénus blanche sous pli anonyme. Elle a finalement deviné de qui ils étaient. Elle lui a proposé de coucher avec lui : ce n'était pas si important pour elle, elle avait couché avec beaucoup des amis de son mari. Ils n'ont passé qu'une nuit ensemble.

— Elle l'a plaqué ?

— Non. Personne ne sait ce qui s'est passé. Le seul indice, c'est la lettre de rejet qu'il lui a envoyée, lui, le lendemain. Il disait qu'il préférait se souvenir d'elle comme d'une déesse et non comme d'une femme.

— Je suppose que la plupart des gens n'aiment pas se sentir entravés, commenta Claire. Et vous ?

C'était une erreur : trop évident, trop gros. Elle le comprit dès que les mots sortirent de sa bouche. Christian Vogler se leva.

— Il faut que j'y aille, marmonna-t-il en détournant les yeux.

— Attendez, je voudrais vous demander quelque chose. Sur, euh… (coup d'œil à la couverture) Baudelaire. Où je pourrais trouver cette traduction ? Ça a l'air vraiment intéressant et…

— Gardez-le, dit-il, tirant de l'argent de sa poche pour la serveuse.

— Le garder ? Vous ne voulez pas que je vous laisse mon numéro pour…

— Mon adresse est écrite à l'intérieur. Vous me le renverrez quand vous l'aurez fini.

— Vous êtes sûr ? Je…

— Pas de problème, assura-t-il en enfilant sa veste.

— Je ne peux même pas vous offrir un verre ? insista Claire en désespoir de cause.

Un moment, il l'avait observée, avec une sorte d'étrange répugnance, puis, sur un « Ravi d'avoir bavardé un instant avec vous », il s'était détourné et s'en était allé.

— Vous pensez qu'il avait deviné ce qui se passait ? demande Frank d'un ton sceptique.

— Je ne vois pas comment.

— Et Mme Vogler ? Comment elle a réagi quand vous lui avez raconté ce qui s'était passé ?

— Elle était contente, manifestement. Rassurée. Heureuse.

— Elle vous a payée ?

— Bien sûr. Pourquoi ne l'aurait-elle pas fait ?

— Nous avons trouvé une grosse quantité de liquide sur elle.

Les yeux de Claire s'écarquillent.

— Vous voulez dire… Elle est morte ?

Durban acquiesce de la tête en observant sa réaction.

— Oh mon Dieu, fait-elle, consternée. Comment ?

— Nous pensons qu'il s'agit d'un meurtre.

— C'est terrible.

Il lui fait répéter son histoire une deuxième puis une troisième fois, range finalement son calepin.

— Une dernière question. Le livre, qu'est-ce qu'il est devenu ?

— Le livre ?

— Le recueil de poésie. Vous le lui avez renvoyé ?

— Non, il traîne encore quelque part chez moi.

— C'est probablement sans importance, dit Frank en se levant, mais ne le jetez pas, d'accord ?

8

Frank Durban soupire et se penche un peu plus en avant sur le tabouret ergonomique qu'il a installé devant son ordinateur. Cet accessoire le force à prendre une position à demi agenouillée, comme s'il adorait la grande déesse Paperasse.

Il en a presque terminé avec la page 20 du formulaire VICAP et, malgré son tabouret étudié pour, il a le dos en compote.

Enfin, il appuie sur *Envoi*. Quelques instants plus tard, un ordinateur du siège central du FBI, en Virginie, se saisit de son rapport et le compare aux trente mille autres rapports sur des crimes non résolus commis à travers les Etats-Unis.

C'est toujours mieux, pense-t-il, que de chercher le tueur en piquant une épingle au hasard dans l'annuaire.

Un message s'affiche sur l'écran.

Merci de votre rapport. Selon nos dossiers, un rapport antérieur présente des analogies.

Intrigué malgré lui, Frank presse le bouton *Suite*, mais, au lieu de lui fournir des détails, l'ordinateur répond :

Les personnes souhaitant avoir accès au rapport n° FGY554/ny/348 sont priées de contacter le Dr C. Leichtman, au département Science du Comportement du FBI, Quantico, Virginie.

Claire rentre à l'appartement et trouve Bessie, la tête enturbannée d'une serviette, en train de zapper d'une chaîne de télévision à l'autre.

— Bonne journée ? demande-t-elle tandis que Claire pose son sac de provisions sur le comptoir.

— Curieuse, en tout cas…

Claire lui raconte sa rencontre avec le policier et conclut :

— Je me sens un peu drôle. A part le personnel de l'hôtel, nous devons être les deux dernières personnes à avoir vu Mme Vogler en vie, Henry et moi.

— Vogler, tu dis ?

— Oui. Pourquoi ?

— Le mari passe à la télé en ce moment, répond Bessie, zappant de nouveau. Tiens, le voilà.

Sur l'écran, un homme grand et chauve, au visage assombri par la fatigue, parle devant une forêt de micros. Des flashes projettent sur ses traits une lumière stroboscopique.

— C'est lui, dit Claire. Mets plus fort, s'il te plaît.

Quand Bessie augmente le volume, les deux femmes entendent Christian Vogler dire d'une voix basse, à peine plus qu'un murmure : « … reconnaissant de toute aide, quelle qu'elle soit, qui pourrait être apportée aux services de police de New York… » Il se tait, cligne des yeux comme une chouette quand les flashes reprennent leur tir de barrage. Un agent en uniforme assis près de lui tend la main vers un micro.

— Conférence de presse, commente Bessie d'un ton entendu. Tu sais ce que ça veut dire ?

— Qu'ils tiennent une conférence pour la presse ?

— Non, idiote. Que les flics le croient coupable, repartit Bessie qui soupire, exaspérée par l'expression d'incompréhension de son amie. Seigneur, ce que tu peux être naïve, quelquefois ! Quand les policiers pensent qu'un type a fait le coup mais que son avocat les empêche de l'interroger, ils organisent une conférence de presse pour que les journalistes posent les questions un peu dures à leur place. La prochaine fois que tu le verras à la télé, il aura une couverture sur la tête.

Claire secoue la tête.

— Non, non. Il était heureux en ménage.

— Ne me sers pas ces salades, répond Bessie en s'ébouriffant les cheveux. Un homme heureux en ménage, ça n'existe pas.

Le lendemain, Claire va voir Henry.

Il a abandonné les flasques de bourbon et sa main marquée de taches de vieillesse tient une grande bouteille de Wild Turkey. En voyant la jeune femme entrer, il la range dans un tiroir de son bureau.

— Claire, qu'est-ce que je peux faire pour toi ?

Il ne bredouille pas, mais elle sait que c'est uniquement à cause de sa formation de comédien. Henry se retrouverait enroulé autour d'un pied de table avant d'avoir l'élocution pâteuse.

— La police est venue me voir, Henry.

Il rouvre le tiroir.

— Besoin d'un remontant ?

— Oui, avoue-t-elle.

En cherchant des verres, il lui explique :

— Il n'y aura pas de travail pendant un moment. Les

flics m'ont rendu visite, aussi. Ils n'étaient pas impressionnés. Il semblerait que pour enregistrer les gens sans leur autorisation il faut un mandat, une licence ou quelque chose de ce genre. Je dois à l'avenir me limiter aux chiens perdus.

Il remplit un des verres, en avale immédiatement la moitié et ajoute :

— On n'a pas vraiment besoin d'actrices pour retrouver des chiens perdus, j'en ai peur.

— Tu me vires, Henry ?

— Bien sûr que non. Simple entracte, dit-il en levant de nouveau son verre. Rideau, crèmes glacées à l'orchestre. Nous reviendrons, Claire.

Elle sait qu'il n'y croit pas lui-même.

DEUXIEME PARTIE

Ma femme est morte, je suis libre !

Baudelaire,
« Le Vin de l'assassin »,
Les Fleurs du mal

9

Le temps passe.

Pendant quelques jours, le meurtre du Lexington fait la une de l'actualité. A mesure que des détails transpirent, ils sont longuement étudiés par les journaux, commentés de manière pontifiante par les chroniqueurs, ruminés dans les bars et les bureaux de New York.

Puis la vedette d'une série télévisée est prise en photo dans un club SM, le tunnel Lincoln est fermé pour travaux et le Président envoie des troupes américaines à Antigua.

Les gens passent à autre chose.

Bessie, dont le père est un magnat du pétrole, laisse Claire prendre un peu de retard pour le loyer. De temps en temps, elle sert à table dans des bars où l'on a besoin de personnel pour la période des grandes vacances. Marcie lui a donné le numéro d'un type qui gère une écurie de danseuses « exotiques ». Claire s'est débrouillée jusqu'ici pour ne pas avoir à l'appeler.

Elle arrive à joindre les deux bouts, de justesse. Mais elle devra bientôt dire adieu aux cours d'art dramatique.

La salle est inondée de soleil. Etendus sur le sol, les élèves dessinent de leurs corps une étoile de mer. Leurs têtes se touchent, ils fixent le plafond. Claire entend la voix de Paul, quelque part à proximité :

— C'est un jeu très ancien. Un rituel, presque. On appelle ça « l'Histoire se raconte d'elle-même ». Voilà comment ça se passe. Nous donnons la cadence avec nos mains, par terre, et chaque fois qu'on frappe, l'un de nous ajoute un mot à l'histoire.

— Elle parle de quoi, l'histoire ? demande un élève.

— Je ne sais pas, répond Paul. C'est tout l'intérêt de l'exercice. L'histoire est déjà là, nous n'avons qu'à la laisser sortir.

Au cours des derniers mois, les exercices sont devenus progressivement plus durs. Paul leur a fait passer des journées entières à appeler chaque chose par un autre nom, pour voir l'effet que cela fait. Il leur a demandé d'improviser des personnages bizarres, extravagants — un représentant aux valises pleines de sweaters en poil d'hippopotame, un soldat armé d'une mitraillette invisible… —, puis il les a envoyés dans la rue accoster des passants en restant dans la peau du personnage. A son étonnement, Claire a constaté que les passants l'écoutaient volontiers. Ou elle progresse, ou les gens deviennent carrément dingues avec l'arrivée de l'été.

— Allons-y, dit Paul, qui frappe le sol d'une main puis de l'autre, sur un rythme lent que les élèves prennent peu à peu. Il était… commence-t-il.

Un peu en retard, son voisin de gauche enchaîne :

— Une fois…

C'est le tour de Claire. Ne pense pas, agis. Bien qu'à vrai dire il n'y ait pas de temps pour penser, la cadence implacable des mains la forçant à lâcher la première chose qui lui passe par la tête :

— Une princesse, dit-elle.

L'histoire se déroule, prend de l'élan en faisant le tour du groupe. C'est un conte de fées, un prince qui tombe amoureux d'une statue de son jardin.

La fois suivante, Paul complique la règle. L'élève qui hésite est éliminé. Et le rythme s'accélère à chaque tour.

Cette fois, il ne commence pas par quelque chose d'aussi évident que « Il était ».

Il en sort une histoire étrange et sombre sur une petite fille qui vit dans un cimetière parmi les corbeaux.

L'un après l'autre, les élèves trébuchent, se lèvent en grommelant.

Mais pas elle.

A la fin, ils ne sont plus que deux, Claire et Paul, formant un angle droit sur le plateau, leurs mains claquant sur un rythme trois fois plus rapide, les mots coulant vite et dru, comme si elle les avait mémorisés.

Elle se sent transportée, possédée, en transe. Comme si elle n'était que le porte-parole d'une autre personnalité, l'hôte d'un esprit vaudou. Elle comprend, maintenant. Ne pense pas, agis.

Paul s'arrête enfin et elle reprend lentement ses sens. Se redressant sur un coude, il voit l'expression de son visage et sourit. Le groupe garde le silence. Claire lève la tête, regarde autour d'elle. Généralement, à la fin d'un exercice, les élèves applaudissent.

L'inspecteur Durban est là, qui la regarde. Il a l'air épuisé.

— Mademoiselle Rodenburg, dit-il. Je peux vous parler ?

Elle l'emmène au bar du petit réfectoire. Autour d'eux, des étudiants lisent ou bavardent par groupes de deux ou trois. Comme il fait trop chaud pour prendre un café, Durban va chercher des Coca Light au distributeur automatique.

— L'Amérique, murmure-t-elle. Pays du zéro calorie.

Il ne sourit pas et elle remarque à nouveau combien il a l'air fatigué.

— Mademoiselle Rodenburg, attaque-t-il brusquement, j'aimerais que vous fassiez quelque chose pour moi.

Elle hausse les épaules.

— Quoi?

— Nous reprenons l'enquête depuis le début. Nous vérifions les dépositions, pour voir si quelque chose ne nous a pas échappé la première fois.

— Vous n'avez arrêté personne, n'est-ce pas? J'ai suivi l'affaire dans les journaux.

— Nous avons éliminé pas mal de gens. Par les médias, nous avons invité les autres clients de l'hôtel à se faire connaître, et nous avons retrouvé les quatre cent vingt-six personnes présentes ce soir-là. Nous ne sommes pas restés à ne rien faire, croyez-moi.

— Désolée. Je n'insinuais pas que…

— Nous avons cependant concentré nos efforts sur une seule personne.

— Je peux vous demander qui?

C'est au tour de l'inspecteur de hausser les épaules.

— Le mari, devine-t-elle, se rappelant ce que Bessie lui a dit des conférences de presse.

Il la regarde, comme s'il ne savait pas trop ce qu'il peut lui révéler, puis se penche vers elle.

— Après l'appel lancé à la télévision, nous avons été contactés par une jeune femme qui sortait avec Christian Vogler avant qu'il fasse la connaissance de Stella. Ils étaient fiancés, en fait. Elle a rompu.

— Pourquoi?

— Elle n'aimait pas certaines choses qu'il lui demandait de supporter. Des trucs violents. Puis elle a commencé à se réveiller le matin avec des maux de tête et des bleus inexpliqués sur tout le corps. Jusqu'à ce qu'elle se réveille une nuit complètement nue. Vogler l'avait déshabillée et étendue en travers du lit, entourée de bougies. C'est tout ce dont elle se souvient, car elle est aussitôt retombée dans l'inconscience. Elle pense qu'il la droguait au Rohypnol et qu'il se servait d'elle dans une sorte de rituel sexuel passif.

Claire fait la grimace.

— Pourquoi vous ne l'arrêtez pas ?

— La fille n'a pas porté plainte, à l'époque. Et s'il la droguait effectivement, ce qu'elle a cru voir n'était peut-être qu'une hallucination. Un bon avocat démolirait sa déposition au tribunal.

Durban presse de ses doigts le mince métal de la boîte de Coca, la déforme. Claire a un geste d'impuissance.

— Qu'est-ce que je peux faire ?

— Vous vous rappelez encore votre conversation avec Vogler ? Le poème et le reste ?

— Bien sûr.

Elle l'avait repassée de nombreuses fois dans son esprit, depuis.

— Nous avons quelqu'un qui étudie la personnalité de Vogler, son passé, ce genre de chose. Une psychiatre. Je voudrais que vous parliez à cette femme.

— Quand ?

— Maintenant, ce serait bien.

— Ecoutez…

Elle hésite, jette un coup d'œil en direction de la salle de répétition.

— C'est important, Claire, affirme-t-il, durcissant le ton.

Elle remarque qu'il l'a appelée par son prénom.

— C'est juste que… A quoi cela servira ? Je ne l'intéressais même pas. Ce type n'avait rien à me dire.

— Pourquoi il est parti ?

— Comment ça ?

— Vous m'avez dit que vous étiez en train de parler, tous les deux, et que d'un seul coup il a eu l'air pressé de partir. Je n'ai pas cessé de me demander pourquoi. Puisqu'il rentrait chez lui et que sa femme n'y était pas, pourquoi cette hâte ? Pourquoi mettre fin à une conversation dans un bar avec une jolie fille prête à discuter de poésie française comme si cela l'intéressait vraiment ?

— Je crois qu'il m'a trouvée ennuyeuse.

— Ouais, peut-être. C'est une des possibilités.

— Quelle est l'autre ?

— Il a peut-être mis fin à la conversation parce qu'il pensait vous en avoir trop dit.

Ils montent dans un taxi jaune et Frank donne une adresse dans le Queens. Le chauffeur portoricain le prévient qu'il aura besoin qu'on lui indique la direction après le pont.

— Ces immigrés clandestins… soupire l'inspecteur à mi-voix en la regardant droit dans les yeux. Tenez, poursuit-il en lui tendant une feuille de papier qu'il a tirée de sa poche.

Elle la déplie. C'est une photocopie du formulaire qu'elle a rempli à son arrivée aux Etats-Unis. But de la visite : tourisme. Durée de la visite : soixante jours.

— J'ai d'autres chats à fouetter, déclare-t-il.

— Si je n'avais pas accepté de vous accompagner, vous auriez quand même eu d'autres chats à fouetter ?

Il hausse les épaules.

Le chauffeur a arrêté la climatisation pour économiser le carburant. Assis à l'arrière, Frank et Claire transpirent sur leur siège en vinyle jusqu'à la fin de la course.

10

C'est un bâtiment long et bas, un bâtiment hideux dans une rue d'immeubles de bureaux hideux et de parkings à moitié vides. Claire remarque toutefois que c'est le seul à ne pas porter en façade le logo d'une société.

Durban signe un registre à la réception pour la faire entrer et l'entraîne dans un couloir humide, où flotte une faible odeur qu'elle ne parvient pas tout de suite à reconnaître. Puis elle réussit à l'identifier.

Une odeur d'hôpital.

Au bout du couloir, ils sont accueillis par une Noire corpulente qui murmure quelque chose à l'inspecteur.

— Par ici, dit-il en ouvrant une porte.

La pièce est exiguë, aussi nue qu'une cellule. Sur une table métallique est posé ce que Claire prend d'abord pour un poste de télévision.

Frank l'allume. Ce n'est pas un poste de télé mais un moniteur relié à un circuit fermé. L'image a du grain. Claire croit d'abord qu'on lui montre une scène enregistrée dans cette même pièce, car le mobilier est identique. Puis elle s'aperçoit que la pièce de l'écran est plus grande. Frank manipule une manette qui fait bouger l'image.

— La caméra se trouve de l'autre côté de ce mur, explique-t-il en réglant le son.

Claire comprend, maintenant : c'est une salle d'observation.

Il y a deux personnes dans la pièce voisine. Une femme élégamment vêtue, dans les quarante ans, les cheveux tirés en arrière et noués en chignon ; un homme de dix-neuf, vingt ans, avec un visage de fouine. Ils sont assis l'un en face de l'autre.

— Qu'est-ce que je porte comme vêtements ? demande la femme d'une voix grave et rauque, une voix de fumeuse.

— Une culotte, marmonne le jeune type. Une culotte blanche. Et une jupe. Courte. Un chemisier avec des boutons.

La description n'a aucun sens : la femme est en

tailleur. Claire se tourne vers Durban pour avoir une explication, mais il lui fait signe de continuer à regarder l'écran.

— Je me trouve où ? reprend la femme.

— Sur une aire de jeux.

— Tu vois ma culotte blanche sous ma jupe ?

Il acquiesce d'un brusque mouvement de tête.

— Et qu'est-ce que ça te fait ? demande-t-elle doucement.

De la langue, il s'humecte les lèvres.

— Ça m'excite.

— C'est bon, n'est-ce pas ?

— Oui, murmure-t-il.

— Je me retourne, je vois comme tu es excité. Et après ?

— Tu souris.

Elle hoche la tête.

— Bien sûr. Je souris.

— Tu sais l'effet que tu me fais. Tu en as envie autant que moi.

— Ensuite ?

— Tu me prends la main, tu m'emmènes derrière les buissons.

Il déglutit.

— T'as des socquettes blanches. Je vois qu'elles sont sales, y a de la boue dessus. Je te dis qu'il faudra les enlever.

— Je suis d'accord ?

Il a un pâle sourire.

— Oh oui. T'es d'accord parce que t'en as envie.

— Bien sûr.

— Je lève tes jambes, l'une après l'autre, pour enlever tes chaussures et tes petites socquettes blanches. Tes jambes sont nues, et lisses. Je vois ta petite culotte blanche en haut de tes cuisses.

— Et puis ?

Il émet un grognement.

— Et puis, tout d'un coup, t'as peur. Tu veux plus continuer. Tu te demandes dans quoi tu t'es fourrée.

— Je me débats?

— Oui. Tu te débats délicieusement. Je mets mes mains autour de ton cou pour que t'arrêtes. Ton cou est si mince que j'en fais le tour d'une seule main. Avec l'autre, je baisse ta culotte.

— Je continue à me débattre?

— Oh oui. C'est bon. Je me sens fort, puissant. Et quand t'arrêtes de gigoter, quand tu deviens toute molle...

— Oui?

— Tu restes allongée, les jambes écartées, et je sors mon machin.

— Oui, souffle-t-elle, ton machin.

— Je te presse dessus mais c'est étroit, et je pousse, et ton petit visage se tord de plaisir.

— Continue.

— Je te serre de nouveau le cou avec mes mains, et c'est comme si je tenais ma queue, ma grosse queue. Je me tortille, je pousse, et t'adores ça.

— Encore, murmure-t-elle. Encore.

— Je me tortille, je pousse, et c'est tellement...

Les mains du jeune homme agrippent les bras du fauteuil, son corps frémit et se convulse, comme s'il était sur une chaise électrique, pense Claire.

Puis elle comprend qu'il a éjaculé dans son pantalon.

— Ecoute-moi, dit la femme, dont le ton a changé, de séducteur devenant sec, autoritaire. Je vais compter à rebours à partir de cinq. Quand j'arriverai à deux, tu te réveilleras.

L'homme remue la tête, gémit.

— Quand tu te réveilleras, tu te souviendras de tout ce que tu m'as raconté.

Elle compte, de cinq à un.

71

— Bois un peu d'eau, dit-elle ensuite, mettant fin à la séance.

Il tend vers son verre une main tremblante. Un autre homme, sans doute un garçon de salle, qui est resté assis dans l'ombre, silencieux, hors du champ de la caméra, s'approche et aide le jeune homme à se lever.

— Je passerai le voir dans un moment, dit la femme. Placez-le sous surveillance anti-suicide.

Frank appuie sur un bouton et le moniteur s'éteint, l'image brusquement aspirée par une supernova blanche au milieu de l'écran.

— C'est le Dr Constance Leichtman. La femme que je veux vous faire rencontrer.

En chair et en os, elle est à la fois plus frêle et plus assurée que sur l'écran. Elle serre la main de Claire, salue Frank avec la familiarité détendue d'une collègue.

— Ce type, dit Claire, encore sous le choc, il a vraiment tué une petite fille ?

Le Dr Leichtman secoue la tête.

— Non. C'était un fantasme.

— Dieu merci.

— Mais il le fera, ajoute la psychiatre d'un ton neutre. Au terme de la peine de prison qu'il purge actuellement pour violences sexuelles sur enfant, il sera libéré et tuera quelqu'un. A moins qu'il n'accepte le traitement ou ne se tue d'abord. Bon, maintenant… Christian Vogler.

Elle s'assied à son bureau, ferme un dossier, tend le bras vers un autre. En le lisant, elle fait sortir une cigarette d'un paquet de Merit d'une chiquenaude, l'allume, finit par refermer le dossier.

— Parlez-moi de lui.

Claire récite une fois de plus l'histoire de sa rencontre avec Vogler tandis que le docteur Leichtman l'observe d'un air pensif par-dessus un panache de fumée.

— Merci, dit-elle lorsque Claire a terminé. Vous nous avez été très utile. Vous pouvez partir, maintenant.

— Connie… fait Durban d'un ton implorant.

— Elle ne convient pas, déclare la psychiatre calmement.

— Vous voulez bien nous laisser un instant, Claire ? sollicite l'inspecteur.

Elle va attendre dans l'antichambre, où la secrétaire de Leichtman lui jette un coup d'œil dépourvu de curiosité avant de reporter son attention sur son clavier.

Claire attend. Au bout d'un moment, la secrétaire se lève et sort en se dandinant, une liasse de feuilles à la main.

Claire se glisse dans la salle d'observation et rallume le moniteur. Elle ne touche pas à la manette car le mouvement de la caméra pourrait les alerter. Elle ne peut donc les voir mais elle entend ce qu'ils disent.

— … n'est fichée nulle part, elle n'a pas de compte en banque, pas de numéro de sécurité sociale. Nous pouvons lui inventer un passé. Elle peut être n'importe quelle personne convenant à nos besoins…

C'est Frank Durban, il parle avec insistance.

— Et elle sait jouer la comédie, Connie. Vraiment. Je l'ai observée, elle…

La voix du Dr Leichtman recouvre celle de l'inspecteur :

— Arrête, Frank. Elles peuvent toutes jouer la comédie. New York est plein de filles comme elle.

— Je crois qu'elle est différente. Elle a…

— C'est une civile, en plus. Ce qui pose la question de l'autorité qu'on peut avoir sur elle.

— Elle a l'habitude d'être dirigée. Si elle accepte…

Claire éteint tout à coup le moniteur. Ne pense pas, joue.

La secrétaire n'est toujours pas revenue dans

l'antichambre. Elle est noire, obèse, la cinquantaine, et sa voix… Voyons.

Claire prend une pile de lettres sur l'imprimante, laisse son corps s'affaisser et entre en se dandinant dans le bureau de la psychiatre. Durban regarde par la fenêtre, Leichtman souffle des ronds de fumée vers le plafond en tapotant le sol d'un pied élégamment chaussé.

— Vous voulez bien signer ces lettres, docteur ? demande Claire, ou plutôt la secrétaire.

— J'ai déjà signé le courrier d'aujourd'hui, réplique la psychiatre avec un geste agacé.

Elle tend cependant le bras pour prendre les lettres, regarde plus attentivement la main qui les lui présente et lève les yeux vers le visage de Claire.

— Ce régime vous fait beaucoup de bien, Joyce, murmure-t-elle. Bon…

Durban se retourne, surpris, son regard s'éclaire.

— D'accord, consent enfin Constance Leichtman. Explique-lui, ça ne peut pas faire de mal.

— Il y a un mois, commence Frank, j'ai demandé au Dr Leichtman s'il était possible de monter une opération…

Il s'interrompt, cherche ses mots :

— … une opération secrète permettant d'établir si un suspect a bien le profil psychologique requis pour être le tueur que nous recherchons. La réponse a été oui, si le tueur a suffisamment confiance en la personne choisie pour l'opération…

— *Théoriquement*, précise la psychiatre de son bureau. J'ai dit que c'était *théoriquement* possible.

— Vous voulez dire une sorte de piège ? fait Claire, incrédule.

— Pas le genre de piège que vous tendez, vous, répond Leichtman. Ce serait un peu plus sophistiqué.

Je vois la chose comme une série de tunnels et d'échelons. Le suspect graviraît successivement plusieurs degrés d'auto-accusation — sans aucune incitation de l'appât, naturellement —, tout en s'abstenant de prendre divers tunnels, ou actes qui le disculperaient. Vous me suivez ?

— Je crois être capable de me hisser jusqu'à ce niveau de difficulté, repartit Claire d'une voix suave.

Quelque chose dans la façon dont la psychiatre s'adresse à elle l'agace plus qu'un peu.

— Nous avons examiné plusieurs candidatures, dit Frank. Surtout des femmes, pour des raisons évidentes. Des spécialistes des opérations d'infiltration. Connie n'a pas… Nous ne pensons pas avoir trouvé la personne adéquate.

— Ce ne sera pas facile, fait observer Leichtman. L'appât devra inventer le scénario au fur et à mesure.

— Où êtes-vous ? lance soudain Durban à Claire.

— Dans une rue, répond-elle aussitôt.

— Où mène cette rue ?

— A une bijouterie.

— Pourquoi allez-vous là-bas ?

— Pour vendre ma couronne.

— Pourquoi voulez-vous vendre votre couronne ?

— Pour acheter un canoë.

— Pour quoi faire, le canoë ?

— Retourner en Chine.

La psychiatre interrompt l'exercice d'un ton impatient :

— Oui, oui, elle répond du tac au tac, mais ça n'a pas de sens. Notre appât devra savoir ce qu'il fait.

— Tu pourrais lui apprendre cette partie-là du rôle, suggère Durban.

— Hé, ho, une minute, intervient Claire. Pourquoi j'accepterais de me mêler d'un truc pareil ?

— Par sens civique ? marmonne-t-il.

Comme elle ne répond rien, il poursuit :

— Pour l'argent, alors. Nous vous verserions un salaire d'inspectrice pendant toute la durée de l'opération.

— Je veux une carte verte, déclare-t-elle lentement.

— C'est l'Immigration qui…

— Une carte verte et un salaire. Voilà mon prix.

— Pardonnez-moi d'interrompre vos marchandages, rien qu'un instant, les coupe Leichtman. Il n'y aura pas de carte verte parce qu'il n'y aura pas d'opération.

Ils se tournent tous deux vers la psychiatre, qui soutient leur regard par-dessus le bureau.

— C'est hors de question, affirme-t-elle.

11

Connie Leichtman fixe Claire longuement. Très longuement. Prend une cigarette et l'allume. Posément.

— Parlez-moi de votre famille, demande-t-elle à travers un nuage de fumée.

Il est neuf heures du matin, le lendemain de leur première rencontre. De très mauvaise grâce, le docteur Leichtman a dégagé une heure de son agenda. Son objectif, a-t-elle expliqué d'emblée, est d'entrer dans la tête de Claire et de fouiner un peu pour s'assurer qu'elle est vraiment coriace. « A moins, bien sûr, que vous n'acceptiez d'être hypnotisée, a-t-elle alors proposé. Ça nous ferait gagner pas mal de temps… » Claire, qui ne sait pas encore si elle fait confiance à cette femme, a refusé.

— Votre famille, répète le docteur Leichtman.

— Mes parents se sont séparés quand j'avais quatre ans, dit Claire d'une voix blanche. Ma mère a essayé de s'occuper de moi mais elle a vite été débordée. Alors, on m'a envoyée vivre à Londres avec mon père.

— Mais ça n'a pas marché?

— Nous avons déjà vu tout ça, soupire la comédienne.

La psychiatre attend.

— Non, ça n'a pas marché. Je ne… Ma belle-mère me trouvait difficile à vivre.

— Conflit de personnalités?

— Ç'aurait pu être ça si elle en avait eu une, pour commencer, réplique Claire avec, pour la première fois, une nuance de colère dans la voix.

Constance Leichtman prend note.

— Vous avez donc été placée. Dans une famille d'adoption.

— Des gens qui s'occupaient de moi pour de l'argent. J'étais comme à l'hôtel, sauf que je ne pouvais pas partir.

— Je vois.

— Qu'est-ce que vous voyez?

Ignorant la repartie, la psychiatre poursuit :

— Et c'est comme ça que vous avez appris à jouer la comédie?

Claire a un rire amer.

— C'est là où vous vouliez en venir, hein? Ne supportant pas ma propre vie, j'ai commencé à faire semblant de vivre celle de quelqu'un d'autre? Affaire réglée.

— Ce n'est pas ce qui s'est passé?

— Non. J'ai découvert une activité pour laquelle j'avais du talent.

— Un talent que vos parents adoptifs ont sans aucun doute encouragé.

— Tu parles. Ils m'ont surtout traitée de mythomane.

— Mais vous avez réussi à obtenir une bourse pour une école d'art dramatique…

— Oui. A douze ans.

— Parlez-moi de ça.

— J'ai obtenu une bourse pour une école de théâtre à l'âge de douze ans, répète Claire comme un perroquet. Voilà, je vous en ai parlé.

— Non, dit Leichtman avec douceur.

Elle attend que Claire rompe le silence. Ce qu'elle fait :

— J'adorais ça. Je me sentais mieux là-bas que dans n'importe laquelle de mes familles adoptives. C'est le genre de baratin que vous voulez entendre ? C'était une école ordinaire, mais avec des cours d'art dramatique en plus. On apprenait à dire un texte, à se déplacer, à danser, et même à mimer une bagarre. L'établissement avait bonne réputation dans la profession. Des directeurs de casting nous engageaient quand ils avaient besoin de jeunes acteurs.

— Et vous étiez une élève vedette.

— Vraiment ?

La psychiatre tire d'un dossier une série de fax couverts de traits jaune fluo.

Ses critiques. Leichtman a dû s'agiter pour se les procurer ainsi, du jour au lendemain.

— « Claire Rodenburg. Merveilleux début dans *Alice au pays des merveilles* », lit la psychiatre à haute voix. En voilà une autre : « Ce spectacle doit beaucoup à la performance fascinante de Claire Rodenburg, une star en herbe s'il en fut jamais… » « La présence charmeuse de Claire Rodenburg… » « Une Desdémone audacieuse et sensuelle, brillamment incarnée par Claire Rodenburg, illumine le plateau… » « Dans un petit rôle, Bertolucci fait jouer la jeune actrice anglaise Claire Rodenburg, dont, selon certains avis autorisés, nous devrions entendre beaucoup parler avant longtemps… » Pourquoi ça n'est pas arrivé, Claire ?

— Qu'est-ce qui n'est pas arrivé ?

— Nous n'avons pas beaucoup entendu parler de vous, constate Leichtman en reposant les fax sur le bureau. Vous aviez presque percé, vous étiez à la veille d'un grand succès. Pourtant, vous avez tout laissé tomber pour venir ici, où personne ne sait qui vous êtes. Pourquoi ?

— Je ne suis pas la première comédienne à venir en Amérique…

— Oh ! Si vous étiez allée à Hollywood et si vous vous étiez fait refaire les seins, je comprendrais. Mais vous n'êtes pas venue ici chercher la gloire, n'est-ce pas ? Il y a autre chose.

— Je suis restée près de dix ans dans cette école. Quand les autres gosses partaient en vacances sur le continent ou en Australie, je faisais la chasse aux auditions. Pourquoi je n'aurais pas eu envie de voyager ? Dans quelques mois, je serai peut-être à Mexico ou à Sydney…

— Bien sûr…

Après un silence, Claire reprend :

— Vous m'accusez de fuir quelque chose ?

— C'est le cas ? riposte la psychiatre.

Le silence s'installe de nouveau. D'une voix basse, fixant quelque chose par-dessus l'épaule de Leichtman, Claire finit par murmurer :

— Je sais où vous voulez en venir. Ce boulot d'appât. Vous… pas la peine d'être psy pour comprendre ce qui se passe. Je rejoue l'histoire de mon enfance, c'est ça ? Je trouve des hommes qui trompent leur femme tout comme mon père a trompé ma mère, et je les punis pour ça. Je les punis parce que personne n'a jamais pris le temps d'aimer Claire Rodenburg.

Une larme roule, brillante, sur sa joue gauche ; elle l'essuie vivement du dos de la main.

— Excellent, Claire, commente le Dr Leichtman d'un ton détaché. Mais si c'est un psy qu'il vous faut, cherchez dans les pages jaunes. J'ai passé sept ans à étudier la psychiatrie légale, et j'ai mieux à faire qu'écouter des conneries…

Claire plisse le front.

— Et épargnez-moi les larmes, poursuit Leichtman, qui prend dans un tiroir une boîte de mouchoirs en papier et la lance à Claire par-dessus le bureau. Vous avez appris ce truc avant de savoir rouler à bicyclette.

Claire prend un mouchoir, y fourre son nez, souffle.

— Allons faire un tour, décide la psychiatre en se levant. J'ai besoin d'air.

Par « air », elle entendait naturellement « nicotine ».

Les deux femmes marchent lentement. Bien qu'il soit tôt, il fait déjà une chaleur étouffante.

— Vous trouvez ça juste, ce que vous faites ? demande Leichtman.

— La vie n'est pas juste, répond Claire avec un haussement d'épaules. Les hommes couchent à droite et à gauche. Si je me fais payer pour aider leur femme à le découvrir, la belle affaire !

La psychiatre s'arrête, écrase son mégot, porte machinalement une autre cigarette à sa bouche, tapote ses poches.

— Merde, j'ai oublié mon briquet. Vous avez…

— Bien sûr.

Claire lui tend une pochette d'allumettes du Royalton. Comme Leichtman ne semble pas vouloir la prendre, elle l'ouvre elle-même, craque une allumette. Le docteur lui saisit le poignet pour approcher la flamme de son visage. Son pouce, glissant sous le large bracelet de la montre de Claire, touche une bande de chair plus dure.

— Tiens donc, dit-elle en tordant la main de l'actrice pour examiner son poignet. Et ça ? C'est quoi ?

Claire se libère.

— Je suis tombée sur du verre.

— Les deux poignets ? C'est vraiment pas de chance.

D'un geste rageur, Claire remet les allumettes dans sa poche. Aucunement ébranlée, Leichtman sort son briquet de sa poche et allume sa cigarette.

— J'ai besoin de savoir, dit-elle d'un ton d'excuse.

— C'était pendant le tournage d'un film, soupire Claire. Celui dont vous avez retrouvé la critique. Cet homme était... vous reconnaîtriez son nom si je vous le disais, il était la star et il amenait l'argent : sans lui, le film n'aurait pas trouvé de producteur. Beau, célèbre, un des mariages les plus heureux du showbiz. Alors, quand il est tombé amoureux de moi, j'ai cru que c'était pour de bon.

Avec un rire amer, elle ajoute :

— C'était avant que j'entende cette expression qu'on utilise sur les plateaux. « EECCP, trésor. » Traduction : en extérieur, ça compte pas.

— Et puis ?

— Au bout de sept semaines, sa femme... je pense qu'elle avait eu vent des rumeurs. Ou elle avait peut-être l'habitude des petites incartades de son mari. Elle a débarqué sur le tournage, leurs quatre gosses en remorque. Tout à coup, on a eu besoin de moi pour les essayages, pour les scènes à refaire avec la deuxième équipe, pour les répétitions techniques avec le premier assistant opérateur. Tous s'étaient donné le mot pour m'éloigner de lui.

— Vous avez donc décidé de lui montrer que, pour vous, ce n'était pas de la comédie...

— Quelque chose comme ça, acquiesce Claire, qui frissonne malgré la chaleur. Ç'a été le bazar absolu. J'ai passé un mois à l'hôpital et on a dû supprimer mon rôle du scénario. Ensuite, je me suis aperçue que plus personne ne voulait m'engager. J'avais commis le péché capital : j'avais manqué de professionnalisme.

— Merci, Claire, dit le Dr Leichtman à voix basse. C'est tout ce que j'avais besoin de savoir.

A leur retour, elles trouvent Durban en train de les attendre à la réception.

— Comment ça se passe ? s'enquiert-il.

Claire pense que la psychiatre va emmener l'inspecteur à l'écart pour lui parler, mais Leichtman déclare d'un ton neutre :

— Eh bien, elle est anxieuse, impulsive, elle cherche désespérément une autorité quelconque dans sa vie, et bien qu'elle s'efforce de le cacher, elle est en manque d'approbation comme un toxico est en manque de dope. Qu'est-ce que je peux te dire de plus, Frank ? C'est une actrice.

Elle soupire.

— Tout ça est sans importance, bien sûr. Tu veux savoir si je pense qu'elle peut le faire ? Oui, probablement. Elle apprend vite, elle est dure, elle est intelligente. Tout en ayant conscience que je commets sans doute une erreur, je pense que ça vaut le coup d'essayer.

12

Assise à une table, Claire tient un stylo d'une main, une liasse de feuilles de papier de l'autre.

Des formulaires, plusieurs dizaines.

L'idée générale : renonciation à toutes poursuites en cas de blessure personnelle, consentement à être placée sous surveillance, acceptation du secret professionnel. Et des formulaires concernant ces formulaires. Des formulaires précisant qu'elle signe en toute connaissance de cause. Qu'elle donne librement son accord, en ayant pleinement conscience que ça foutra sa vie en l'air.

Elle les lit péniblement, paraphe chaque page, signe là où il faut.

— Bienvenue au camp d'entraînement, soldat. Maintenant, tu vas en chier, grogne Constance Leichtman en récupérant les feuilles.

C'est la pire imitation de Denzel Washington que Claire ait jamais entendue.

L'entraînement commence dans un vaste auditorium désert, quelque part dans les entrailles du bâtiment.

— D'abord, une leçon d'histoire, annonce Connie. Jetons un coup d'œil à la galerie des monstres.

Les lumières s'estompent, la psychiatre clique sur la télécommande qu'elle tient dans sa main. La fumée de sa cigarette passe devant le faisceau d'un projecteur et trouble le visage qui vient d'apparaître sur l'écran.

— Peter Kürten, surnommé « la Bête de Düsseldorf ». Son épouse a déclaré au psychologue de la police allemande, un nommé Berg, que leur vie sexuelle était parfaitement normale. De son côté, Kürten a confié au Dr Berg que, chaque fois qu'ils faisaient l'amour, il imaginait qu'il étranglait sa femme. Les diapos suivantes montrent certaines victimes de Kürten, dans l'état où il les a laissées.

Quand Claire est à nouveau capable de regarder l'écran, un autre visage l'emplit.

— Bela Kiss. Lui, il conservait les corps de ses victimes dans des fûts d'essence vides. Joachim Kroll, « le Chasseur de la Ruhr ». Hans van Zon, qui a fait très fort en Hollande, dans les années 1960. Il a entre autres tué sa propre petite amie pour pouvoir faire l'amour avec son cadavre…

Quelque part derrière Claire, le projecteur bourdonne et cliquette, ajoute un autre visage et une autre image de lieu du crime à la litanie de Constance Leichtman, amas de noms et d'atrocités dont parfois un détail se détache.

— Patrick Byrne. Il a laissé sur le corps violé d'une jeune femme un mot disant simplement : « C'est la chose dont je pensais qu'elle n'arriverait jamais. » Jack le Décapeur, ce n'est pas son vrai nom. Les tabloïdes britanniques l'ont appelé ainsi parce qu'on avait retrouvé des particules de peinture sèche dans les cheveux de ses victimes. Le fameux sens de l'humour de vos compatriotes, je suppose. Jack asphyxiait littéralement ses victimes en leur enfonçant son pénis dans la gorge. Albert Fish. Earle Nelson. Donald Fearn, qui était obsédé par les Indiens Pueblos. Il a attaché la jeune Alice Porter, dix-sept ans, sur l'autel d'une église abandonnée, l'a torturée toute la nuit, lui a défoncé le crâne avec un marteau et l'a violée pendant qu'elle agonisait…

La liste se prolonge, comme si l'on procédait à l'appel du mal :

— … conservait les corps de ses victimes dans son appartement parce que, disait-il, « c'est agréable d'avoir quelqu'un à la maison quand on rentre du boulot ». Voici quelques dessins que Nielsen a faits de ses victimes. Plutôt bons, non ? Jeffrey Dahmer. George Russell. Enfin, mais ce n'est pas le dernier par ordre d'importance, Andrei Chikatilo, l'Eventreur de Rostov, exécuté en 1994 pour avoir torturé et violé après leur mort plus de cinquante femmes.

Le Dr Leichtman se lève, se dirige vers l'écran. Les yeux d'Andrei Chikatilo flottent brièvement sur son front. Puis la lumière se rallume et l'illusion se dissipe.

— Je ne vous ai pas montré tout ça uniquement pour vous effrayer, Claire. L'étude de ces criminels nous a beaucoup appris sur la façon dont fonctionne l'esprit d'un tueur. L'état dans lequel il laisse le lieu de son crime nous permet d'émettre des hypothèses sur sa personnalité, son degré d'intelligence, ses relations, et même le type de voiture qu'il conduit.

Elle prend un classeur bourré de documents entouré d'un élastique, le pose sur le bureau devant Claire.

— Ce dossier rassemble tout ce que nous pensons savoir sur l'assassin de Stella Vogler. Je vous préviens, ce n'est pas d'une lecture facile.

— C'est ce qu'on appelle un profil psychologique?

— En partie, oui. Il y a aussi des photos, des résumés de cas célèbres et des extraits de manuels. Notre travail ressemble un peu au désamorçage d'une charge explosive. Avant de tirer sur un fil, il vaut mieux être sûr de son coup.

Christian Vogler frappe à la porte de la chambre 507, au cinquième étage du Lexington.

— Qui est-ce? demande prudemment Stella.

— Le garçon d'étage.

— Je n'ai rien commandé.

Pas de réponse. Avec un geste agacé, elle va à la porte, l'ouvre toute grande.

— Vous vous êtes trompé de…

Vogler est déjà à l'intérieur. En le reconnaissant, elle a fait un pas en arrière.

— Christian. Qu'est-ce que tu fais ici? Je croyais…

— Salut, Stella.

— Christian, je t'en prie. Ce n'est pas ce que tu penses.

Vogler jette sur le lit un sac qui tombe lourdement sur le matelas, avec un bruit de mauvais augure. Il se tourne vers le Dr Leichtman.

— Je la frappe maintenant?

— Probablement. Tu veux tout de suite prendre le contrôle de la situation. Il faut lui mettre le bâillon et les menottes. Maintenant, pendant qu'elle est encore sous le coup de la surprise.

Frank Durban hoche la tête. Reprenant son personnage, il vide le sac sur le lit : chaînes métalliques, menottes et bandes de tissu emmêlées en une sorte de nid de serpents.

— Je risque de crier, objecte Claire.

— Pas nécessairement. Les gens ont beau se dire que dans une telle situation ils résisteraient, ils sont en réalité paralysés par un mélange d'indécision et d'incrédulité. En plus, si Christian vous a frappée, vous êtes en état de choc. Il en profitera pour vous entraver.

L'inspecteur fait mine de frapper Claire au visage puis il la retourne, referme une menotte sur le poignet de l'actrice. Sa main sur son bras est lourde, implacable. Elle sent la puissance masculine qui émane de lui et pousse un cri.

— Pardon, dit-il en relâchant son étreinte.

13

Bienvenue à Necropolis.

Vous êtes sur un site du Web réservé exclusivement aux adultes dont les fantasmes incluent des scénarios de pouvoir et de domination totale. Il contient des éléments choquants pour la plupart des gens. Nous ne nous excusons pas de ce que nous sommes, mais nous vous déconseillons de pénétrer sur ce site si son contenu n'est pas fait pour vous.

A Necropolis, il n'y a pas de limites. Dans la vie réelle, pratiquez le sexe sans risques.

Claire s'inscrit, attend que l'ordinateur soumette sa candidature par voie électronique. Quelques minutes plus tard, l'appareil émet un bip. Son mot de passe de nouveau membre se trouve dans sa messagerie.

« Après avoir saisi l'ordinateur de Vogler, la police a exploré son disque dur pour retrouver des fragments de données effacées, lui a expliqué Leichtman un peu plus tôt. On a découvert qu'il s'en était servi pour accéder à plus d'une dizaine de sites Internet hard. (Elle a tendu à Claire une feuille de papier.) Vos devoirs pour aujourd'hui : trouver tout ce que vous pourrez sur ceux qui fréquentent ces sites. Lisez ce qui les concerne, parlez-leur. Essayez de comprendre ce qui les anime.

— Leur parler ? Mais ils voudront me parler, eux aussi !

— Bien sûr. Commencez à réfléchir à votre couverture. (Leichtman a regardé sa montre.) Je reviens dans deux heures voir comment vous vous débrouillez. »

Claire tape son mot de passe dans l'écran de début de séance et, soudain, elle est à l'intérieur. Le site se divise en plusieurs sections : Photos, Fantasmes, Cœurs Solitaires, Conversation. Un message apparaît :

Puisque tu es un nouveau membre, signe notre livre d'or et présente-toi. Lis ce que d'autres nouveaux membres ont écrit ou passe directement au salon de conversation pour nous saluer.

Qu'est-ce qu'elle pourrait bien écrire ? Elle regrette que Connie Leichtman ne soit pas là pour la conseiller, puis se rend compte que la psychiatre l'a délibérément laissée seule.

Manifestement, les examens ne sont pas terminés. Elle a eu l'oral, elle passe maintenant l'écrit.

Elle tape :

>> Salut, je m'appelle Claire. J'ai vingt-cinq ans et je vis à NY.

Elle prend une inspiration, continue :

>> Je ne sais pas si j'aurai un jour le courage d'explorer vraiment mes fantasmes mais j'aimerais partager des expériences, des rêves et des pensées avec d'autres membres.

Quelques instants plus tard, elle a trois réponses.

>> Salut, Claire. La photo te plaît ?

Elle regarde, atterrée, une photo apparaître, ligne après ligne. C'est une fille nue qui tient un couteau planté dans son ventre, avec du sang partout. Mais elle prend si manifestement la pose qu'une fois la photo totalement téléchargée, elle ne semble pas plus menaçante qu'un dessin. Claire répond :

>> Non. Elle me paraît idiote.

La deuxième réponse est plus longue, plus détaillée. Son auteur, qui se fait appeler la Bête, veut qu'elle sache qu'il a envie de l'étrangler, d'écarter ses cuisses et de la violer pendant qu'elle suffoque sous lui. Il veut l'entendre implorer sa pitié, il veut l'entendre le supplier de continuer. Elle tape :

>> J'ai l'impression d'avoir beaucoup de texte pour quelqu'un qui est en train de mourir étouffé.

La troisième réponse dit simplement :

>> C'est un peu calme en ce moment parce que c'est le milieu de la journée, il n'y a que ces gamins de confré-

ries d'étudiants. Reviens ce soir, je te présenterai aux adultes.

Salut, Victor.

Au restaurant, elles discutent de meurtres sexuels en mangeant le plat du jour.

— Comprenez bien, Claire. Notre tueur n'est pas un sadomasochiste, au sens actuel du terme. Mais il a peut-être choisi de se cacher parmi les adeptes du SM parce qu'il partage certains de leurs centres d'intérêt. Alors qu'ils utilisent l'asservissement comme raccourci pour parvenir au plaisir sexuel, lui s'en sert pour obtenir ce qui le branche : humiliation, dégradation, pouvoir de vie et de mort sur un autre être humain.

Le garçon s'approche pour remplir leurs verres avec la carafe d'eau, sourit à Claire. Imperturbable, Leichtman continue :

— Le sadomasochisme est très intéressant. Pourquoi est-ce qu'il touche tout à coup les gens ordinaires ? On pensait autrefois que les châtiments physiques subis dans l'enfance engendraient une disposition au masochisme. Mais curieusement, c'est la génération Spock, ceux qui n'ont jamais reçu de fessée, qui veulent, devenus adultes, faire l'expérience de l'asservissement et de la domination.

Le garçon, fasciné, n'arrive pas à s'éloigner de leur table.

— Nous pouvons parfois comprendre *comment* fonctionne la sexualité d'une personne, mais pas *pourquoi*. Vous avez déjà observé un papillon essayant de s'accoupler avec une feuille qui vole au vent ? Les crimes sexuels sont un autre exemple de surcapacité biologique.

Leichtman, Durban et Claire se tiennent chacun devant un des tableaux en plastique blanc accrochés à trois des quatre murs de la petite salle de classe.

— OK, je suis le tueur, décide Connie. Frank, tu prends Vogler.

Elle lance un marqueur au policier, qui écrit *Vogler* sur son tableau pendant qu'elle écrit *Tueur* sur le sien.

— Qu'est-ce que je fais ? veut savoir Claire.

— Rien, pour le moment. Mais si Frank et moi notons la même chose — autrement dit s'il y a recoupement —, vous l'inscrivez aussi sur votre tableau.

— Premièrement, il est intelligent, commence Durban, qui écrit *QI élevé* sur son tableau.

— Même chose ici, murmure la psychiatre. Claire, voilà votre premier recoupement.

— C'est un solitaire, poursuit Frank.

Leichtman hoche la tête.

— Tandis qu'ici, nous avons une faible aptitude aux contacts sociaux.

— Ses relations antérieures se sont mal terminées. Et son couple s'acheminait vers une sorte de crise.

— Antécédents d'échecs relationnels. C'est aussi un trait typique du tueur sexuel, dit le docteur, dont le marqueur crisse sur la surface blanche. A mon tour. Nous savons que notre tueur est très sélectif, on pourrait même parler de perfectionniste.

— Alors qu'on nous décrit Vogler comme un dingue de la domination.

— S'il suit le même schéma que d'autres tueurs sexuels, il a un imaginaire très développé qui l'aide à tenir le coup entre les meurtres.

Frank réfléchit un moment avant de répondre :

— Vogler a un imaginaire développé, lui aussi. La poésie, et tout ça.

— OK, dit Claire, qui écrit *Imaginaire* sur son tableau.

Quelques minutes plus tard, ils ont presque terminé.

— Bon, qu'est-ce que nous avons ? dit Leichtman.

Claire indique son tableau.

— Il y a pas mal de recoupements.

La psychiatre s'approche d'elle, lui prend son marqueur, écrit en haut du tableau un seul mot, *Claire*.

— Pour l'attirer, vous devrez correspondre à toutes ces particularités.

Elle entoure les mots inscrits sur le tableau à mesure qu'elle parle.

— Vous devez être naïve, curieuse de nouvelles expériences, et en même temps exciter son goût du secret. Intelligente, mais pas au point de menacer son désir de vous maîtriser et de vous dominer. Vulnérable. Imaginative, capable d'entrer dans son monde et de le partager. Intéressée par l'érotisme et les côtés sombres de votre propre sexualité. Une parfaite victime pour répondre à son désir de domination absolue. Vous voyez ? Ces traits de personnalité, et uniquement ces traits, nous pouvons les justifier avec ce que nous savons du tueur. Pour tout le reste, nous avançons dans le brouillard.

— Donc, vous voulez que je transforme cette liste en un personnage plausible.

— Exactement.

— Pas de problème. C'est comme construire un personnage à partir d'un scénario, non ? Sauf qu'ici, le personnage est antérieur. Comment j'entre en contact avec lui ?

Le Dr Leichtman remet le capuchon de son marqueur.

— Laissez-nous nous en occuper.

14

Cher Monsieur Vogler,
Vous vous souvenez peut-être de m'avoir prêté ce livre, Les Fleurs du mal. *Je vous ai rencontré au Flaherty's il y a six*

mois, et bien que notre conversation ait été brève, j'y ai souvent repensé. Je m'excuse de ne pas vous avoir renvoyé le livre plus tôt, mais j'ai lu ces poèmes avec fascination, et j'ai attendu de les avoir terminés pour vous les rendre.

En fait, pour être tout à fait franche avec vous, je dois avouer qu'il y a une autre raison pour laquelle je n'ai pas repris contact avec vous avant. J'avais lu dans les journaux que votre femme était morte, et je ne savais pas quoi vous dire. Maintenant qu'un peu de temps est passé, j'espère que vous commencez à vous remettre de cette épreuve. Croyez-moi, je sais ce que c'est de perdre quelqu'un de très proche.

C'est peut-être cette expérience que j'ai vécue qui fait que Baudelaire éveille en moi tant de résonances. J'aime tout particulièrement ses poèmes les plus sombres, les plus ambigus. J'ai moi aussi « soif d'oubli », et je retrouve dans son écriture quelque chose de ma propre sensualité.

J'ai tenté de traduire quelques textes du recueil, mais je suis certaine que vous vous moqueriez de mes efforts. Les mots de Baudelaire semblent perdre une grande partie de leur charge érotique, une fois traduits.

J'aimerais beaucoup savoir ce que vous en pensez, et je joins mon adresse électronique dans l'espoir que nous pourrons poursuivre notre discussion.

                                              Claire Rodenburg

— Il ne répondra pas, prédit Frank.

— Si c'est lui le tueur, il le fera, assure le Dr Leichtman avec calme. Si c'est lui le tueur, il sera attiré par la vulnérabilité de Claire comme un requin par le sang.

Une autre leçon, dehors cette fois, tandis que la psychiatre avale la nicotine d'une cigarette de plus.

— Mon premier plan d'attaque consiste à amener Vogler à se dévoiler à travers ses fantasmes. S'il est le tueur, il a une vie fantasmatique extrêmement développée et complexe. Les meurtres nourrissent les fantasmes, et les fantasmes nourrissent à leur tour le désir de tuer de nouveau. Dans les circonstances adéquates et avec la confidente adéquate, on doit pouvoir l'amener à révéler l'objet de ses fantasmes. Je le crois, du moins.

— Pourquoi le ferait-il? objecte Claire. Ce type est intelligent, je pensais que nous étions d'accord là-dessus.

— Oui, mais il est aussi solitaire. Il a conscience d'avoir franchi un seuil qui le sépare des autres hommes. Il bondira sur l'occasion d'entrer en contact avec quelqu'un qui semble partager ses goûts. Au fur et à mesure qu'il les révélera, les détails de ses fantasmes ressembleront de plus en plus aux véritables détails du meurtre : normal, puisque ce sont ces fantasmes qui le soutiennent. Revivre chaque moment lui prodiguera une vive satisfaction. Je m'attends cependant à ce qu'il tente rapidement de faire passer ses rapports avec la confidente du verbal au réel. Il trouvera les prétextes nécessaires pour progresser vers une intimité physique.

Claire se tourne vers le Dr Leichtman.

— Une intimité physique? Vous voulez dire qu'il voudra coucher avec moi?

— Ne vous inquiétez pas. Nous aurons obtenu les informations dont nous avons besoin bien avant qu'on en arrive là.

— Mais il faudra que je... que je le séduise, non?

Connie regarde la comédienne, se penche vers elle et l'embrasse sur les lèvres. Claire ne réagit pas.

— Bien, la complimente la psychiatre. Très bien.

Elle s'est fait de nouveaux amis. Carrie, Victor, le Gamin, Beethoven et le Marquis.

>> Dans la souffrance, l'élégance est tout. Il n'y a aucun plaisir à trousser comme un poulet un sujet soumis et à lui donner des coups de pied dans le ventre. Pour un dessus accompli, la moitié du plaisir réside dans le choix d'une position ou d'une activité dans laquelle le moindre mouvement, ou le plus petit changement dans le serrage d'un nœud, procure une douleur exquise.

Cela, de Beethoven. Carrie approuve :

>> Absolument. Un de mes jouets préférés était une simple planche en bois, la tranche tournée vers le plafond et placée quelques centimètres trop haut pour qu'on puisse s'asseoir confortablement dessus. Mon dessous devait se mettre sur la pointe des pieds pour la chevaucher. La regarder devenir lentement trop épuisée pour maintenir sa position et s'effondrer sur la tranche coupante était un plaisir en soi.

Claire tape :

>> « Mon dessous » ? Désolée, je ne comprends pas.

Victor explique :

>> Carrie ne parle pas d'une partie de son anatomie. Par « dessous » elle entend le sujet soumis.
>> Ah, d'accord.

Claire découvre un monde aussi impénétrable et jargonnant que l'armée. Les sigles à eux seuls lui donnent le tournis. CP, BDSM, CBT, TKPV. Elle a trouvé le courage de demander le sens de certains d'entre eux, mais découvrir que TKPV signifie « Ton kilométrage pourrait

varier » ne lui a pas vraiment apporté d'éclaircisse-
ments.

Quant aux conversations sur les talons Wurtenburg
ou le jeu de poney, elles lui passent largement au-dessus de la tête.

Carrie déclare :

>> Dessus et dessous s'imbriquent comme les pièces
d'un puzzle, Claire. Pour nous, c'est une relation aussi
naturelle et aussi nette que la conjonction d'un homme
et d'une femme dans le monde vanille.

>> Le monde vanille ? Oh ! je vois. Un parfum qui
convient à tout le monde.

>> Exactement.

Carrie ajoute :

>> Tu es d'une naïveté charmante, Claire. Tu es sûre
que tu ne veux pas venir dans une fenêtre latérale
essayer certains de mes jouets cybernétiques ? Le sexe
sur le Net, c'est pas tout à fait vrai de vrai, mais ça peut
être drôlement intense.

Victor intervient :

>> Laisse-la, Carrie. Claire est avec nous en qualité
de simple observatrice, ce soir.

Elle aime bien Victor. Quoiqu'il participe peu à la
discussion et préfère rester à l'écart, il semble s'être assi-
gné pour tâche d'être son guide dans cet étrange nouveau monde, et il veille efficacement à ce qu'elle ne soit
pas submergée.

Carrie raille, sarcastique :

>> Essayer avant d'acheter, quoi !

Claire réplique en tapant :

>> Plutôt « regarder avant de sauter ». En fait, ça n'est pas entièrement nouveau pour moi. Quelqu'un que j'ai connu s'y intéressait, mais j'étais très jeune à l'époque, et ça m'apparaissait comme un truc auquel il fallait du temps pour prendre goût.
>> Vraiment ? Une fois dans le coup, on s'aperçoit que la domination est implicite dans n'importe quelle relation. Nous mettons simplement à nu ce que d'autres refusent de reconnaître. Tu sais, « en amour, il y en a toujours un qui embrasse et un qui tend la joue ».

Une contribution du Marquis. Sur une impulsion, Claire tape :

>> Personnellement, je préfère Baudelaire. « J'ai plus de souvenirs que si j'avais mille ans... »
>> Oh, non, pas toi aussi ?

Là, c'est Carrie.

>> Moi aussi ?
>> Victor n'arrête pas de citer Baudelaire. Vas-y, Victor, étale ta science.

Mais Victor, toujours tapi à l'écart, ne réagit pas.

Dans une autre pièce du même bâtiment, Connie Leichtman et Frank Durban, penchés sur un ordinateur, regardent les lignes de texte défiler sur l'écran.

— Elle se débrouille bien, commente enfin Connie. Elle s'est établi un mobile, des antécédents, et elle lance un appel implicite à un mentor qui lui montrerait ce qu'il faut faire, tout en se ménageant une possibilité de faire machine arrière si les choses vont trop vite.

— Je te l'avais dit, qu'elle est capable d'improviser autre chose que des absurdités.

— Si elle est encore en train d'improviser, objecte la psychiatre.

Il est plus de minuit quand Claire se déconnecte. Elle a les yeux qui piquent, les poignets douloureux d'avoir tapé.

En passant devant la porte ouverte du bureau de Leichtman, elle entend la psychiatre l'appeler. Connie est assise à sa table de travail, entourée de paperasse. Une cigarette posée dans le cendrier émet un épais filet de fumée qui monte dans le cône lumineux d'une lampe de bureau.

— Vous travaillez tard, Claire.

— J'ai perdu la notion du temps.

— Nous ne payons pas d'heures supplémentaires, vous savez, dit le Dr Leichtman en lui tendant une enveloppe. Mais nous payons. Tenez, vos deux premières semaines de travail, réglées d'avance.

— C'est un chèque ? Je n'ai pas de compte en banque.

— Nous le savons, ne vous en faites pas. Deux mille dollars, en liquide.

La psychiatre attend que les pas de la comédienne se soient éloignés dans le couloir pour rouvrir le dossier sur lequel elle travaillait : *CLAIRE RODENBURG : profil psychologique*.

Bessie n'est pas rentrée du théâtre quand Claire regagne l'appartement. Elle regarde sa montre : une heure passée. Son amie est probablement encore en train d'éliminer son adrénaline dans un bar.

Claire sort mille dollars de l'enveloppe, déploie les billets en éventail sur l'oreiller de Bessie. Ils sont encore

imprégnés de l'odeur des cigarettes du Dr Leichtman.
Sur le dernier, Claire écrit avec un tube de rouge à
lèvres pris sur la coiffeuse de son amie : *loyer!*

En reposant le tube, elle repère une carte de visite
parmi les pots de fard. On en a déchiré un morceau,
probablement pour en faire un filtre. Elle la prend, la
lisse.

Alan GOLD
Cabinet Gold
Avocats spécialistes de l'industrie musicale

Une adresse à Atlanta.

« Vous comprenez vite, Alan.

— Je suis avocat. C'est mon boulot de savoir quand
un témoin ne dit pas la vérité. »

Avec un soupir, elle tire cinq autres billets de cent de
l'enveloppe, écrit l'adresse dessus, la cachette. Au dos,
elle griffonne : *J'espère que ça s'est arrangé avec votre
femme.*

A dix kilomètres de là, de l'autre côté de la rivière,
l'inspecteur Durban tue le temps avant d'aller au pieu.

— Donne-m'en une, réclame-t-il.

C'est au tour de Mike Positano de distribuer.

— Dame de pique, cinq de trèfle, dix de trèfle,
annonce-t-il en retournant les cartes.

Frank fait la grimace. En face de lui, de l'autre côté
de la table, le lieutenant Eddie Lowell, un type maigre
d'une cinquantaine d'années, les cheveux que les soucis n'ont pas encore fait tomber grisonnants, part d'un
rire sonore.

— T'as rentré ce qu'il te fallait, Frank?

— A ton avis? fait Durban d'un ton écœuré.

— Je monte de cinq, dit Weeks.

— Weeks qui veut voir, murmure Eddie.

— J'ai demandé à voir ? se défend Weeks.

— C'est tout comme.

Cinq dollars, ce n'est pas une enchère, tout juste le prix d'un billet dans un virage.

— Quinze dollars, annonce Weeks, piqué.

Les yeux d'Eddie croisent ceux de Frank par-dessus la table. Leurs visages restent impassibles, mais ce simple regard leur suffit pour savoir qu'ils pensent la même chose.

— Cinquante de mieux, renchérit Frank.

Deux minutes plus tard, Weeks, incrédule, voit son argent disparaître dans la poche de poitrine de Durban.

— Le bluff au jeu lent, ricane Eddie. La spécialité de Frank.

— J'arrête, gémit Weeks. J'ai assez perdu pour ce soir.

— Moi aussi, dit Eddie dans un bâillement. Merci pour la partie, les gars.

Frank a envie de faire encore une mène, mais il ne le propose pas. C'est une des choses qu'on apprend au poker : ne jamais révéler à personne ce qu'on veut vraiment. Alors, même si l'idée de rentrer à la maison vous paraît aussi alléchante qu'une marche sous une pluie glacée, vous dites simplement : « Bon, à demain, les gars. »

Au-dessus des rues de SoHo, Christian Vogler est éveillé, lui aussi. Enveloppé d'un peignoir en soie, le visage éclairé par la lueur blanche et froide de l'écran de son ordinateur, il tape sur son clavier.

Il y a une pause tandis que ses mots parcourent les milliers de kilomètres de câbles en fibre optique qui constituent son lien avec Internet, une autre pause tandis que, quelque part dans le monde, une autre connexion est établie. Les octets se réorganisent sur son écran en mots, en images, en idées.

Ses narines palpitent, l'excitation se répand de son cortex à son système nerveux central, tel le flash d'une drogue. Mais ses mains restent rivées au clavier et se promènent sur les touches cliquetantes comme celles d'un pianiste virtuose, inventant de nouvelles mélodies que lui seul peut entendre.

15

Le lendemain, Durban se présente de bonne heure à l'appartement de Claire.

— Préparez une valise. Vous ne reviendrez pas ici avant un moment.

— Où on va ? veut-elle savoir.

— Connie préfère vous installer dans un endroit qui colle mieux avec votre histoire. Nous avons demandé à un décorateur de nous arranger ça d'urgence.

— Un décorateur ? Hé, je fais mon chemin dans le monde, on dirait.

Elle réveille Bessie en faisant une razzia dans son placard pour se constituer une sorte de trousse de secours vestimentaire.

— Sois prudente, lui recommande Bessie d'un ton inquiet. Laisse pas ces types t'aspirer dans leur dinguerie.

— Je serai prudente, promet Claire.

En fouillant dans le tiroir à dessous, elle voit le pistolet luire faiblement dans la dentelle et le coton, le recouvre d'un geste hésitant.

Il y aurait tant de choses à dire, mais l'inspecteur attend, et pour une fois Claire ne trouve aucune réplique.

— Casse-toi une jambe[1], lui souhaite Bessie à voix basse.

Claire hoche la tête. En descendant avec sa valise, elle se sent plus loin de chez elle qu'elle n'a eu l'impression de l'être depuis des mois.

Il la conduit à un immeuble sans ascenseur de la 14e Rue Ouest, à la lisière de l'ancien quartier des conserveries de viande. Certaines parties ont été réhabilitées récemment.

Pas celle-là.

L'appartement est un taudis. Des bougies noires sont alignées le long des murs, sous des ossements animaux articulés et des posters de heavy-metal. Une guitare électrique balafrée est appuyée dans un coin.

— Bon Dieu ! s'exclame-t-elle, furieuse, en parcourant des yeux les doubles rideaux en faux velours et les gravures de Rothko punaisées sur les murs. Pourquoi ne pas y aller carrément en me flanquant un maquillage blanc et une crête d'Iroquois ?

— Ça a coûté un paquet pour rendre cet endroit aussi glauque, proteste Durban avec douceur. Vous n'imaginez pas.

Il soulève un crâne humain peint en rouge sur lequel on a fixé une chandelle.

— C'est vrai qu'ils y sont peut-être allés un peu fort... convient-il.

Sans prononcer un mot, Claire lui prend le crâne des mains et le jette dans la poubelle.

— Je vous laisse défaire votre valise, dit-il avec diplomatie. Installez vos affaires, vous vous sentirez davantage chez vous.

Elle ne l'entend pas. Elle vient juste de remarquer le

1. Ce que les acteurs anglophones disent pour se souhaiter bonne chance sans tenter le sort. L'équivalent du « Je te dis merde » français. (N.d.T.)

grand terrarium dans lequel ondule une forme gris argent.

— C'est un *serpent* ?

— Pour la frime, Claire. Un peu comme un accessoire de scène, si vous voulez.

Elle pousse un long soupir, tend le bras vers sa valise.

— Une dernière chose, dit-il en se dirigeant vers la porte. L'appartement est truffé de micros et de caméras. Les gars terminent l'installation dans l'appartement d'en dessous.

— Qu'est-ce que vous dites, Frank ?

— Normalement, les caméras ne doivent pas encore fonctionner, mais ils procéderont à des essais de temps en temps. Alors, si vous prenez une douche, il vaut peut-être mieux éteindre la lumière.

Il revient à midi, l'emmène dans une petite salle de gymnastique de SoHo, la présente à un tas de muscles prénommé Ray.

— Ray va vous montrer comment vous défendre.

— Ouais, acquiesce le costaud. D'abord, quelques trucs pour vous dérouiller les muscles.

« Dérouiller » est le mot juste. Elle tombe sur le tapis encore et encore, jusqu'à avoir le corps couvert de bleus. Mais, à la fin de la séance, elle sait comment neutraliser quelqu'un qui vous attaque par-derrière et vous passe une corde autour du cou. Elle sait comment mutiler un homme en lui empoignant les testicules et en tournant, comme pour cueillir une pomme sur un arbre.

Elle se rappelle les cascades qu'elle a apprises, les duels avec des épées de cinéma à la pointe mouchetée. C'était dans une autre vie, lui semble-t-il.

Qui êtes-vous ?
Je m'appelle Claire Rodenburg.

D'où venez-vous ?

Je suis née à Ferry Springs, près de Boise, dans l'Idaho. Mon père est mort dans un accident d'avion quand j'avais dix ans. Ma mère ne s'est jamais remariée. Je crois que j'ai toujours été attirée par les hommes plus âgés que moi, par les rebelles.

Continuez.

J'ai eu le nombre habituel de petits amis au lycée, j'ai perdu mon pucelage avec l'un d'eux à seize ans. Après ça, j'ai eu facilement des rapports sexuels. Je sortais avec une bande de types déjantés. Enfin, pas si déjantés que ça, finalement. Ils voulaient tous la même chose : moi, en gros. A l'université, j'ai eu une liaison avec un de mes professeurs. Il était marié.

Comment s'appelait-il ?

M. Furbank.

Vous n'appeliez pas votre amant par son prénom ?

Pardon. Eliot Furbank. C'est à ce moment-là que j'ai découvert que j'avais un côté obscur, qu'une partie de moi voulait qu'on la force à aller plus loin que j'étais jamais allée. Comme nous ne pouvions pas souvent être ensemble, Eliot et moi, il m'écrivait. Des trucs délirants qu'il m'envoyait par e-mail ou qu'il déposait dans mon casier.

Très bien, Claire. Qu'est-ce qu'il est devenu ?

Sa femme a trouvé une des lettres, elle est aussitôt allée voir le doyen. Eliot a été renvoyé, bien sûr.

Comment avez-vous réagi ?

J'étais ravie, je me disais que nous pourrions enfin être ensemble. Mais il n'a pas tenu le coup, il a fini par se tuer. Il m'a adressé une dernière lettre dans laquelle il me demandait de... de le rejoindre.

Et ensuite ?

J'ai voyagé. Avec le recul, je me rends compte que je fuyais quelque chose qui avait totalement échappé à mon contrôle.

C'était une fuite ou une quête ?

Un peu des deux, je suppose.

Et de quoi étiez-vous en quête ?

Je ne sais pas. J'ai lu des choses : *Histoire d'O*, Anne Rice. Après ce que j'avais vécu, ça me semblait un peu insipide. Mais je suis curieuse. Je crois que j'ai besoin d'un guide.

Pas comme ça, c'est trop évident. Il se rendra compte par lui-même de votre potentiel. Bon, on recommence : qui êtes-vous ?

— Je m'installerai dans l'appartement juste en dessous du vôtre, lui annonce Frank plus tard dans la voiture. Si vous avez besoin de quoi que ce soit dans les semaines qui viennent, vous n'aurez qu'à frapper à ma porte.

— C'est vraiment indispensable ? Que vous soyez à l'étage en dessous, je veux dire.

— Peut-être pas pour le moment, mais je passerai moins de temps à faire la navette.

— Mme Durban n'y verra pas d'inconvénient ?

— Il n'y a pas de Mme Durban, répond-il d'un ton bourru. Enfin, il y en a une, mais elle vit avec un designer, maintenant. Un mec qui fabrique des gâteaux de mariage et d'autres trucs avec du carton. Il gagne plus en un mois que moi en un an.

— C'est pour ça qu'elle est partie ?

— Qu'est-ce qui vous fait croire que c'est elle qui est partie ?

— Parce que vous me paraissez trop loyal pour plaquer qui que ce soit.

Gardant les yeux sur la circulation, il grommelle :

— Elle m'a quitté parce que je passais trop de nuits à travailler et que je suis grincheux quand je n'ai pas ma dose de sommeil.

— Alors, ce ne sont pas les horreurs du boulot qui vous empêchent de dormir ?

104

Il se tourne soudain vers elle, les lèvres plissées de colère.

— Vous avez passé trop de temps avec le Dr Leichtman. Gardez votre blabla psy pour elle, d'accord ?

Frank finit son plat tout préparé et zappe sur la télé. Il n'y a rien à voir.

Il consulte sa montre — minuit passé —, se sert un dernier verre de bourbon puis erre dans l'appartement festonné de câbles et de fils que les experts en surveillance n'ont pas perdu de temps à dissimuler. Il s'arrête devant un autre poste de télévision qui trône, saugrenu, au centre de la pièce principale.

Il l'allume.

Cette fois, son boîtier de télécommande ne le fait pas surfer sur les programmes nocturnes du câble, mais sur une douzaine de vues différentes de l'appartement de Claire, juste au-dessus.

Il voit sur une table un emballage de traiteur, une bouteille de chardonnay à demi pleine. Il hésite, appuie sur un autre bouton, découvre le lit vide. Il presse de nouveau.

Elle se tient devant la fenêtre ouverte, nue, le dos tourné à la caméra. Elle contemple la nuit new-yorkaise.

Lorsqu'elle se retourne, son verre de vin reflète l'ombre qui ponctue la jonction de ses jambes. Frank est prêt à jurer qu'elle sait où se trouvent les caméras, et aussi qu'il l'observe, parce qu'elle braque son regard droit sur lui et promène sa main libre sur son corps en une lente caresse.

Elle fait un pas vers lui, ses seins emplissent l'écran puis elle sort du champ.

Et bien qu'il passe d'une caméra à l'autre pendant de longues minutes, c'est comme si elle s'était volatilisée.

16

Elle est réveillée le lendemain matin par des coups frappés à sa porte.

— Qu'est-ce qui se passe ? demande-t-elle d'une voix ensommeillée en lui ouvrant.

Frank lui montre l'imprimé informatique qu'il tient à la main.

— C'est de Vogler. C'est parti.

> De : Christian Vogler [CV@nyscu]
> A : Claire Rodenburg [ClaireR@colormail.com]
> Claire,
>
> Bien sûr que je me souviens de vous. Je me rappelle aussi que je me suis montré plutôt grossier, ce jour-là. Je peux donner l'impression d'être distant quand mon travail m'absorbe. J'ai été profondément touché par vos paroles sensibles, et plus qu'un peu intrigué par vos allusions à votre propre vie.
>
> Baudelaire est un auteur notoirement difficile à traduire, mais j'espère que vous estimez comme moi que l'effort fourni est largement récompensé. Si vous luttez encore avec ses vers, vous souhaitez peut-être de l'aide ?
> Amitiés,
> Christian Vogler

— Vous êtes sûr ? fait-elle d'un ton dubitatif en relisant le texte. Moi, j'ai plutôt l'impression qu'il est simplement poli.

— Ou prudent, dit Frank.

De : Claire Rodenburg [ClaireR@colormail.com]

A : Christian Vogler [CV@nyscu]

Cher Christian (Je peux vous appeler par votre prénom ?),

Merci pour votre e-mail. En relisant ma propre lettre, je me demande si je n'ai pas dû vous paraître un peu bizarre. J'ai mené une vie assez peu conventionnelle, trop peu conventionnelle, peut-être. Je suppose que c'est la raison pour laquelle les poèmes de quelqu'un comme Baudelaire, qui a osé aller au-delà du quotidien, sont pour moi une telle inspiration.

Je m'imagine à la place de sa Vénus, recevant ces poèmes extraordinaires et anonymes. Je me demande s'il pensait qu'elle serait choquée ou s'il savait au contraire qu'elle serait excitée par ces choses qu'il avait l'audace d'évoquer.

Je m'imagine, dis-je, mais en fait, j'ai moi-même été dans cette position autrefois, et je sais l'impression que cela fait d'être autorisée à pénétrer dans l'esprit de quelqu'un, de découvrir peu à peu ses fantasmes les plus sombres. C'est un sentiment étonnant.

Certains taxeraient de pornographie ce que cet homme m'a écrit. Moi, je trouvais ses lettres aussi belles et sincères qu'un poème.

Claire

Le Dr Leichtman a accepté qu'elle continue à suivre ses cours d'art dramatique, pour le moment.

Cette fois, Paul les initie aux masques. Ce sont des masques japonais, sauvés de la caricature uniquement par la touche de cruauté avec laquelle on a dessiné leurs traits. Claire hérite de l'Enfant Abandonnée, une gosse innocente et perdue dont le sourire, qui pourtant ne change jamais, semble tour à tour impatient, doucereux, entendu, aguicheur.

Paul parle comme si les masques, et non les acteurs,

étaient des personnes. Ainsi, quand l'un des élèves, après avoir mis un masque de vieillard, vient derrière Claire et lui enfonce sa canne dans les côtes, le metteur en scène commente : « Il fait toujours ça, ce vieil imbécile. »

Plutôt que de leur faire jouer une scène ensemble — il n'y a pas de trous pour les yeux, et la première fois les élèves sont tombés les uns sur les autres —, il les fait s'aligner devant lui, comme s'il était le public, et leur demande de jouer leur rôle sur place. C'est l'histoire d'un propriétaire terrien qui se rend dans les rizières et viole une femme dont la famille ne peut payer le loyer. L'acteur qui joue le Riche frappe à une porte imaginaire ; deux acteurs plus bas dans la rangée, l'Enfant Abandonnée l'ouvre. Quand il la viole, il doit mimer son agression, et Claire sa peur, à trois mètres l'un de l'autre, sans que l'un puisse voir ce que fait l'autre.

Tout à coup, Claire se rend compte qu'elle pleure sous son masque. Elle ne sait ni comment ni pourquoi. C'est aussi soudain et inexplicable qu'un saignement de nez. Pour elle, qui est habituée à faire couler ses larmes à volonté, cette brusque perte de maîtrise est aussi désarçonnante que les larmes elles-mêmes.

A la fin de la scène, elle ôte le masque et s'assied par terre, aspire de longues goulées d'air pour se ressaisir. Ses camarades croient d'abord qu'elle plaisante puis, un à un, se taisent. Paul s'approche, s'accroupit pour être à sa hauteur.

— Ça va ?

N'osant pas prendre le risque de parler, elle acquiesce de la tête.

— C'est comme ça, avec les masques, quelquefois, dit-il. S'ils ont confiance en toi — si tu es bon et qu'ils acceptent que tu les empruntes —, ils te le font payer.

Sur le chemin du retour vers son appartement de merde, elle se hasarde chez un opticien, choisit une paire de lunettes à monture métallique, les essaie, s'examine dans le miroir.

Cela marche, plus ou moins. La Fille Blessée.

Elle hoche pensivement la tête en regardant son reflet.

De : Christian Vogler [CV@nyscu]
A : Claire Rodenburg [ClaireR@colormail.com]
Cela semble fascinant, Claire. Nous pourrions peut-être reprendre notre conversation devant un verre.

— Nous ne pouvons pas encore courir le risque d'une rencontre, déclare le Dr Leichtman avec fermeté. Claire n'est pas prête, et moi non plus.

De : Claire Rodenburg [ClaireR@colormail.com]
A : Christian Vogler [CV@nyscu]
Merci, mais je ne suis pas en ville pour le moment, même si je réceptionne mes e-mails.

Je ne sais pas pourquoi je vous ai raconté toutes ces choses sur moi. Peut-être parce que voyager seule me rend pensive, ou mélancolique, selon la perspective que l'on adopte.

Cela s'est passé il y a longtemps, mais, oui, c'était fascinant. Fascinant, terrifiant et excitant à la fois.

Claire

De : Christian Vogler [CV@nyscu]
A : Claire Rodenburg [ClaireR@colormail.com]
Si vous avez encore besoin d'une épaule sur laquelle vous appuyer… j'en ai deux et elles sont à votre disposition.

De : Claire Rodenburg [ClaireR@colormail.com]
A : Christian Vogler [CV@nyscu]
Merci. Je pourrais avoir aussi les bras qui vont avec ?

De : Christian Vogler [CV@nyscu]
A : Claire Rodenburg [ClaireR@colormail.com]
Tout à fait. Autre chose dont vous auriez besoin ?

De : Claire Rodenburg [ClaireR@colormail.com]
A : Christian Vogler [CV@nyscu]
Puisque vous posez la question… mais ce serait peut-être trop demander…

De : Christian Vogler [CV@nyscu]:
A : Claire Rodenburg [ClaireR@colormail.com]
Quoi ? Je vous en prie, mes soirées sont longues et ennuyeuses en ce moment, et je ne supporte pas de vous savoir mélancolique à Memphis, ou dans quelque ville que vous soyez.

De : Claire Rodenburg [ClaireR@colormail.com]
A : Christian Vogler [CV@nyscu]
Eh bien, les lettres qu'il m'envoyait me manquent.

De : Christian Vogler [CV@nyscu]
A : Claire Rodenburg [claire r@colormail.com]
En ce cas, le texte ci-joint vous tiendra peut-être compagnie pendant votre voyage.

<<pourclaire.doc>>

17

— Tout y est, dit Frank.

Pour la première fois depuis que Claire le connaît, une lueur d'excitation s'allume dans le regard de l'inspecteur. Il relit le texte de Vogler pour la troisième ou la quatrième fois et répète :

— Tout y est, bon Dieu.

Leichtman ne dit rien, tapote ses dents de son crayon. Claire la complimente :

— Exactement ce que vous aviez prévu qu'il écrirait. Violence, douleur, domination.

La psy continue à se tapoter les dents.

— « La senteur musquée de ton désir emplit la pièce, comme le parfum écœurant d'un fleuve rare, une orchidée qui libère son odeur céleste juste avant de se faner et de pourrir… » lit Durban à voix haute. C'est un truc de malade, ça, Connie.

Le tapotement cesse et le Dr Leichtman déclare :

— Il a très bien pu entrer dans une librairie et copier ça dans n'importe lequel d'une demi-douzaine de bouquins du rayon Adultes. C'est un peu pervers, bien sûr, mais je ne peux pas affirmer, la main sur le cœur, que seul un tueur serait capable d'écrire ça.

— Il ne s'est pas disculpé, cependant.

— Non. Pas encore.

— Alors, qu'est-ce qu'on fait, maintenant ?

Leichtman se tourne vers Claire.

— Il se retient peut-être. Vous devez lui montrer que vous êtes plus dure qu'il ne le pense. Répondez-lui. Quelque chose dans la même veine, mais plus fort.

— Vous voulez que ce soit moi qui l'écrive ? Vous ne pourriez pas le faire ?

La psychiatre secoue la tête.

— Pourquoi croyez-vous que nous vous avons fait passer autant de temps sur ces sites Internet ? Il faut que ce soit dans votre manière… ou dans la manière de celle que vous prétendez être.

Assise devant son ordinateur portable, Claire doit se rappeler qu'elle a fait des choses plus difficiles, qu'elle

111

a par exemple vendu des sweaters en poil d'hippopotame dans les rues de New York.

De : Claire Rodenburg [ClaireR@colormail.com]
A : Christian Vogler [CV@nyscu]
Cher Christian,

Merci pour le fantasme, c'était merveilleux. Mais crois-moi, Christian, les choses que tu décris sont un peu fades pour moi. Celles que j'aime... Quelquefois, leur caractère extrême me fait peur — Mon Dieu, pourquoi je fais ces confidences à un parfait inconnu ? —, quelquefois, je considère les choses qui m'émoustillent, les choses qui m'humilient, qui m'effraient, me rendent impuissante et vulnérable, et je me dis qu'il y a quelque chose qui cloche en moi, ou que je suis anormale d'une certaine façon.

Je te fais cet aveu uniquement parce que je sens que tu es peut-être capable de me comprendre vraiment. J'ai presque peur que tu m'écrives autre chose, au cas où tu n'aurais pas compris. Il vaut peut-être mieux nous dire adieu maintenant, avant d'aller plus loin.

J'ai moi-même écrit quelque chose. Dis-moi si ça te plaît.

Amitiés,
Claire

<<pourchristian.doc>>

De : Christian Vogler [CV@nyscu]
A : Claire Rodenburg [ClaireR@colormail.com]
Claire,

Quelle femme remarquable tu te révèles être ! Je suis impatient de te revoir à ton retour.

En attendant, tu trouveras peut-être le texte ci-joint plus à ton goût.

<<claire2.doc>>

Dans le second fantasme qu'il lui envoie, Christian décrit une scène où il bande les yeux de Claire et la frappe avec une ceinture.

La ceinture caresse ton corps. C'est un serpent, un long serpent noir qui s'insinue dans le creux de tes seins parfaits, sous ton aisselle, sur la proue de ton pubis, sur la langue gonflée et luisante de ton sexe.

Tu trembles. Le serpent repart en arrière, mais ce n'est que pour donner plus de force à sa morsure.

Au moment où tu te raidis dans l'attente du coup, tu sens quelque chose toucher tes lèvres : l'extrémité de la ceinture. « Embrasse-le », j'ordonne, et, obéissante, tu presses ta bouche contre les lèvres douces et cruelles du reptile. Soudain, tu pousses un cri : tu as senti la tendre morsure de ses dents sur ton ventre et sur tes seins.

« Un », dis-je d'une voix calme…

Dans son troisième fantasme, il décrit Claire allongée sur un lit aux draps frais, entourée d'une douzaine de bougies, comme un corps promis au sacrifice étendu sur un autel de pierre blanche.

J'allume les bougies une à une. Elles sont hautes et lourdes comme des cierges, avec une flamme en fer de lance, blanche, surmontée d'une fumée d'un noir d'encre, entourée d'une auréole claire de cire fondue. J'approche la première bougie de ton corps immobile et verse la cire brûlante sur ta peau. Tu tressailles mais tu ne cries pas. La cire durcit sur ta peau douce, comme une cicatrice.

Dans le quatrième, elle est surprise dans sa chambre d'hôtel par un inconnu mystérieux et froid, qui l'attache au lit avec des cordes.

— C'est très bon, apprécie le Dr Leichtman en lisant sur l'écran. Nous avons beaucoup de matériau, là.

— Quoi, par exemple ? demande Frank.

— Cette histoire de cordes. Il se rapproche peu à peu des circonstances véritables du meurtre. Et il place la scène dans une chambre d'hôtel, ce qui constitue un recoupement très significatif.

— Mais rien que seul le tueur pourrait connaître, objecte Durban. Un avocat pourrait prétendre que nous lui avons nous-mêmes suggéré la chambre d'hôtel en lui disant que Claire est actuellement en voyage.

— Laisse-lui le temps, Frank. Sur la base de ces textes, je peux déjà affirmer que Vogler présente une déviance sexuelle que seule partage une faible proportion de la population. La possibilité que Stella ait connu deux individus de ce type est infime. Refermons le filet lentement, il n'en sera que plus serré.

De : Claire Rodenburg [ClaireR@colormail.com]

A : Christian Vogler [CV@nyscu]

Très joli, Christian. Mais je me demande si tu oserais aller plus loin.

Quant à une rencontre, nous verrons. Je crois que je suis partagée. Une partie de moi me souffle : tu dois rencontrer cette personne incroyable qui te comprend si bien. Une autre partie me rappelle que, souvent, on m'a laissée tomber. Une fois — je t'en ai déjà touché un mot —, une fois, on ne m'a pas laissée tomber, et c'était encore pire à la fin. C'est une longue et tragique histoire, je te la raconterai peut-être un jour.

J'ai lu ton dernier e-mail dans un cybercafé de Chicago, à côté de deux étudiants BCBG qui s'escrimaient sur la bécane voisine. S'ils avaient pu voir ce que je lisais ! Il me tardait de retrouver l'intimité de ma chambre d'hôtel, en fait…

Il y a un passage de Baudelaire que j'ai noté dans une librairie de la ville :

« Avons-nous donc commis une action étrange ?/ Explique, si tu peux, mon trouble et mon effroi :/Je frissonne de peur quand tu me dis : Mon ange !/Et cependant je sens ma bouche aller vers toi. »

Continue à m'écrire, Christian. Je t'en prie.

Claire

18

— Aujourd'hui, dit le Dr Leichtman, nous allons apprendre à écouter.

— Hein ?

— Je dis, aujourd'hui… Ha, ha. Très drôle.

C'est le matin du neuvième jour, et les deux femmes se demandent dans quoi elles se sont fourrées.

— Je vais vous montrer quelques techniques neuro-linguistiques élémentaires, poursuit la psychiatre.

Elle place sur le projecteur posé au-dessus de leurs têtes la diapositive d'un tableau divisé en deux colonnes, *Exact* et *Faux*, puis se tourne vers Claire.

— D'abord, se garder de porter des jugements. Dire « C'est dégoûtant » ou même « C'est formidable » sera moins utile qu'une réponse neutre comme « Je vois », ou « Quel effet cela t'a fait ? ». Les conseils — « Pourquoi tu n'essaies pas ça ? », par exemple — ne sont pas non plus recommandés. Il vaut mieux faire des remarques : « Je vois que tu es tendu », ou… Vous vous tortillez sur votre chaise, Claire. Il y a quelque chose qui ne va pas ?

— J'ai vu tout ça pendant la première semaine de mes cours de théâtre, répond l'actrice avec un haussement

115

d'épaules. A ceci près que nous parlions de « refus » et « d'acceptation ».

— Vous vous apercevrez que c'est en fait un peu différent. Bon, maintenant…

— Combien de temps encore allons-nous passer à *parler* ?

— Ma formation a duré sept ans. Je ne crois pas que neuf jours…

— « Je ne crois pas que neuf jours… » répète Claire en prenant la voix de Leichtman.

L'imitation est si fidèle que la psychiatre rougit.

— Cela me rappelle autre chose, Claire, dit-elle d'un ton glacial. Il faut nous indiquer quand vous avez vos règles. Nous devrons peut-être organiser l'opération autour d'une de vos périodes *mal lunées*.

Au milieu de la séance de l'après-midi, le bipeur du Dr Leichtman se manifeste. Elle le tire de sa poche, lit le message, se dirige d'un pas pressé vers le téléphone.

— Des nouvelles intéressantes ? lui demande Claire à son retour.

— Plus ou moins, répond Connie en reposant le bipeur sur le bureau.

Comme elle ne développe pas, Claire insiste :

— Alors ? Qu'est-ce que c'est ?

— Il y a eu un autre meurtre. La police pense… qu'il pourrait s'agir du même tueur. Ils veulent que je vienne jeter un coup d'œil. Ça vous dirait de m'accompagner ? demande Leichtman en levant les yeux vers Claire.

— Moi ? s'étonne l'actrice.

— Il serait peut-être utile que vous sachiez exactement ce que nous affrontons, répond le médecin d'une voix calme.

Un autre hôtel. Cette fois, un trou à rats sur la Deuxième Avenue, parmi les derniers peep-shows et

116

cinémas pornos de la ville. A en juger par l'odeur qui flotte dans les couloirs, c'est le genre d'établissement où la plupart des clients ne passent pas une nuit entière.

Claire et Leichtman doivent attendre en bas que l'équipe scientifique en ait terminé. La psychiatre semble agitée, et Claire s'en étonne avant de s'apercevoir que ce n'est pas de l'appréhension que l'autre femme ressent.

Connie est excitée.

Elle sent le regard de la comédienne sur elle et se justifie :

— C'est rare d'avoir la possibilité de voir une scène de crime aussi fraîche.

On leur fait revêtir des combinaisons en papier blanc, qui retiendront toute fibre textile se détachant de leurs propres vêtements, et enfiler sur leurs chaussures des sacs en plastique fermés par un élastique.

Durban est déjà en haut et les regarde entrer dans la chambre.

— Qu'est-ce qu'elle fait là ? dit-il en montrant Claire.

— J'ai tenu à ce qu'elle vienne, explique Leichtman.

L'inspecteur paraît sur le point de soulever une objection puis hausse les épaules.

— Elle était comme ça quand on l'a trouvée, déclare-t-il.

De la main, il indique le lit où un drap recouvre la forme d'un corps.

— Les stores étaient baissés ? demande Leichtman.

— Non.

— Ce qui laisse penser qu'il faisait encore noir quand il est parti, murmure-t-elle. Il n'est pas resté longtemps.

Frank tend la main vers le drap, prévient Claire avant de le rabattre :

— C'est pas beau à voir.

Le corps allongé sur le lit est celui d'une Noire. Son visage serait tourné vers le haut si elle avait encore un visage. Elle n'a pas de tête non plus. A la place du cou, un moignon sanguinolent, une manche de peau aplatie autour d'une mince colonne blanche tendineuse.

L'inspecteur rabat le drap un peu plus. Les cuisses nues de la fille enserrent une tête, dont les cheveux courts, coiffés à l'afro, brillent de gel. La langue, sortie et gonflée, pointe directement vers l'entrejambe.

Claire se détourne, se précipite dans la salle de bains.

Au bout d'un moment, Frank l'y rejoint.

— Désolée, bredouille-t-elle entre deux haut-le-cœur.

— Ne vous excusez pas. Personne ne devrait s'habituer à voir ça.

Elle montre le vomi obstruant l'écoulement de la douche.

— Est-ce que j'ai…

— Bousillé des indices ? Ne vous en faites pas. Nous avions terminé, dans cette pièce. Ecoutez, si vous préférez…

Claire secoue la tête.

— Ça ira, assure-t-elle.

Elle retourne avec lui dans la chambre.

— Vous avez vu les oreilles ? dit Frank à Leichtman.

De chaque côté de la tête, les lobes ont été déchirés.

— On lui a arraché ses boucles, explique-t-il. Même chose pour la pierre enchâssée dans le nombril.

— Il les a emportées comme trophées ?

— Non. Il les a balancées dans les chiottes. Il a tiré la chasse mais les bijoux étaient trop lourds, ils sont restés au fond de la cuvette.

— Intéressant. On avait aussi pris ceux de Stella, non ? rappelle Leichtman, qui entreprend d'examiner le moignon du cou. Elle s'est débattue ?

Comme celle de Durban, sa voix est neutre, d'une platitude professionnelle.

— Le médecin légiste n'en est pas sûr. Il y a des

traces de lutte : des murs éraflés, une lampe brisée. L'ennui, c'est que dans un endroit pareil elles peuvent être là depuis un moment.

— Des Polaroids ?

— Pas à notre connaissance.

— Et côté rapports sexuels ?

— Un de mes collègues a bossé aux Mœurs, il pense que la victime était une pute. Si c'est le cas, et si elle a eu d'autres clients au cours des dernières vingt-quatre heures, les rapports du labo ne nous serviront pas à grand-chose, remarque Durban en haussant les épaules. On essaiera quand même, naturellement. Nous parviendrons peut-être à retrouver les autres clients et à les éliminer de la liste des suspects, ajoute-t-il sans conviction. Qu'est-ce que tu en penses, Connie ? C'est le même type ?

— Je ne sais pas trop. D'un côté, on a aussi une chambre d'hôtel, on a aussi une violence exceptionnelle, on a aussi des bijoux : cela semble indiquer un schéma répétitif. Mais il faut également constater les différences : une chambre d'hôtel, oui, mais un type d'hôtel très différent, et des circonstances très différentes. L'assassin de Stella est venu préparé. Il s'est appliqué. Il voulait que ce soit parfait, que cela corresponde exactement à ses fantasmes. Cette fois-ci, ça paraît moins organisé, moins maîtrisé…

— Il n'a peut-être pas pu se payer un autre hôtel en liquide, argue Durban. J'ai fait vérifier, il y a deux grandes conventions en ville, on ne trouve plus une chambre libre nulle part.

— Il y a aussi le fait qu'il soit parti pendant qu'il faisait encore noir. Il n'a même pas fermé les rideaux. Le tueur de Stella a passé du temps avec elle. Tu te rappelles les Polaroids ?

— Il craignait peut-être qu'on ait entendu les bruits de leur lutte. Ou qu'elle soit attendue par son mac.

119

— Possible. Mais alors, pourquoi se lancer dans un truc pareil si les circonstances l'empêchaient de le faire à sa manière ?

— C'est peut-être lié à ça, répond Frank en soulevant le bras de la morte. Jette un œil.

Il y a quelque chose d'écrit sur la paume de la fille.

Leichtman se penche vers le cadavre. Comme c'est écrit à l'encre noire sur la peau noire, elle met un moment à déchiffrer les lettres :

— « www.pictureman.com. » Un site Internet ?

— On dirait.

— Qu'est-ce qui te prouve que c'est lié au meurtre ? Des tas de gens notent des trucs sur leur main pour ne pas les oublier.

— Exact. Mais sur la main d'une pute, ça ne resterait pas longtemps, répartit l'inspecteur, avec un geste obscène pour se faire clairement comprendre.

— Quelqu'un a vérifié ? C'est un site hard, sûrement ?

— Non. C'est bien ce qui est étrange. Quand on tape le nom, l'ordinateur répond que ça n'existe pas.

Ensuite, Connie emmène Claire dans une cafétéria et lui offre un café dans lequel elle a versé deux sachets de sucre.

— Buvez, ordonne-t-elle. Ça vous fera arrêter de trembler.

L'actrice doit prendre la tasse à deux mains pour la porter à ses lèvres.

— Des images sur un écran, ce n'est jamais tout à fait pareil, hein ? fait observer la psychiatre.

Claire approuve d'un hochement de tête.

— Vous vous en êtes bien tirée, ajoute Leichtman avec douceur.

— Bien tirée ? Qu'est-ce que je dois comprendre ? « Mademoiselle Rodenburg, vous êtes libre de partir » ?

— Vous avez toujours été libre, Claire. Personne ne peut vous forcer à faire ça.

— Vous avez voulu que je vous accompagne pour voir si j'avais peur ?

— Pour voir si vous étiez prête.

Claire sent son pouls s'accélérer.

— Comme vous le savez, j'avais des doutes sur cette opération, rappelle Connie. Et j'aurais souhaité avoir plus de temps pour vous préparer, beaucoup plus de temps. Mais ça n'a pas été possible. Quand la périodicité d'un tueur — l'intervalle entre les meurtres — s'accélère, elle ne ralentit plus jamais. Il va tuer plus souvent, maintenant. Ce soir, vous annoncerez à Christian que vous serez de retour demain.

TROISIEME PARTIE

Des poëtes illustres s'étaient partagé depuis longtemps les provinces les plus fleuries du domaine poëtique. Il m'a paru plaisant, et d'autant plus agréable que la tâche était plus difficile, d'extraire la beauté *du Mal.*

Baudelaire,
projet de préface aux *Fleurs du mal*

19

Quelqu'un lui a posé un lapin.

C'est ce que vous penseriez en la voyant attendre seule à une table près du bar, essayant de faire durer son bloody mary au maximum : une jeune cadre à un rendez-vous. Peut-être un peu plus jolie que la moyenne. Habillée avec un peu plus d'audace. Elle n'est pas venue directement du bureau, c'est évident.

De sa table, on a vue sur l'entrée, et elle fixe la porte nerveusement.

Mais c'est par-derrière qu'il arrive, tirant à lui la chaise voisine. Elle se demande depuis combien de temps il est là, à l'observer.

Il porte une veste de cuir sombre, un polo de coton noir et un pantalon kaki. En s'asseyant, il fait tourner la lourde chevalière qui orne son petit doigt.

— Claire, dit-il, c'est merveilleux de te revoir.

Ses yeux vert groseille se rivent aux siens. Un moment, elle a l'impression qu'il sait tout, qu'il voit tout : les fils collés sur sa peau et la trahison au fond de son cœur.

— Bonsoir, Christian.

Tout l'après-midi, Connie lui a fait répéter son rôle, encore et encore. *Qui es-tu ? Pourquoi es-tu ici ? Qu'est-ce que tu veux ?* Mais Claire est préoccupée par un détail plus concret. Lorsqu'elle travaillait pour Henry, elle prenait un accent ou une voix différents à chaque fois. Pour s'exercer, entre autres raisons.

125

Elle ne parvient plus à se rappeler maintenant si la Claire que Christian Vogler a rencontrée la dernière fois était américaine ou anglaise. Sa couverture est assez souple pour coller avec l'une ou l'autre option. Le problème, c'est de savoir si Vogler remarquera l'anomalie, si anomalie il y a.

Elle a opté pour l'Américaine. Ou c'est le bon choix, ou Christian ne se souvient pas d'elle si bien que ça.

— Tu es encore plus jolie que dans mon souvenir, dit-il en se penchant pour l'embrasser sur la joue.

Le cuir de la veste l'effleure, doux comme une toile d'araignée, et elle se rappelle Bessie, végétarienne, lui expliquant que pour obtenir un cuir de cette douceur, on utilise la peau de veaux mort-nés.

— Merci, répond-elle en se demandant comment son personnage réagirait. Mais je préfère que tu ne me mentes pas, même pour faire un compliment.

C'est trop ? se demande-t-elle. Non, Vogler sourit de sa causticité.

— Je ne mens pas, dit-il. Je ne mens jamais pour les choses importantes.

Pendant qu'ils commandent à boire, elle porte une main à l'arrière de son crâne, caresse distraitement les cheveux courts de sa nuque, dont le contact ne lui est pas familier. Le coiffeur chez qui elle est allée dans l'après-midi l'a suppliée de ne pas exiger de lui qu'il coupe aussi court, parce que ses cheveux ne seraient jamais plus comme avant en repoussant. Mais Claire s'est montrée intransigeante, et il a fini par faire ce qu'elle lui demandait.

Des cheveux courts, comme ceux de la femme de Christian. Un détail, mais qui peut dire quel détail sera décisif ?

Assis dans un fauteuil du salon, Durban l'observait dans le miroir, le regard adouci par ce qui était peut-être de la commisération.

Tandis que le coiffeur coupait et taillait, Claire avait eu l'impression de passer enfin de la sphère d'influence de Connie à celle de l'inspecteur. Des idées aux actes.

Fin des répétitions.

L'heure était venue d'entrer en scène.

— C'est... étrange, commence-t-elle d'un ton hésitant.

— Etrange ? En quel sens ?

— De se rencontrer comme ça... en chair et en os, pourrait-on dire, après avoir déjà connu... une telle intimité.

Elle croise son regard.

— C'est un peu comme se réveiller près d'un inconnu et devoir parler du petit déjeuner.

Le sac à dos de Claire, appuyé contre le pied de la table en verre, alimente en informations audio et vidéo l'équipe installée dans la camionnette de surveillance. Connie opine du chef d'un air approbateur en entendant une de ses répliques négligemment glissée dans le texte.

Frank a raison : cette fille sait jouer.

Les yeux de Christian ne la quittent pas.

— Ça t'arrive souvent ? De te réveiller près d'un inconnu ?

— Oh non. Enfin si, quelquefois. Du temps de ma jeunesse effrénée, plutôt.

— Tu n'as pas l'air effrénée.

— Les apparences peuvent être trompeuses.

— Pas la tienne.

Le personnage de Claire est un peu agacé que Christian s'imagine pouvoir la mettre dans une boîte et l'étiqueter aussi facilement.

— Ah. Et qu'est-ce qu'elle te dit, mon apparence ?

Il tend le bras, lui tourne doucement la tête pour étudier son profil. Elle ne peut s'empêcher de tressaillir au contact de ses doigts mais il ne semble pas s'en apercevoir.

— Je vois une femme… belle mais malheureuse. J'ai raison, n'est-ce pas ?

— Ne te fais pas d'idées, rétorque-t-elle avec aigreur. Je ne suis pas une pauvre célibataire en manque d'homme.

— Ce n'est pas ce que je voulais dire.

— Je doute qu'il y ait une seule personne dans cette pièce qui ait fait les mêmes choses que moi.

— « J'ai plus de souvenirs que si j'avais mille ans… ? »

— Exactement.

— Quelquefois, les choses qui nous font fantasmer, nous n'en voulons pas dans la réalité, avance-t-il avec précaution.

— Quelquefois, nous savons ce que nous voulons vraiment, mais nous avons besoin d'aide pour y parvenir.

— La plupart des gens soutiendraient que les tabous sont là pour nous protéger.

— Toi et moi, nous sommes différents de la plupart des gens.

— C'est vrai, murmure-t-il.

Elle affronte directement le regard des yeux verts.

— Nos fantasmes, dit-elle. Nous avons nos fantasmes.

Après un silence, il secoue la tête et corrige :

— Ce sont les tiens, pas les miens.

Dans la camionnette, Frank et Connie se regardent.

— Oui. *Tes* fantasmes. C'est toi qui les as écrits.

Claire est intriguée. Elle a conscience qu'il y a eu un brusque changement de climat, ne sait pas pourquoi.

— Tu as précisé ce que tu voulais, je te l'ai obligeamment fourni, poursuit-il. Je suis traducteur. Je travaille avec la voix, avec le style d'autres personnes. Baudelaire, par exemple.

— Mais tu aimes Baudelaire, dit-elle, déroutée.

— Est-ce que je l'aime ? Oh, il présente quelques bizarreries stylistiques qui le rendent intéressant à mes yeux sur un plan technique. C'est pour ça qu'il me fascine : il me lance un défi.

Vogler pioche un bretzel dans l'assiette posée sur la table et poursuit :

— Il ne faut pas prendre trop au sérieux ce ton sinistre et mélancolique d'adolescent.

— Je vois, dit Claire, qui n'est en fait plus très sûre de rien.

— Ecoute, reprend-il avec plus de douceur. J'ai voulu cette rencontre parce que… Tu as raison de dire que nous avons quelque chose en commun. Comme toi, j'ai perdu quelqu'un de très proche.

— Je sais. J'ai lu dans les journaux…

— Je ne parle pas de Stella, pas exactement. J'avais commencé à la perdre bien avant ça, soupire-t-il. Si elle avait vécu, nous serions peut-être parvenus à résoudre nos problèmes. C'est une des nombreuses questions auxquelles je ne pourrai jamais répondre, maintenant. Ce que je veux dire, c'est que, comme toi, je sais ce que c'est que souffrir. Et je sais qu'on peut facilement se laisser détruire par la souffrance. On se sent coupable d'avoir survécu, on veut se punir… Ou dans ton cas, peut-être, on cherche quelqu'un d'autre qui s'en chargera. Il vient un moment pourtant où il faut se libérer de son sentiment de culpabilité et de sa colère. La vie continue, mais uniquement si on la laisse continuer.

Claire hoche la tête. Dans toutes leurs répétitions, ils n'avaient jamais envisagé ça.

— Je t'ai apporté quelque chose, dit-il en tirant de la

129

poche de sa veste un petit livre qu'il lui met dans la main. Tiens.

Un instant, elle croit qu'il s'agit d'un autre recueil de poèmes puis découvre que c'est un de ces minces volumes de philosophie New Age qu'on trouve empilés près de la caisse enregistreuse dans les librairies. Elle jette un coup d'œil au titre : *Le Petit Livre de la perte*.

— Ça m'a beaucoup aidé quand Stella est morte, précise-t-il.

— Merci.

— Je t'en prie.

Il fait signe au serveur de renouveler la commande.

Claire s'efforce désespérément de trouver un moyen de sauver la situation, de retrouver le scénario perdu.

— Alors, tu ne veux pas me faire de mal, lâche-t-elle.

— Claire. Oh, *Claire*.

Il tend le bras vers elle, caresse doucement d'un doigt les cheveux blonds et courts.

— Tu ne vois pas que je veux au contraire éloigner la souffrance ?

20

— « Au plus profond de nous, nous savons que la souffrance est bonne, et qu'une blessure fait surtout mal quand elle guérit », lit Claire à voix haute.

Le Petit Livre de la perte décrit un arc de cercle dans l'air avant de rejoindre les boîtes de pizza vides dans la corbeille à papier.

— Ça ne s'est pas passé trop mal, je trouve, dit Connie. Pour une première tentative.

— Vous devriez peut-être écrire un de ces bouquins,

suggère Claire, suave. *Le Petit Livre des pensées positives du Dr Leichtman...*

Durban cherche à calmer le jeu :

— C'est bon, Claire.

— Regardons les choses en face, Frank. Ça ne marchera pas.

— Est-ce que Vogler s'est éliminé comme suspect ? réplique-t-il.

— Non, répond Connie d'une voix ferme. Il a mentionné qu'il avait des problèmes avec sa femme. C'est un élément nouveau.

— Alors, il se montre peut-être simplement prudent. Il est tout à fait logique qu'il répugne à tenir un discours compromettant pour lui.

— Puissamment raisonné, inspecteur, ironise Claire.

Elle sait qu'elle est infecte, mais elle est encore sous le coup de l'adrénaline et de la colère. Elle a envie d'applaudissements, elle a envie de sortir de ce bureau, de boire, de danser, de baiser.

Frank ne relève pas et hasarde :

— Claire n'est peut-être pas son type, après tout.

— C'est peut-être un test, articule lentement Connie.

— Quel genre de test ?

— Il veut voir si elle est vraiment déterminée. Si elle se laisse décourager par un ramassis de platitudes en format de poche. Tu as raison, Frank, notre tueur est intelligent. Il veut être absolument sûr que Claire n'est pas en toc avant de passer à l'acte. Comme une truite qui flaire une mouche avant de la gober.

— Ça vous paraît possible, Claire ? demande Durban.

— On se repasse la bande ? fait-elle dans un soupir.

Frank s'approche de l'appareil, presse plusieurs boutons. Claire regarde une fois de plus l'enregistrement.

— Eh bien... commence-t-elle.

— Quoi ?

131

— Quand je suis sortie du bar, j'étais tellement en rogne que je ne voyais pas vraiment notre rencontre comme une scène. Maintenant que je la revois… Vous savez, on peut toujours dire quand un acteur joue faux. Même si on n'arrive pas à dire pourquoi, on le sait. Quand je regarde cet enregistrement, je m'en rends compte : Christian joue la comédie.

— Ce qui signifie qu'il va falloir être un peu plus subtil que prévu, conclut Leichtman d'un ton songeur.

Bienvenue à Necropolis.

Claire clique sur le salon de conversation. C'est bondé, ce soir : au moins une douzaine de noms, dont la plupart ne lui sont pas familiers.

Victor est là, il se tient de nouveau à l'écart, passant d'une conversation à une autre, les pimentant d'une remarque brève et sarcastique.

Pour la première fois, Claire l'imagine rôdant comme un félin. Qu'est-ce qu'il chasse ? se demande-t-elle.

Ses doigts s'agitent sur le clavier.

>> Bonsoir, Victor. Ça va ?

>> Salut, Claire. Je pensais qu'on ne te reverrait peut-être plus.

>> On dirait que tu t'es trouvé de la compagnie, en attendant.

>> Aucune de ces filles n'est aussi belle et fascinante que toi.

>> Trop gentil. En fait, je suis un peu [hic] pétée.

>> Moi, je suis grisé par ta seule présence.

>> Je sors d'un rendez-vous. Avec un type extra.

>> DLMR ?

>> Quoi ?

>> Je te demande si tu as eu ton rendez-vous dans le monde réel. Ce n'est pas une formule que j'utilise

souvent, je préfère penser que notre monde numérique est au moins aussi réel que tout ce qui arrive dans le Royaume imparfait de la Physique… Mais je m'écarte du sujet : ton rendez-vous. Tu t'apprêtais à me livrer des détails sordides.

>> Tu crois ? Oui, c'était DLMR.

>> Comme tu l'as sûrement deviné, je suis déjà jaloux.

>> De quoi ? Je suis avec toi sous les couvertures, en ce moment.

>> Exact. Et tu dois être seule, je suppose. A moins que ton type montre plus de tolérance pour les relations virtuelles que toutes les filles avec qui je suis sorti. Comme il est encore tôt, je présume qu'il ne s'est rien passé ?

>> Rien du tout.

>> Ton correspondant pousse un gros soupir de soulagement.

>> Victor ?

>> Mon ange ?

>> Tu sais, l'autre jour, quand Carrie et toi parliez de sexe sur Internet…

>> Oui ?

>> Comment ça marche, exactement ?

>> Exactement ? C'est un peu dur à t'expliquer avant que tu n'aies essayé. Il ne s'agit pas de rapports sexuels au sens littéral, bien sûr, puisque les sensations sont entièrement dans la tête. Mais beaucoup d'entre nous pensent que le corps n'est qu'une sorte de procédé narratif, de toute façon. Un moyen servant une fin.

>> Tu accepterais de me montrer ?

Une pause, si longue qu'au bout d'un moment Claire pense que Victor a dû se déconnecter.

>> J'en serais très honoré. La première chose à faire, c'est de se trouver un peu d'intimité. A gauche de

133

l'écran, tu verras un bouton marqué « Conversation privée ». Clique dessus.

>> D'accord.

>> D'accord, *monsieur.*

Claire sent qu'il ne plaisante qu'à demi.

Sexe sans corps, désir sans substance, plaisir sans forme. Dans cet étrange nouveau monde, les pensées deviennent directement des sensations, sans l'intermédiaire de la chair.

Ça doit ressembler à ça, faire l'amour avec un ange, se surprend-elle à penser. Ou avec un fantôme. Du moment qu'on ne cherchait pas à comparer avec quoi que ce soit appartenant au monde réel, c'était... C'était différent.

>> C'était comment, ma biche ?

>> C'était bon, pour moi.

>> Pour moi aussi.

>> Maintenant, comme un sale macho, je vais me tourner sur le côté et m'endormir.

>> Tu sais ce qu'on dit : dans le cyberespace, personne ne t'entend ronfler. Moi, je crois que je vais traîner encore un peu.

>> A bientôt, Victor.

>> A plus, Claire.

>> Zzzzzzzzzz...

21

Elle n'arrive toujours pas à dormir.

Le quartier dans lequel se trouve l'appartement est à

demi abandonné, mais les anciens entrepôts et conserveries accueillent toute une variété de boîtes de nuit interlopes. Il y en a une au coin de la rue qui s'appelle, comme on pouvait s'y attendre, *Viande*.

A l'intérieur, un dealer guette le client près des toilettes. Une demi-heure plus tard, Claire est un rouage de plus dans la ruche électrifiée qui occupe la piste de danse.

Quand elle n'a plus la force de danser, elle prend le chemin des quartiers chics, entre au Harley Bar. Brian n'a pas l'air enchanté de la voir. Ce qui n'est guère étonnant puisqu'elle a les cheveux collés par la sueur séchée, les yeux gros comme des œufs de cane et deux fois plus brillants, et qu'elle bredouille des propos incohérents sur une mission consistant à sauver le monde des tueurs en série.

Mais, facteur décisif, il n'a personne d'autre pour finir la nuit. Et s'il y avait d'autres candidates, elles ne soutiendraient pas la comparaison avec Claire.

Il est presque midi quand elle retourne sur la 14e Rue. Claire n'a pas encore fini de redescendre de son trip. Elle a l'impression d'avoir du gravier dans les yeux, et la bouche pleine de ce truc avec lequel les experts en arrangements floraux font tenir droites les tiges des fleurs.

Un instant, elle croit s'être trompée d'appartement.

Les murs ont été repeints en crème. Les crânes d'animaux et les rogatons de brocante ont disparu, évincés par des meubles suédois bon marché, des piles de livres, des kilims turcs aux couleurs vives. Une colonne de CD classiques bien rangés — Rachmaninov, Bach, Mozart… — remplace le fouillis de Green Day et de Nine Inch Nails. Des gravures du MOMA dans des cadres en bois cérusé se sont substituées aux Rothko ainsi qu'aux posters de rock déchirés. Et comme sous l'effet d'un coup de baguette magique, le serpent s'est transformé en un chat écaille qui la regarde paresseusement du fauteuil comme s'il avait toujours vécu là.

— Il s'appelle Auguste, dit Connie en sortant de la chambre.

— Vraiment ?

— Vous ne pensez quand même pas qu'il faut aussi donner un pseudo au chat ? Bien sûr qu'il s'appelle Auguste.

Claire parcourt la pièce d'un regard approbateur.

— C'est beaucoup mieux. Mais pourquoi cette précipitation ?

Au lieu de fournir une explication, Connie appuie sur un bouton du répondeur.

« Claire, c'est Christian, fait la voix de Vogler. Je voulais simplement te dire que j'ai été très heureux de t'avoir revue hier soir... (Une pause, puis un rire un peu gêné.) Nous pourrions peut-être nous revoir. Je ne veux pas te forcer, mais si tu es libre... Téléphone-moi quand tu auras une minute. »

— Je le rappelle ?

— Bien sûr. Mais vous faites d'abord la difficile.

Claire se laisse tomber dans un fauteuil, ôte ses chaussures, pose les pieds sur la table.

— Je croyais que c'était ça qui transformait les hommes en psychopathes, marmonne-t-elle.

— Debout, Claire. Nous avons du travail.

De : Claire Rodenburg [ClaireR@colormail.com]
A : Christian Vogler [CV@nyscu]
Christian,

J'avais accepté de te rencontrer hier soir parce que je te prenais pour une personne intelligente qui ne me jugerait pas et n'essaierait pas de me changer. Je me trompais. Ne voir dans ce qui m'excite qu'une simple réaction tordue à mon affliction, c'est me rabaisser et faire peu de cas de l'immense confiance que je t'ai faite en partageant avec toi le secret de ma sexualité. D'une certaine façon, j'ai eu l'impression d'avoir été violée, hier soir. Tu trouveras peut-être ça paradoxal étant donné mes penchants, mais c'est ce que j'ai ressenti. J'aurais dû comprendre plus tôt, d'après tes e-mails, que tu jouais la comédie, mais pour une raison quelconque, je ne m'en suis pas rendu compte.

Va au diable, Christian. Tu t'es glissé sous ma peau et dans mon cœur, un endroit que je n'ouvre pas à beaucoup de gens, pour des raisons qui viennent de trouver une nouvelle justification.

Je ne cherche pas à nier le plaisir que j'ai eu. C'était formidable. Mais je ne crois pas que je pourrai le retrouver. Il vaut mieux nous dire adieu maintenant, tu ne crois pas ?

Claire

De : Christian Vogler [CV@nyscu]
A : Claire Rodenburg [ClaireR@colormail.com]
Ma très chère Claire,
Quelle femme extraordinaire tu es.

Avant de me condamner à l'oubli, accepterais-tu de me donner une dernière chance ? Je serai au Wilson à partir de huit heures. C'est un bar de la 43e, à une rue de Broadway.

Si tu viens, tu viens. Sinon, un souvenir de plus.

Le bar est sombre, vaste et presque désert, long éclat de salle qui s'enfonce dans le pâté de maisons. Les briques des murs ont été mises à nu, et la lumière provient uniquement de bougies fichées dans des pots en verre, sur chaque table.

Claire arrive à huit heures vingt-cinq, découvre Christian assis dans le fond, lisant un livre incliné vers une des bougies.

L'éclairage est trop faible pour que la Minicam puisse filmer, d'après les techniciens qui ont repéré les lieux. Claire l'a remplacée par un mouchard caché dans son sac qui transmettra directement leur conversation à la camionnette de surveillance.

Quand il lève les yeux et la voit approcher, un chaud sourire s'étire lentement sur son visage ascétique.

— Ton dernier e-mail aborde un point particulièrement important pour moi, commence-t-il. La confiance.

Il sait tout, pense-t-elle aussitôt, mais il poursuit :

— Tu crois pouvoir me faire confiance, Claire ?

— Le jury délibère encore sur la question.

— Je ne m'intéresse pas aux jurys. Uniquement au juge, dit-il en la regardant. J'ai toujours pensé que la connaissance se moque de savoir qui la possède. Mais ceux qui la possèdent doivent s'en servir.

— Qu'est-ce que cela peut bien vouloir dire ?

— Mets ta main au-dessus de la bougie.

Claire baisse les yeux vers le pot d'une dizaine de centimètres dont le haut se termine par une ouverture rétrécie, comme un verre de lampe.

— Fais-moi confiance.

Elle place la main sur l'ouverture, Vogler pose sa propre main sur la sienne, sans la forcer, mais laisse le poids de sa main presser celle de Claire contre le verre.

— Quoi qu'il advienne, tu ne dois pas enlever ta main avant que je t'y autorise. D'accord ?

— Ça va me brûler, proteste-t-elle.

Sous sa paume, l'ouverture est déjà incroyablement chaude, et Claire grimace.

— Si tu me fais confiance, tout ira bien, je te le promets.

Ensemble, ils regardent la flamme. Elle ressemble à un ongle, à une longue serre pointée vers la main de Claire. La sensation cuisante se transforme en une douleur qui lui donne envie de renverser la tête en arrière et de hurler, en un cercle d'aiguilles qui s'enfoncent profondément dans sa chair. Les extrémités de ses nerfs gémissent, la supplient de retirer sa main. Ses yeux larmoient, sa peau se craquelle.

Soudain, la flamme vacille, se ratatine puis s'éteint. La douleur diminue.

— Tu peux enlever ta main, maintenant.

Claire examine sa paume, marquée d'un disque rouge du petit doigt au pouce. Pas d'ampoule. Elle la porte à sa bouche, la lèche.

— Privée d'oxygène, la bougie s'éteint avant de te brûler, explique-t-il.

— Comment tu savais qu'elle ne me brûlerait pas avant ?

— J'ai fait l'essai sur moi en t'attendant. (Il lui montre sa propre main, qui porte encore une trace circulaire à demi effacée.) Tu dois savoir si tu as confiance en moi, Claire. C'est tout.

Elle porte sa main encore chaude à sa joue.

— Je ne l'ai pas retirée, non ?

— Viens avec moi. Je veux te montrer quelque chose.

Quelques rues plus à l'est, ils se présentent devant une entrée anonyme barrée d'une corde rouge. Deux videurs encadrent une hôtesse, qui lance à Claire un regard condescendant, comme si elle avait enfreint le code vestimentaire. Ce qui est un peu agaçant, étant donné que Claire porte la plus élégante veste Prada de Bessie.

Elle ne comprend qu'une fois à l'intérieur que dans cette boîte, Prada ne représente pas grand-chose. En fait, rien de ce qui est en tissu ne représente grand-chose. Dans cette boîte, les matériaux préférés de la clientèle sont le cuir, le PVC et le Cellofrais. Et la peau nue. Beaucoup de peau nue.

Claire n'a jamais mis les pieds dans un club SM.

Curieusement, la première chose à laquelle elle pense, c'est : Comment trouvent-ils un taxi pour les ramener chez eux ?

Un homme passe devant elle, vêtu en tout et pour tout d'un pantalon de cuir. Il tient à la main une chaîne reliée à un petit anneau d'acier fiché dans le mamelon d'une jeune femme nue d'une beauté saisissante, qui le suit. Le mot ESCLAVE lui barre le front.

Claire regarde autour d'elle, découvre des jambières de cuir, des harnais, d'étranges bâillons dont on fourre la boule dans la bouche. Un type nu porte une cagoule qui lui couvre complètement le visage, avec juste un tube pour lui permettre de respirer.

— Par ici, chuchote Christian à l'oreille de Claire. Nous avons de la chance, il y a un spectacle.

Un groupe fait cercle dans un coin de la salle. Quand Christian l'aide à se glisser au premier rang, Claire voit un cadre en bois grossier sur lequel est attachée une fille nue. Les deux hommes qui l'entourent tiennent des cravaches. Les fesses et le dos de la fille sont zébrés de marques rouges. L'un des hommes abat sa cravache et, malgré le vacarme de la sono, Claire entend le claquement du cuir sur la peau, elle voit la chair trembler sous le coup. La fille geint. La foule pousse des acclamations, des cris d'encouragement. Tandis que le premier homme ramène son bras en arrière, le deuxième, posté de l'autre côté, frappe à son tour. Une nouvelle marque s'ajoute aux autres sur le dos de la fille.

Claire regarde, interdite, fascinée. La fille attachée sur le cadre relève la tête, murmure quelque chose à l'un des hommes, qui se retourne et raccroche la cravache derrière lui. A ce moment seulement, Claire s'aperçoit que le mur est couvert d'« accessoires » : rouleaux de corde et liens en cuir, fouets sophistiqués et cannes chaplinesques, menottes et ceintures. L'homme décroche une large pagaie ronde ; la femme bouge légèrement ses jambes entravées, et Claire entrevoit l'éclat d'un anneau entre ses cuisses. L'homme à la pagaie commence à frapper, sur un rythme plus rapide. Les hanches de la fille se mettent à frémir, elle lève la tête et hurle. Alors seulement, l'homme s'arrête. Il s'approche, lui fait embrasser la pagaie.

Quand on la détache, la fille reste étendue sur le cadre, épuisée. Quelques spectateurs, excités par la scène, se lancent dans un impromptu de leur cru. Certains restent pour les regarder, les autres s'éloignent.

— Il y a un bar en haut, dit Christian. Mais tu préfères peut-être un endroit plus tranquille ?

— Alors ? Tu t'attendais à ça ? demande-t-il.

Ils remontent Broadway à pied, et Claire frissonne malgré la chaleur de la nuit.

Ils avaient prévu quelque chose de ce genre, bien sûr.

— Oh ! j'ai essayé tous ces trucs, répond-elle d'un ton détaché. J'y suis allée, j'ai participé, j'ai acheté le T-shirt. Ça ne me convient pas.

— Non, je m'en doutais, murmure-t-il.

— C'est tellement… bête, non ? Si artificiel. De plus, dans ce genre de situation, c'est le dessous qui contrôle tout, en fait. Il y a toujours un code de sécurité. Des noms de couleur, en général : rouge pour « arrêtez tout », jaune pour « arrêtez cette punition particulière », vert pour « donnez-moi encore un peu de celle-là ». Je parie que c'est par ce moyen que la fille a demandé à ses dessus de passer à la pagaie, vers la fin. Ça fait moins mal.

Il hoche la tête, visiblement impressionné par l'étendue de ses connaissances.

— Ces clubs sont un peu comme les attractions de Disney World, continue Claire. Ça a l'air effrayant, ça fait peut-être même vraiment peur les premières fois, mais, au fond de soi, on sait que c'est de la frime.

— C'est exactement ce que je voulais démontrer, Claire.

— Quoi?

— Tu ne cherches pas un maître de donjon en carton-pâte pour te faire taper dessus. Pas vraiment. Tu cherches quelqu'un qui te tiendra la main quand vous sauterez ensemble dans le gouffre.

— C'est vrai, dit-elle à voix basse.

— Quelqu'un qui te conduira là où il n'y a pas de noms de couleur à crier quand cela devient effrayant.

Derrière eux, un peu plus bas dans l'avenue, un piéton s'arrête quand ils s'arrêtent. Une camionnette blanche aux vitres teintées se gare discrètement le long du trottoir, cinq cents mètres plus loin.

— Tu veux parler de la mort, hein?

— Je parle de la *confiance*, corrige Christian. Quand on fait entièrement confiance à quelqu'un, il n'y a pas de code de sécurité.

Il aime cet endroit, assure-t-il. C'est exactement le genre de cadre qu'il imaginait pour elle : sans prétention mais d'un goût irréprochable. Elle s'excuse pour la faible odeur de peinture en précisant qu'elle vient de refaire l'appartement.

Au supermarché chinois de la 49ᵉ Rue, il s'est procuré les ingrédients nécessaires : du gingembre, de la poudre aux cinq épices, des graines de cardamome, des germes de soja frais et, dans le grand vivier qui gargouillait au fond de la boutique, un crabe vivant dont la grosse pince avant est entravée par un élastique. Dans le taxi, Claire a regardé avec appréhension le sac contenant leur dîner essayer de filer sur la banquette.

Christian remplit une casserole au robinet de la cuisine et montre à Claire comment tuer le crabe sans le faire souffrir en chauffant lentement l'eau. De temps à autre, l'animal fait claquer ses pinces contre le métal, comme un vieux boxeur décochant des uppercuts de ses poings bandés. Au bout de quelques minutes, un léger sifflement se fait entendre. L'air qui s'échappe de la carapace, explique-t-il.

Tandis que le crabe cuit, Christian s'approche de Claire, lui prend doucement le menton et tourne son visage vers lui. Elle sent une faible odeur d'eau de Cologne étrangère, puis les lèvres de Christian se pressent durement contre les siennes. Elle lui rend son baiser, laisse aussi son corps répondre au sien, s'arque contre lui, sent le tissu rêche de son costume contre ses jambes et ses bras nus.

— Je crois que la truite vient d'avaler la mouche, murmure Connie. Ou le contraire ?

— On dirait qu'ils ont avalé quelque chose tous les deux, plutôt, maugrée Durban.

Il règle le contraste du moniteur, jure à mi-voix.

— Déshabille-toi, dit Christian.

Sur la cuisinière, le crabe cogne contre la casserole, la fait trembler.

— Non, répond Claire, les yeux baissés. Pas encore, Christian. Je suis désolée, mais c'est trop tôt.

« Je ne crois pas qu'il recourra à la force quand vous lui direz non, a assuré Connie. Je crois qu'il se contrôle assez pour ça. Ce genre de tueur choisit son moment, il préfère maîtriser la situation que réagir aux événements. Mais nous resterons à proximité, au cas où. »

Ses yeux verts sont indéchiffrables, maintenant, aussi sombres que du jade dans leur profondeur.

— Pas le premier soir, c'est ça ? Je ne te voyais pas comme quelqu'un qui observe ce genre de règles.

— Ce n'est pas ça. Tout… tout arrive si vite. Je suis

143

perdue. Et j'ai commis des erreurs, par le passé. J'ai été trahie.

— Moi aussi. Mais j'ai confiance en toi, Claire.

— J'ai besoin d'un peu plus de temps, fait-elle valoir.

— Naturellement, acquiesce-t-il avant de l'embrasser de nouveau. Tout le temps qu'il te faudra.

Il sort le crabe de l'eau bouillante, montre à Claire comment fracasser la carapace avec un marteau pour enlever le cerveau toxique.

22

— C'était… intéressant, commente Claire.

Comme Frank et Connie la considèrent d'un œil sceptique, elle hausse les épaules.

— Qu'est-ce que je peux dire? Il est charmant, intelligent… ardent, bien sûr, mais probablement moins sûr de lui qu'il ne le paraît… Quoi?

Ils la regardent comme des parents regardent leur fille en train de leur parler de son premier petit ami.

— Il était comment quand il a écrabouillé le crabe? demande Connie. Tout excité?

— Bien sûr. Moi aussi. Nous avions faim. Et c'était délicieux. Il est bon cuisinier, en fait.

— Ça ne me plaît pas, glisse l'inspecteur à la psychiatre.

— Claire, vous devez comprendre qu'un des dangers de l'opération, c'est que vous vous impliquiez trop. Si je constate que cela en prend le chemin, je serai contrainte de tout annuler.

— Je ne m'implique pas, repartit Claire avec irritation. Je dis simplement que si Christian est un tueur, c'est un tueur agréable, et même charmant.

Elle éprouve un pincement de culpabilité en se rappelant la façon dont elle a laissé son corps réagir au baiser de Christian. Ou ne faut-il y voir qu'une preuve qu'elle joue son rôle à fond ?

— Montre-lui la bande, suggère Frank.

Connie met la cassette dans l'appareil. L'image est floue, elle a trop de grain, mais Claire reconnaît l'appartement. La silhouette au premier plan, c'est Christian, qui prépare du café ; celle qui sort du champ, à gauche, c'est Claire.

— A minuit vingt, vous êtes allée aux toilettes. Regardez ce qu'il fait.

Christian s'éloigne de la cuisinière, fait deux pas dans le couloir. L'image saute. Une autre caméra le reprend quand il pénètre dans la chambre. Il ouvre un placard, inspecte rapidement les robes, puis s'approche du lit et inventorie les tiroirs de la table de nuit. Il soulève le livre qu'elle y a laissé, en examine le dos.

Il se retourne, comme s'il tendait l'oreille, se dirige vers la porte. Dans le panier à linge proche du lit, il pêche un vêtement, le porte à son visage, le flaire, le remet dans le panier. Quelques secondes plus tard, la première caméra le récupère et le montre en train de verser du café moulu dans la machine au moment où Claire entre dans le champ.

— Et alors ? Il a jeté un coup d'œil…

— Il a fouillé votre chambre, accuse Durban. Il a reniflé votre linge sale.

— Croyez-moi, j'ai connu pire.

— Ecoutez, dit Connie, nous ne vous montrons pas cette bande parce qu'elle prouve qu'il est coupable. Loin de là. Mais, une fois de plus, Vogler ne s'est pas éliminé comme suspect. Tout ce que nous voulons dire, c'est ceci : ne baissez pas votre garde. Pas une seule seconde.

23

Ses journées se sont organisées selon une sorte de routine.

Elle va à la salle de gymnastique, lit des pièces à la bibliothèque, suit ses cours d'art dramatique, ou dort. En guise de couverture, la police lui a trouvé un emploi de serveuse à l'heure du déjeuner dans un bar des quartiers chics, mais c'est un travail peu pénible. Presque tous les soirs, Christian passe la prendre chez elle et ils sortent, suivis à distance par des collègues en civil de Durban.

Claire porte un lourd collier plaqué or dont la pierre cache un micro et le fermoir un émetteur. C'est hideux. Les clients qui achètent ce genre de mouchard sont en général des hommes riches qui veulent espionner leur maîtresse, explique Frank.

Christian lui envoie d'autres fantasmes par e-mail. Parfois, avant qu'il ne la quitte pour la nuit, elle enfile le long T-shirt qui lui sert de pyjama, elle se met au lit, et il les lui lit à voix haute, comme un conte de fées à un enfant. Sauf que ce ne sont pas des contes de fées.

Le Dr Leichtman ne prétend plus qu'un de ces fantasmes révélera tout à coup que Vogler est bien l'assassin de sa femme. C'est un jeu plus long et plus trouble qu'ils jouent maintenant, un jeu d'observation et d'attente.

Claire est tellement habituée aux caméras qu'elle les oublie. Après avoir traversé l'appartement complètement nue, ou complètement ivre et titubante, elle se rappelle soudain leur présence et pense : Un flic est peut-être en train de me regarder.

Ses soirées avec Christian la laissent quelquefois nerveuse et frustrée. Pour évacuer la pression, elle se rend au Harley Bar et retrouve Brian après son travail.

Un soir qu'elle a bu trop de ses cocktails bourbon-bourbon, elle le ramène chez elle. Ce n'est qu'après avoir franchi la porte, une bouteille à moitié vide à la main, qu'elle s'exclame :

— Et merde !

— Qu'est-ce qu'il y a ?

— Rien.

Il vaut mieux qu'il ne sache pas. Et elle pourra toujours éteindre la lumière quand ils seront au lit. Il regarde autour de lui et dit :

— Sympa, comme appart'. C'est…

— Quoi ?

— Tellement bien rangé. Adulte. Je m'attendais à quelque chose de moins *sage*.

Pour le punir, elle le pousse dans la chambre et le chevauche jusqu'à ce qu'il la supplie d'arrêter.

Elle est au théâtre avec Christian quand elle tombe sur Raoul.

Normalement, elle évite le théâtre, même comme sujet de conversation, mais Christian s'est rendu compte d'une manière ou d'une autre que c'est sa passion. On joue au Circle une nouvelle pièce dont les critiques sont dithyrambiques. C'est complet tous les soirs, mais Christian a réussi à se procurer des billets quelque part.

Au bar, pendant l'entracte, elle entend derrière elle une voix venimeuse :

— Bien sûr, ça plaît au public, cette façon de surjouer. Il n'y connaît rien, le pauvre !

Elle s'empresse de détourner la tête mais il l'a vue.

— Claire, ma chérie. C'est épouvantable, non ?

147

Elle aurait dû se douter que cela finirait par arriver.

— Je trouve ça plutôt bien, répond-elle d'une voix faible.

— Vraiment ? C'est vrai que quand on n'a pas travaillé depuis un moment, on a du mal à juger, je suppose, fait-il d'un ton dédaigneux.

Claire procède de mauvaise grâce aux présentations :

— Raoul Walsh. Il joue un rat chantant dans une comédie musicale.

— Une souris chantante, rectifie Raoul. D'où tu sors cet accent *extraordinaire*, Claire ?

— Il paraît que la deuxième partie est meilleure, biaise-t-elle pour détourner la conversation. On vient de sonner la fin de l'entracte, non ?

Mais Raoul, lancé, ne la laissera pas s'en tirer aussi facilement :

— A propos d'accent, j'ai vu ton barman, l'autre soir. Qu'est-ce que tu lui as fait ? « Je dirais pas que l'amour avec Claire c'est sanglant, mais quand elle a fini par me lâcher la grappe, je me suis aperçu que je venais d'être circoncis. »

Il a parfaitement reproduit les intonations australiennes de Brian, et les amis qui l'accompagnent le gratifient de rires flatteurs. Christian rit, lui aussi.

Il s'avance, saisit le comédien par les épaules comme pour le féliciter de sa plaisanterie, comme s'il allait lui accrocher une médaille à la poitrine ou l'embrasser sur les deux joues. Mais c'est d'un soudain coup de boule qu'il gratifie Raoul, lequel s'effondre comme une marionnette. Derrière eux, une femme pousse un cri. Raoul, à genoux, se prosterne lentement vers le tapis. Il suffoque, le nez éclaté, crache un mucus mêlé de sang.

— Viens, Claire, dit Christian d'une voix calme. Nous partons.

— Pas très agréable, ce type, énonce-t-il dans la rue.

— Les acteurs peuvent être de vrais salauds, reconnaît-elle en tremblant.

Elle se retourne. Deux hommes sont sortis du théâtre derrière eux. Voyant qu'elle n'a rien, ils restent à distance. Christian fait signe à un taxi.

— Qu'est-ce qu'il a voulu dire ?

— Quand ?

— Quand il a parlé du manque de discernement de ceux qui n'ont pas travaillé depuis un certain temps.

— Ah ça ! fait Claire, réfléchissant à toute vitesse. J'ai cru un moment que je pourrais devenir actrice. Raoul et ses copains m'ont vite fait comprendre que c'était une idée stupide.

— Je trouve, moi, que c'est une excellente idée.

— Quoi ?

— Devenir actrice. Tu as besoin de donner un sens à ta vie, Claire. Ce boulot de serveuse ne mène nulle part. Tu devrais prendre des cours de théâtre, peut-être même des cours particuliers. Tu as le physique, tu as la voix... 14e et 3e, dit-il au chauffeur.

— Mais pas les moyens.

— Je paierai.

— Christian, ne sois pas ridicule.

— En quoi ce serait ridicule ? Je peux largement me le permettre.

— Tu ne sais rien de moi. Tu ne sais rien de *nous*. Je cherche peut-être à te prendre ton argent. Ça arrive.

— Je sais de toi tout ce que j'ai besoin de savoir. Confiance totale, tu te rappelles ? Pas de code de sécurité.

— Je verrai, pour les cours, marmonne-t-elle. Mais je ne peux pas...

— Et pourquoi il s'est moqué de ton accent ? l'interrompt-il.

— Ma mère était anglaise, cela s'entend quelquefois.

149

Et maintenant, j'ai aussi une trace d'accent new-yorkais, improvise-t-elle.

— On dit que c'est le signe d'une excellente oreille. Et ton français est bon, aussi. Tu ferais une brillante actrice.

Ils roulent un moment en silence avant que Claire reprenne :

— Ce qu'il a dit sur l'autre type…

— Tu ne me dois aucune explication, Claire. Jusqu'à ce que tu décides que tu veux être avec moi, les types avec qui tu couches, c'est ton affaire.

Il regarde par la fenêtre en parlant, et elle sent qu'il est plus blessé qu'il n'accepte de le montrer.

— Qu'est-ce que tu fais, ce week-end ? demande-t-il au bout d'un moment.

— Pas grand-chose.

— Des amis m'ont invité, ils ont une maison sur la côte. Je crois que cela nous ferait du bien à tous les deux de quitter la ville.

— D'accord. Ça me plairait bien.

— Je donne un cours, vendredi, à l'heure du déjeuner. Nous pourrions partir tout de suite après… Inutile de préciser que ce n'est pas un week-end de baise que je te propose. La décision t'appartient toujours.

— Merci.

— Il faut que je t'explique quelque chose, Christian.

Ils sont dans l'appartement, maintenant, et boivent du vin en écoutant un CD de Christian, de la musique médiévale.

— Je t'ai raconté que j'ai perdu quelqu'un de proche.

— Oui. Eliot. Tu m'as dit qu'il s'appelait Eliot.

— Mais je ne t'ai pas dit comment il est mort.

— J'attendais que tu sois prête à en parler.

Claire contemple le fond de son verre.

— C'était un de mes profs, je te l'ai dit. Quand le

scandale a éclaté, sa femme l'a quitté, il s'est fait renvoyer, et il n'avait aucune chance de retrouver un poste. Il a fini par se suicider. C'était… un pacte entre nous : je devais me suicider aussi. Je n'en ai pas eu le courage, à l'époque, et je ne l'ai toujours pas trouvé.

Christian hoche la tête.

— Depuis, je suis comme un plongeur au bord du tremplin : trop effrayée pour sauter, trop irrésolue pour redescendre.

— Le con, laisse tomber Christian.

Sidérée, Claire lève la tête. C'est la première fois qu'elle l'entend prononcer une grossièreté. Il récidive :

— Quel méprisable *con*, égoïste et lâche ! Séduire une de ses élèves, c'était déjà moche. Lui faire faire les choses qu'il t'a fait faire, cela me révolte. Mais faire peser aussi sur toi le fardeau de sa culpabilité, c'est tout simplement pitoyable.

Elle le regarde, étonnée.

— Vraiment ?

— Bien sûr. Qui oserait faire une chose pareille ? S'il n'était pas déjà mort, j'aurais envie de le tuer moi-même.

A l'étage en dessous, Connie ôte une de ses oreillettes afin de parler à Frank.

— Nous nous écartons de nouveau du scénario.

Il hausse les épaules. Sur le bloc-notes posé devant lui, son crayon a griffonné un entrelacs complexe de lignes qui se referment sur elles-mêmes. Le Dr Leichtman juge préférable de ne pas lui révéler ce que cela signifie.

Frank regarde le moniteur, où Christian et Claire s'embrassent.

— Coupez, grogne-t-il.

Le couple de l'écran poursuit son interminable baiser.

24

Christian donne son cours à la Maison Française, derrière Washington Mews. Claire se présente à la réception vers midi, demande à l'employé mort d'ennui où elle peut trouver M. Vogler.

— Salle 12. En haut à droite, répond-il avec un coup d'œil à la pendule. Il devrait avoir bientôt fini.

Claire trouve la salle, dont la porte est ouverte, et entend la voix de Christian s'en échapper. Elle regarde à l'intérieur : en bas d'un mini-amphithéâtre contenant une douzaine de rangées de sièges, Christian se tient devant un pupitre. Concession à l'escapade projetée, il porte une chemise-polo noire et un pantalon en toile kaki.

Lorsqu'elle se glisse au dernier rang, deux ou trois étudiants lui lancent un regard curieux puis reportent leur attention sur Christian. Sa voix est aussi basse que d'habitude, mais l'actrice en Claire remarque qu'elle porte facilement jusqu'au fond de la salle.

— Nous ne pouvons espérer comprendre Baudelaire sans prendre conscience que nous ne devons pas juger son attitude, notamment à l'égard des femmes, avec nos critères actuels. « Moi je dis : la volupté unique et suprême de l'amour gît dans la certitude de faire le mal », cite-t-il en français avant de traduire. Pour Baudelaire, les femmes ne sont pas des personnes individuelles mais des représentantes idéalisées de leur sexe, symboles à la fois de la perfection incarnée et de l'impossibilité, dans ce monde corrompu, que la perfection soit autre chose qu'une brève illusion.

Croisant le regard de Claire, il lui adresse un signe de tête et un infime sourire avant de poursuivre :

— Ainsi, dans « Les métamorphoses du vampire », il dit de sa maîtresse : « Quand elle eut de mes os sucé toute la moelle,/Et que languissamment, je me tournai vers elle/Pour lui rendre un baiser d'amour, je ne vis plus/Qu'une outre aux flancs gluants, toute pleine de pus ! »

Dans l'auditoire, quelques jeunes gens échangent de grands sourires.

— Grossier grave, le mec, murmure l'un d'eux, ravi.

— Ce conflit s'est manifesté aussi bien dans la vie de Baudelaire que dans ses poèmes, poursuit Christian, qui ne semble pas remarquer la réaction provoquée par sa citation. Vous vous rappelez peut-être la fameuse lettre de rejet qu'il a adressée à la Vénus blanche, et dans laquelle il dit…

Pour la première fois, Christian consulte ses notes après avoir chaussé une paire de lunettes et poursuit :

— « Il y a quelques jours, tu étais une divinité, ce qui est si commode, si beau, si inviolable. Te voilà femme maintenant… J'ai horreur de la passion, parce que je la connais, avec toutes ses ignominies… »

Claire prend soudain conscience d'une chose qu'elle n'a jamais vraiment remarquée auparavant : Christian possède un charisme extraordinaire, il tient son public dans le creux de sa main.

— Pour Baudelaire, le sexe n'est pas une démangeaison physique mais un désir métaphysique. Pas un simple exercice d'aérobic stupide mais une voie d'accès, transitoire, certes, aux terribles mystères de l'univers. Comme tous les mystiques, il est naturellement condamné à être déçu.

Avant même que Christian ait fini de parler, une main se lève ; une étudiante, assise dans les premières rangées, un ordinateur portable violet ouvert devant elle, lui lance d'un ton farouche :

— Vous dites qu'il traite les femmes comme des

objets sexuels. Mais en le mettant au programme, est-ce que vous ne contribuez pas à cautionner son point de vue ?

Christian entreprend de répondre de manière courtoise et méthodique. Les autres étudiants, y voyant à juste titre le signe que le cours est terminé, rangent leurs cahiers, leurs portables, se glissent hors de leur rangée.

Claire attend que la fille et Christian aient terminé. L'étudiante finit par partir, amadouée, et Christian rejoint Claire.

— Allons-y… Tu as un sac ?

— Je l'ai laissé en bas.

— Nous le récupérerons en allant au parking, alors, dit-il, d'un ton que la perspective d'un week-end à la mer rend presque enjoué.

— Tu as une voiture ?

— Absolument.

La voiture en question est une Citroën d'avant-guerre, une antiquité à l'humeur changeante, qui se plaint, en faisant grincer sa boîte de vitesses manuelle, d'être soumise à la lente sortie de la ville du vendredi après-midi par le Lincoln Tunnel. Elle n'est pas équipée d'un lecteur de CD, et la radio est d'origine. Claire s'étonne même qu'elle puisse capter des stations américaines : REM semble étrangement sacrilège sur des circuits conçus pour la voix de Piaf.

La camionnette blanche est obligée de rouler très lentement pour demeurer à bonne distance.

La maison des amis de Christian se trouve à quatre heures de route au sud de New York. La suspension n'est pas le point fort de la Citroën : quand Christian tourne enfin dans un chemin non goudronné partant de la route, Claire a affreusement mal au dos, et depuis déjà un bon bout de temps.

154

Elle a réussi à apprendre que les gens chez qui ils logeront, Philip et Ellen, étaient des amis de Christian et Stella. Elle ne sait pas exactement ce que cela signifie pour Christian de lui avoir proposé de l'accompagner, mais elle est certaine qu'il ne l'a pas fait à la légère.

C'est une vaste maison en bois pleine de recoins surplombant une baie rocheuse isolée. Au-dessus de meubles en bois cérusé ou peint en bleu pâle, de nombreuses toiles reproduisent le paysage vu de la pointe. Ellen est peintre — un excellent peintre, de l'avis de Claire.

Le couple l'accueille avec une cordialité qui ne masque pas tout à fait sa curiosité.

— Ainsi vous êtes celle qui a convaincu Christian de sortir de sa coquille, dit Ellen avec un sourire dès que Christian a le dos tourné. Je suis vraiment contente de vous voir. Il a refusé de nous dire quoi que ce soit à votre sujet.

Quand ils reviennent avec leurs bagages, deux autres invités lèvent la tête de la grande table de la cuisine, où ils écossent des petits pois.

— Christian, tu te souviens de Hannah et Saul, n'est-ce pas? Hannah, Saul, voici Claire, dit Ellen.

Le couple lui souhaite la bienvenue d'un sourire.

— Et leurs enfants sont là-bas, en train de regarder la télé, poursuit l'hôtesse. La maison est bondée, j'en ai peur. Je vous ai mis là, annonce-t-elle en montrant une porte. Posez juste vos sacs et venez prendre un verre.

La chambre dispose d'un grand lit et d'une vue époustouflante sur l'océan. Morgan, le setter roux d'Ellen, se glisse par la porte ouverte et saute sur le lit.

— Je dormirai par terre, dit Christian à voix basse. Désolé, je pensais lui avoir fait comprendre...

— Pas de problème, assure Claire. De toute façon, Morgan est là pour protéger mon honneur.

Le dîner est décontracté : des moules ramassées dans la baie, un bar que Philip a pêché lui-même, et les petits pois. Christian avait raison : c'est agréable d'avoir quitté la ville, d'être là, de boire du puligny-montrachet avec des gens cultivés, intelligents, larges d'esprit, qui la mêlent à leur conversation sans se montrer trop inquisiteurs, ni condescendants bien que l'âge de Claire soit sans doute plus proche de celui des enfants de Hannah et Saul que du leur.

Après le poisson, Saul quitte la table en s'excusant pour donner un coup de téléphone. Philip lui lance :

— Pas la peine d'essayer avec ton portable ! Il ne marchera pas, ici.

— Vraiment ?

— Aucun des réseaux ne couvre cette partie de la côte. Une liaison par câble est à l'étude.

Claire joue avec son collier en se demandant si cela veut dire que son micro ne marche pas non plus. Elle se lève, va dans la salle de bains, ouvre la lucarne qui donne sur la route et le devant de la maison, éteint la lumière pour mieux voir. Dehors, le ciel est presque noir, les nuages dessinent une toile d'araignée là où la lune tente de percer.

— Frank, chuchote-t-elle, si vous m'entendez, allumez vos phares.

Elle attend. Aucun faisceau ne troue l'obscurité.

— Frank, répète-t-elle. Si vous êtes dans votre voiture, allumez vos phares, ou klaxonnez. Faites-moi signe que vous pouvez m'entendre.

Un coup frappé à la porte la fait sursauter.

— Claire ? Ça va ? s'inquiète Christian.

— Oui, tout va bien.

— Je me demandais si tu n'avais pas mangé une moule avariée…

— Non, non. J'arrive dans une minute.

Avant de refermer la lucarne, elle scrute une dernière fois l'obscurité.

Le soir, ils ouvrent les fenêtres de la chambre pour laisser entrer la respiration de l'océan. Christian s'enveloppe dans une couverture et s'allonge par terre.

Claire ne dort pas, elle écoute. Au bout d'un moment, elle règle sa propre respiration sur le roulement des vagues.

Finalement, elle entend Christian se lever, s'approcher du lit sur la pointe des pieds. Elle sent le matelas s'enfoncer quand il s'étend près d'elle.

Une main se glisse dans l'espace exigu qui sépare le bras et la poitrine de Claire.

Le cœur battant, elle fait semblant de dormir.

Ils demeurent l'un contre l'autre dans cette position jusqu'à ce qu'elle s'aperçoive que Christian s'est endormi.

25

Ils regagnent la ville tard dans la soirée du dimanche. Le lundi, Frank la tire du sommeil à neuf heures du matin.

— Réveillez-vous, Claire. Il faut que vous voyiez ça.

Il jette un journal sur le lit, va à la fenêtre, relève les stores d'un coup sec. L'espace d'un instant, elle ne se rappelle plus où elle est. A demi endormie, elle prend le journal, l'ouvre machinalement à la rubrique théâtre.

— Pas là, s'impatiente Durban en récupérant le journal et en le refermant. *Là.*

A la une. Sur trois colonnes.

UN TUEUR SE MET AU NET

Un site servirait de sanctuaire cybernétique au meurtrier.
Le maire dénonce l'absence d'une réglementation sur le réseau.

« Utiliser Internet pour faire des opérations bancaires ou acheter des livres est devenu courant, mais un nouveau site démontre que le "World Wide Web" offre d'autres possibilités plus macabres. Pictureman.com prétend détenir et montrer des photos prises par l'assassin de Pearl Matthews, une prostituée de vingt-neuf ans dont le corps décapité a été découvert au Happiness Hotel, derrière la Deuxième Avenue, le mois dernier.

« L'hypothèse initiale attribuant les fuites aux services du coroner semble devoir être abandonnée du fait que la position du corps et de la tête de la victime varie d'une photo à l'autre, ce qui indiquerait que le tueur a délibérément modifié les poses avant de photographier le résultat de son acte monstrueux.

« La municipalité a immédiatement condamné "l'Ouest sauvage sans foi ni loi du World Wide Web" et réclamé l'introduction d'une réglementation adéquate. "A quoi sert de nettoyer Times Square si les pornographes se réinstallent dans les chambres à coucher de nos enfants ?" demande un proche du maire. La ville réclame instamment que la police ferme ce site et remette rapidement le coupable à la justice. »

— Merde, murmure Claire.

— Merde, en effet, approuve Durban. De la merde en branches, et je suis juste sous l'arbre. Où est votre ordinateur ? demande-t-il en regardant autour de lui.

D'un mouvement du menton, elle indique un coin de la pièce. Il s'assied devant le portable, tape l'adresse du site, lit ce qui apparaît sur l'écran :

— « Bienvenue à pictureman.com. Vous êtes le

39 584ᵉ visiteur. » Les gens deviennent dingues de ce truc…

Claire se lève, en T-shirt, traverse la pièce pour venir voir.

— Pourquoi vous ne le fermez pas ?

— Pourquoi ? Nous avons retrouvé le serveur. Il est installé au Sénégal, où il loue de l'espace, des fréquences de bande passante, ou je ne sais quoi, à un service d'e-mail gratuit australien. Lequel alloue à ses membres un certain nombre de mégas pour créer leurs propres sites. Les gars de la police sénégalaise ne répondent pas au téléphone ; en Australie, c'est le milieu de la nuit, et de toute façon rien ne dit qu'ils accepteraient de fermer le site. Ils gagnent leur vie en vendant de l'espace publicitaire. Plus le site est visité, plus l'argent rentre.

Durban clique une nouvelle fois.

— Plus de cinquante mille, maintenant, ajoute-t-il.

— Vous avez établi un lien avec Christian ?

— Connie est dessus, répond-il en se levant. Nous avons besoin de vous dans le Queens. Il y a une réunion dans une demi-heure.

Claire montre son T-shirt.

— Je m'habille.

Durban ne fait pas mine de sortir mais la regarde un moment d'un air indécis, puis déclare tout à trac :

— Vous n'êtes pas très pudique, Claire.

— Qu'est-ce que vous voulez dire ?

— Vous vous baladez tout le temps dans l'appartement sans le moindre vêtement. Vous…

— Vous me matez, hein ? lui lance-t-elle, rageuse.

— Ecoutez-moi. Je vous regarde parce que c'est mon boulot de m'assurer que vous ne courez aucun risque. Christian peut débarquer ici n'importe quand, vous y avez pensé ? Ce que je veux dire, c'est que vous n'avez pas honte de ce que vous êtes. Vous avez ramené un mec, la semaine dernière…

— Vous avez regardé *ça* aussi? s'indigne-t-elle. Et ma vie privée?

— Non, je n'ai pas regardé. Enfin, pas plus que nécessaire. Et j'en ai assez vu pour me rendre compte que vous n'avez pas d'inhibitions. Vous êtes actrice. Vous avez déjà joué des scènes de nu, je suppose?

— Oh, non, fait-elle, comprenant soudain où il veut en venir. Oh, non, ne me demandez pas ça.

— Si vous ne couchez pas avec Christian, nous jouerons encore aux devinettes dans un an, argue-t-il. Nous n'avons pas tout ce temps devant nous. Si nous ne trouvons pas quelque chose d'ici deux semaines, Christian sera rayé de la liste des suspects et vous devrez lever le camp.

— Comment ça?

— On vous renverra en Angleterre par avion, classe affaires, avec un peu d'argent de poche.

— Et ma carte verte? Vous aviez promis…

— … de vous obtenir une carte si l'opération réussissait. Si nous devons l'*abandonner*, le scénario change. Nous ne pouvons pas laisser Claire Rodenburg, comédienne anglaise, devenir une vedette de Broadway. Cela mettrait Christian sur ses gardes.

— A supposer qu'il soit coupable.

— A supposer qu'il soit coupable, convient Durban. Ce que nous ne saurons jamais, à moins de trouver un moyen de nous glisser dans sa peau.

— C'est vrai, fait Claire à voix basse, presque pour elle-même. Je ne saurais jamais.

— Si c'est une question de vie privée, on pourrait arrêter toutes les caméras et ne laisser que les micros. Je sais que ce n'est pas l'idéal, mais c'est tout ce que je peux vous offrir, Claire.

— Qu'en pense Connie?

— Elle pense comme moi.

— Le rôle l'exige, hein?

— Vous savez bien que je ne vous le demanderais pas si ce n'était pas indispensable.

— Il faut que je réfléchisse.

— Pas trop longtemps, alors.

Elle croit entendre son prof de théâtre : « Ne pense pas, joue. »

— D'accord, soupire-t-elle.

— Tu lui as demandé *quoi* ?

— De coucher avec Vogler, répond Frank, placide. Ça ne la gêne pas. N'est-ce pas que vous êtes d'accord, Claire ?

— Plus ou moins, dit l'actrice d'un ton hésitant. Mais je croyais que vous en aviez déjà discuté avec Connie…

— Absolument pas ! crache la psychiatre.

— Claire, vous pourriez nous laisser un instant ? lui demande Frank.

Elle fait un pas vers la porte.

— Restez, fait Leichtman d'un ton glacial.

Claire reste.

— Je veux qu'elle entende, reprend Connie. Laisse-moi te ramener quelques semaines en arrière, Frank. J'ai entrepris de rassembler des éléments psychologiques pouvant nous aider à éliminer ou à incriminer un suspect. Tu te rappelles ? Maintenant, tu proposes quelque chose de totalement différent : un piège. Ce n'est pas seulement contraire à l'éthique, c'est aussi extrêmement dangereux.

— Pas plus que ce qu'elle a déjà fait.

— Souviens-toi de l'autre fille, Frank. Celle avec qui Christian jouait à des jeux mortels. Il ne s'agit pas d'une scène d'amour hollywoodienne avec flou artistique. Personne ne sait ce que l'assassin de Stella pourrait faire dans un contexte sexuel.

— S'il essaie de la tuer, nous saurons qu'il est coupable, raisonne Durban, qui se tourne vers Claire. Ne vous inquiétez pas, nous posterons des hommes armés dehors. S'il devient violent, nous l'abattrons.

— «Nous l'abattrons»? répète Leichtman, exaspérée. Bon Dieu, cela devient carrément insensé…

— Connie, ces types que tu étudies, ce ne sont pas de simples cas dans un manuel. Ils sont là, dans la rue. Si tu veux les coincer, il faut te salir les mains.

— Faire exploser la bombe, dit Claire.

Ils la dévisagent tous deux et elle se tourne vers la psychiatre.

— Vous les avez comparés à des bombes qui n'ont pas encore explosé, vous vous souvenez? Quand on appelle les démineurs pour un paquet suspect, ils ne l'ouvrent pas toujours pour débrancher les fils. Quelquefois, ils glissent un autre explosif dessous et le font sauter. Il arrive que les méthodes les plus grossières soient les plus efficaces.

Connie la regarde d'un air incrédule.

— Vous ne le croyez pas vraiment coupable, n'est-ce pas? C'est pour cette raison que vous avez accepté. Vous croyez qu'il est ce qu'il prétend être.

Claire rougit, réplique :

— Mais vous, avez-vous pensé une seule seconde qu'il pourrait être innocent? Comment réagirait un homme innocent confronté à une femme qui exige de lui toutes ces bizarreries? Est-ce qu'il ne serait pas tenté de jouer le jeu? De faire *semblant* de s'intéresser à tous ces trucs qu'elle dit aimer?

— Pourquoi le ferait-il? demande le Dr Leichtman.

— Peut-être… bredouille Claire, peut-être qu'il pense que c'est une femme qui en vaut la peine, malgré tout ce cirque. Voilà pourquoi il ferait semblant.

— Frank, dit Connie.

— Oui?

— Tu ne peux pas faire ça. Cette fille est trop engagée sur le plan sentimental, maintenant.

— Peut-être, admet-il d'une voix lasse, mais c'est la seule que nous ayons.

26

Elle déambule dans les rues de New York pendant des heures, sans rien acheter, marchant simplement au hasard. Frank a raison : elle est quasiment dépourvue d'inhibitions en ce qui concerne l'acte lui-même. Elle a appris depuis longtemps à voir son corps comme un objet distinct, une matière première, une ressource.

Elle pense à des comédiens qui sont allés bien plus loin, se transformant en monstres boursouflés pour la durée d'un tournage, ou s'habituant à vivre dans un fauteuil roulant pour jouer le rôle d'un paraplégique. En comparaison, ce qu'on lui demande n'est pas grand-chose.

Si elle a certaines réserves concernant le plan de Durban, ce n'est pas pour elle, c'est pour Christian. Elle craint que, si elle le laisse lui faire l'amour, il ne se retrouve pris plus solidement dans la toile du Dr Leichtman.

Connie a raison : elle est trop engagée, et d'une façon à laquelle elle ne s'attendait pas. Si elle fait appel à sa mémoire, elle n'est même pas sûre du moment exact où sa loyauté a commencé à faiblir. Pourtant, si elle abandonne maintenant, elle perdra complètement Christian, et elle ne veut pas de ça.

En milieu de matinée, elle passe par hasard devant le Drama Bookstore[1]. Elle n'y a pas mis les pieds depuis…

1. Librairie spécialisée dans l'art dramatique. *(N.d.T.)*

deux semaines seulement, en fin de compte, mais sa vie antérieure semble déjà s'estomper dans le passé, comme si ces souvenirs appartenaient à une autre personne.

Elle entre, s'approche nonchalamment du rayon «Pièces de théâtre», se laisse tomber dans un des fauteuils avec un soupir de soulagement. Elle prend sur une étagère un exemplaire de *Zoo Story*, d'Albee, s'abîme bientôt dans la lecture de la pièce, récite les répliques dans sa tête.

Dix minutes s'écoulent, pendant lesquelles elle ne remarque que vaguement la présence d'autres clients autour d'elle. Alertée par un mouvement au bord de son champ de vision, elle lève la tête, voit quelqu'un qu'elle connaît mais ne reconnaît pas.

Il s'est glissé le long des étagères jusqu'à être assez près pour qu'elle soit sûre de ne pas faire erreur. Un mince visage de fouine. Elle se demande un moment si ce n'est pas un élève de son cours d'art dramatique. Non, ce n'est pas ça. Un tournage en Angleterre ? Soudain, elle trouve : le violeur d'enfant hypnotisé par Leichtman !

Elle l'examine pour être absolument certaine que c'est lui. Sentant son regard, il se retourne, la surprend en train de l'observer.

— Salut, dit-il en souriant, avant de reporter son attention sur les rayonnages.

Une seconde plus tard, il jette un coup d'œil au livre de Claire.

— Bon choix, approuve-t-il sur le ton de la conversation. Je l'adore, cette pièce.

Elle se demande pourquoi lui ne la reconnaît pas, puis se souvient qu'ils ne se sont pas rencontrés : elle l'a vu sur un moniteur.

— Désolée, s'excuse-t-elle hâtivement. Un moment, j'ai cru que je vous connaissais.

— Ça arrive tout le temps, répond-il, d'un air étrangement content. Les gens vous ont vu à la télé, ils vous prennent pour un voisin.

— Oui, c'est ça.

La télé ? s'étonne intérieurement Claire. Il doit penser à son procès.

— Peut-être dans un des spots publicitaires pour Apple, reprend-il.

Elle fronce les sourcils.

— Vous êtes acteur ?

— Bien sûr, acquiesce-t-il avec un sourire.

— Vous n'avez jamais été en prison ?

— Mon ex pense sûrement que c'est ma place, mais...

Il s'interrompt, fronce les sourcils.

— Oh merde ! lâche-t-il avant de se mettre à courir.

Il sort de la librairie, bousculant les autres clients ; Claire s'élance derrière lui, le suit comme elle peut. Il se faufile à travers les voitures, elle essaie de le rattraper mais elle n'est pas en aussi bonne forme physique que lui, elle n'y arrivera jamais.

Un flic. Il y a un flic qui règle la circulation au carrefour. Claire se risque de nouveau dans le flot des véhicules, évite plusieurs camions, tire la manche du policier.

— Cet homme est un criminel en fuite ! s'exclame-t-elle, tendant le bras.

Le flic regarde dans la direction indiquée.

— Lequel ?

Pas de réponse : le temps qu'il se retourne, Claire a compris que c'était peine perdue et elle s'est enfoncée dans la foule.

De retour à la librairie, il lui faut une heure pour retrouver le visage du « violeur » dans *Spotlight*, le trombinoscope des comédiens.

Eric Sullivan. De petits rôles dans quelques téléfilms, deux ou trois publicités. Mais indiscutablement acteur, comme il l'a déclaré.

Elle prend un taxi pour retourner au bureau du Queens, accède à la réception grâce au laissez-passer qu'elle a conservé. Comme d'habitude, les couloirs sont déserts. Elle pénètre en trombe dans le bureau de la psy, qui est en réunion avec sa secrétaire et une demi-douzaine de types en costume.

Claire a le temps de remarquer son propre visage sur l'écran d'un moniteur, avant que tout le monde se tourne vers elle.

— Claire, c'est une surprise, fait Connie d'un ton un peu froid.

Elle tend le bras pour éteindre le moniteur.

— Qu'est-ce qu'il est devenu, le taulard ? lui assène la comédienne.

— Quel taulard ?

Claire plaque sur la table la page qu'elle a arrachée dans *Spotlight*.

— Celui que je vous ai vue hypnotiser ici même ! Le violeur d'enfant. Celui dont vous disiez qu'il ne serait pas libéré de sitôt. Je viens de le croiser à la Drama Bookstore !

Un moment, Leichtman semble incapable de fournir une explication, puis elle dit lentement :

— Vous devriez être la première à comprendre l'importance d'une scène bien jouée. Nous avons estimé qu'il valait mieux établir clairement mon autorité dès le départ.

— Quelle autorité ? rétorque Claire, qui parcourt la pièce du regard. Qui sont ces gens ?

L'homme le plus proche se lève et lui tend la main.

— Paul Ashton, FBI. Je suis le responsable de l'opération Aimant.

166

— Qu'est-ce que c'est, l'opération Aimant ?

Personne ne répond ; Claire passe d'un visage à l'autre.

— Je pensais que c'était Connie qui dirigeait tout...

— Nous avons jugé préférable de limiter le nombre de personnes ayant des contacts directs avec vous, Claire. Le Dr Leichtman est votre traitant...

— Mon traitant ? Je ne suis pas une espionne !

— Ces gens sont mes collègues, Claire, intervient Connie. J'ai convoqué cette réunion pour avoir leur avis. De par sa nature même, cette opération nécessite une coopération étroite. Les décisions sur le terrain relèvent des services de la police de New York, qui font l'objet — comment dire ? — de pressions locales risquant d'influencer leur jugement. Nous étions précisément en train de nous demander si nous devons vraiment maintenir cette opération compte tenu des... éléments nouveaux auxquels Frank a fait allusion.

— Ce n'est pas à vous d'en décider, non ? C'est à moi.

— Nous ne pourrons garantir votre sécurité, prévient la psy avec douceur.

— Vous ne l'avez jamais garantie, que je sache.

La femme que Claire croyait être la secrétaire de Connie s'éclaircit la voix.

— Euh, certains d'entre nous considèrent que cette opération devient extrêmement hasardeuse. Les moyens de contrôle adéquats ne sont plus en place.

— Les moyens de contrôle ? répète Claire, secouant la tête d'un air incrédule. Christian et moi, nous ne sommes pas des marionnettes. Ni des échantillons que vous avez introduits dans un tube à essai. C'est nos vies que vous manipulez.

— Ce site que l'assassin a créé... Nous pensons que c'est un nouvel élément préoccupant, dit Connie.

— Tiens donc !

— Ecoutez-moi, Claire. Tout tueur en série se prend

pour une sorte d'artiste en train d'interpréter un psychodrame personnel. Or toute représentation est incomplète sans spectateurs. C'est pour cette raison qu'un grand nombre de tueurs en série font prendre la pose aux corps de leurs victimes : ils jouissent en imaginant la réaction de la personne qui les découvrira. Notre assassin a trouvé un moyen de jouer devant un immense public. Il en tire un plaisir violent, auquel il deviendra probablement accro. Il aura envie de recommencer.

— Raison de plus pour le pincer.

— Raison de plus pour être professionnel dans notre façon de le faire.

Un écho dans la tête de Claire : « J'ai commis le péché capital, j'ai manqué de professionnalisme. »

— Allez vous faire mettre, fulmine-t-elle.

Elle claque la porte en sortant. Lorsqu'elle passe devant la réception, elle lance négligemment à la fille assise derrière le bureau :

— Ma chérie, c'est qui ton agent ?

La fille répond machinalement « Eileen Ford » puis se tait, l'air penaude.

Modèle, actrice, ce que vous voudrez. New York en est plein.

Claire appelle chez lui. Lorsqu'elle entend la voix familière, douce, précise, elle annonce simplement :

— La réponse est oui. Ce soir.

L'homme arrive à l'appartement assez tard. Il a apporté des fleurs : des lis et des tulipes, avec de grandes griffes courbes de saule tordu.

— Oh, merci, dit Claire en les prenant. Elles sont magnifiques. Je vais chercher un vase.

— Déshabille-toi, fait-il avec douceur.

— Il faut que je les mette dans l'eau, répond-elle, se tournant déjà pour s'éloigner.

Il l'arrête en lui touchant le bras.

— Enlève tes vêtements. Je veux te voir nue.

Docile, elle le laisse désenfiler les boucles d'oreilles, ôter le collier — celui de Frank — et engager le premier bouton de sa blouse dans la boutonnière.

Quand il lui passe les mains dans le dos pour défaire le soutien-gorge, elle murmure, à demi consciemment :

— Ils sont trop petits.

— Ils sont parfaits.

Il prend brièvement chaque sein nu au creux de ses paumes, se penche pour aspirer les mamelons entre ses dents.

Le bouton du pantalon de Claire casse comme une assiette entre les doigts de Christian. Le panty dessine un huit fragile autour des chevilles. Elle tente de s'en libérer mais il reste accroché et elle doit, pour se dégager, mimer quelqu'un qui monte un escalier. Elle est nue.

— Bien, dit-il en la regardant.

— Je fais l'affaire ? minaude-t-elle, à demi sérieuse.

— Ne plaisante pas. Ne plaisante jamais là-dessus.

Elle éprouve une sensation de vide dans l'estomac, comme si un ascenseur l'emportait vers le sommet d'une tour.

Pendant un long moment, il la contemple, puis elle s'avance pour déboutonner sa chemise. Il a la poitrine couverte de boucles lisses, comme un front de taureau.

Lorsqu'elle libère son pénis, il pousse un soupir et, pendant un long moment, elle le tient doucement, elle sent le battement délicat, tremblant, la palpitation du sang dans son sexe. Elle tremble, elle aussi, mais ne saurait dire si c'est à cause du froid, de sa nervosité ou d'autre chose.

Il se met alors à l'embrasser, d'abord tendrement, et

quelque chose fond dans la tête de Claire, une barrière s'effondre, laissant le plaisir inonder son cerveau. La sensation de liquéfaction s'étend de la tête au reste du corps, et Claire hoquette quand il la fait basculer par terre. Elle le laisse la disposer comme il le veut, elle le laisse la prendre, l'empaler sur sa queue, lui relever les genoux pour pouvoir l'encorner à coups sauvages, comme le taureau éventre un cheval à une corrida. Haletante, abasourdie, elle pousse un cri et il s'enfonce plus profondément en elle.

Dans l'appartement en dessous, Weeks se frotte les mains.

— Mate un peu ce qu'elle lui fait maintenant. T'as prévu combien de copies de la bande, Frank ? J'en réserve une dizaine pour mes potes.

— Arrête, s'il te plaît, lui intime Durban à voix basse.

— Quoi, tu veux pas garder un souvenir ? insiste Weeks, avec un coup de coude à Positano. Il veut peut-être la bande pour lui tout seul, quelque chose pour ses longues nuits solitaires. C'est ça, Frank ?

Tout à coup, Durban tend le bras vers le moniteur et coupe l'image.

— J'avais dit qu'on laisserait uniquement les micros.

— Comme si elle en avait quelque chose à foutre ! C'est une pro, cette fille, et la profession dont je parle, c'est pas actrice.

Weeks remet l'image, poursuit :

— Tu sais comment on sait si une bonne femme fait semblant de jouir ?

— Non, répond Positano, comment on sait ?

— On s'en fout ! répond Weeks en riant. Elle est bonne, hein ? Blague australienne. On s'en fout !!!

Frank Durban, qui regarde les corps s'agiter sur l'écran, ne s'en fout pas, lui. Mais alors pas du tout.

Plus tard, allongés par terre, trop épuisés même pour ramper jusqu'au lit, ils partagent un verre de vin au milieu de leurs vêtements épars.

— J'ai quelque chose à te dire, fait-il à voix basse.

— Quoi?

— Tu te souviens, l'autre jour, tu m'as posé une question, sur ma femme…

Dans la planque du dessous, les policiers se sont tus et font cercle autour du moniteur.

Il roule sur le ventre, touche un mamelon d'un index curieux, le fait tourner dans un sens puis dans l'autre entre ses doigts, comme si Claire était un poste de radio qu'il convenait de régler sur une longueur d'onde bien précise.

— Si la mort de Stella m'a appris quelque chose, m'a laissé quelque chose, c'est l'horreur des secrets.

Elle s'adresse au plafond :

— Tu as un secret, Christian?

— Oui. Un seul.

Elle attend, comme on lui a appris à le faire.

— J'ai un aveu à te faire, Claire. Depuis que nous nous sommes rencontrés…

Est-ce un effet de son imagination, ou entend-elle des pas étouffés derrière la porte, un cliquetis de cran de sûreté qu'on relève, des murmures échangés hâtivement par talkie-walkie?

— Attends, dit-elle.

Leur donner le temps de se mettre en position.

— Je vais me rafraîchir.

Elle se lève, nue, passe dans la salle de bains. Le visage qui lui renvoie son regard dans la glace est un masque. Elle ouvre le robinet, s'asperge la figure.

— Voilà, fait-elle en revenant près de lui. Qu'est-ce que tu voulais me dire?

— Je… Je crois qu'il faut que tu saches… commence Christian avant de baisser les yeux vers les bras de Claire. Tu as la chair de poule, dis donc.

— Je n'ai pas froid, assure-t-elle. Vas-y.

— Oui. Ce que j'essaie de te dire, c'est que je suis en train de tomber amoureux de toi.

L'air s'échappe des poumons de Claire en un long soupir involontaire de gratitude et de soulagement.

27

La seconde fois est douce. Il lui fait l'amour avec une lenteur infinie, une main sous sa tête pour pouvoir la regarder dans les yeux. Ses yeux à lui évoquent des photos de nuages gazeux dans l'espace, une phosphorescence verte qui, de près, se dissout en ombres et en rais de lumière.

Elle pense qu'il ne la baise pas pour jouir lui-même mais pour la faire jouir, pour lui faire perdre sa maîtrise d'elle-même. L'idée d'être scrutée pendant l'orgasme l'effraie, et elle tente de se cacher de lui, d'effacer sa présence, d'éloigner la jouissance. Mais cela ne fait que la renforcer. Lorsqu'elle éclate, elle déferle sur elle comme une lame qui la soulève et la retourne, la ballotte, si bien que pendant ce qui lui paraît une éternité elle est perdue, naufragée miaulante et gémissante, le visage piqueté de salive.

Il hoche la tête lentement, comme si elle venait enfin de lui avouer la vérité.

Il la porte ensuite dans la baignoire et la lave méthodiquement, savonnant chaque relief, sondant de ses doigts chaque pli de sa peau. Il lui fait un shampooing, lui masse les cheveux pour faire pénétrer le liquide. Elle se regarde dans la glace : sa tête ressemble à une meringue.

Une main gantée de mousse descend vers son buisson, le lave comme elle a lavé ses cheveux ; des doigts savonneux écartent la fente, trouvent à nouveau le clitoris. Cela pique et elle geint pour qu'il arrête. Il la fait taire, la force à escalader une fois de plus avec lui la montagne de son plaisir.

La réunion-bilan se déroule dans un calme gêné. Pour des raisons différentes, suppose Claire, ni Connie ni Frank ne veulent croiser son regard.

Dehors, les klaxons se fraient un chemin dans l'heure de pointe matinale. Un camion compacteur hydraulique ronfle et siffle sous la fenêtre de Claire puis s'éloigne. Ses doigts jouant avec ses cheveux, elle n'écoute qu'à demi le policier et la psy qui parlent d'une nommée Claire Rodenburg.

— Ce qui doit être absolument clair, est en train de dire Leichtman, c'est ce que nous voulons provoquer, et comment parvenir à ce résultat. Nous espérions des aveux pendant la conversation sur l'oreiller, mais l'occasion est passée, semble-t-il. Je crois qu'il nous faut nous demander si d'autres conversations sur l'oreiller fourniront des éléments plus révélateurs.

— A quoi tu penses, Connie ? demande Frank.

Claire regarde le soleil se diffracter à travers le verre d'Evian posé sur la table. Sur le plafond, un cercle de lumière se transforme en ellipse, en ovale, redevient un cercle. Elle baisse les yeux. Bien que Leichtman continue à parler, c'est elle, Claire, que le policier regarde. Elle le fixe jusqu'à ce qu'il détourne les yeux.

— Comme vous le savez, poursuit Connie, j'avais émis des réserves sur la voie que nous sommes en train de suivre. Maintenant que nous en sommes là, autant essayer d'utiliser au mieux la relation manifestement intense qui est en train de s'établir.

— Qu'est-ce que tu suggères ?

— Un changement de scénario. Christian est un homme qui exige une loyauté totale, une soumission absolue. Si c'est lui l'assassin, il tue parce qu'il se sent trahi par les femmes. Je propose que nous le laissions croire que Claire éprouve pour lui ce qu'il éprouve pour elle, et qu'elle le trahisse ensuite.

S'ensuit un bref silence stupéfait.

— Vous voulez dire avec quelqu'un d'autre ? demande Claire, incrédule. Vous voulez qu'il pense que je suis infidèle ?

— Pourquoi pas ? S'il est aussi mordu qu'il en donne l'impression, il voudra se venger. Pour un homme ordinaire, cela pourrait prendre la forme d'une gifle ou d'une volée d'insultes. Si c'est un tueur, il essaiera de vous supprimer.

— Stratégie à hauts risques, commente Durban.

La psy hausse les épaules.

— C'est toi le joueur de poker, Frank. Les enjeux sont trop élevés pour toi ?

— Bien sûr que non.

— Pour lui non plus. Il faut les faire monter jusqu'à ce que quelqu'un craque, d'accord ?

— Pas encore, murmure Claire.

— Qu'est-ce que vous avez dit ? s'enquiert Leichtman.

— Pas encore. C'est trop tôt. Il n'est pas… il n'est pas encore vraiment amoureux de moi. Pas autant qu'il le sera.

— Claire a raison, approuve Frank en se levant. Il faut lui donner un peu plus de temps, attendre qu'il soit réellement accro. Et si d'ici là il se disculpe ou s'incrimine, nous aurons évité à Claire une confrontation

174

dangereuse. Laissons-la faire comme elle le sent, Connie, au moins pendant quelques jours encore.

Ce soir-là, elle téléphone à Brian le barman pour le prévenir qu'elle sera absente quelque temps. Un engagement, prétend-elle. Un rôle de dernière minute dans une tournée, pour remplacer une comédienne souffrante.

28

Harold J. Hopkins, propriétaire et directeur des Pompes Funèbres du Carrefour, considère le jeune homme assis en face de lui et l'interroge :

— Dans quelles autres entreprises avez-vous travaillé, Glenn ?

— Eh bien, monsieur, vous verrez dans mon CV que depuis l'obtention de mon diplôme de technicien funéraire, j'ai exercé à Houston, San Antonio et New York. J'ai également travaillé dans diverses entreprises en Europe. Je ne les ai pas mentionnées dans le CV parce que cette expérience professionnelle ne m'a pas paru pertinente.

— Ils bossent autrement là-bas, je crois.

— Dans les pays à majorité protestante, en effet, monsieur. Ils ne pratiquent pas l'embaumement, sans parler de cosmétologie. Comme vous le verrez dans mon CV, la cosmétologie constitue mon premier centre d'intérêt professionnel.

— Exact, acquiesce Harold.

Il aime bien ce jeune type. Il aime son ton sérieux, sa voix feutrée, et le choix qu'il a fait de porter son costume funéraire pour cet entretien. Il aime sa façon de l'appeler « monsieur ». Selon Harold, un jeune homme qui montre du respect pour son employeur témoignera probablement du même respect pour les défunts.

Harold songe brièvement à son propre fils, à peine plus âgé que le jeune Glenn. Montrer du respect n'a jamais été le fort de Mervyn. Rétrospectivement, c'est peut-être une bonne chose que Mervyn ait refusé de succéder à son père dans l'entreprise familiale. Un assentiment n'aurait peut-être été que le prélude à de gros désagréments.

— Monsieur ?

Il reporte son attention sur le jeune homme.

— Monsieur, je serais heureux de faire une période d'essai si cela peut vous aider à choisir entre les autres postulants et moi.

— Oh. En fait, il n'y a personne d'autre. J'ai mis l'annonce vendredi dernier, vous êtes le premier à répondre. L'avenir appartient à ceux qui se lèvent tôt. Vous pourriez commencer quand ?

Le jeune homme laisse un bref sourire monter à ses lèvres.

— J'ai juste besoin d'un jour ou deux pour trouver un logement. Merci, monsieur Hopkins, vous ne regretterez pas votre décision. Je pense que je vous serai utile, et j'espère apprendre beaucoup en regardant travailler un professionnel plein d'expérience comme vous, monsieur.

Un peu embarrassé, Harold Hopkins écarte l'éloge d'un revers de main.

— C'est vous qui apprendrez à un vieux praticien comme moi les dernières techniques. Et pas la peine de m'appeler « monsieur ». Harold, ça ira très bien.

Deux jours après l'entretien, Glenn Furnish revient aux Pompes Funèbres du Carrefour. Harold lui fait faire le tour de l'entreprise, le présente à sa femme Ellen, à

leur fille Alicia, qui travaille aussi dans l'affaire familiale, ainsi qu'à Joel, son associé. A tous, il fait bonne
impression. Harold et son nouvel employé s'attardent
dans la salle de préparation.

— Chariot-civière réglable, pompe aspirante, machine à embaumer, énumère Hopkins. Ventilation inté-
grée à la table. Le fourgon peut reculer jusqu'à ces
portes.

Glenn loue l'efficacité de l'installation et, cette fois
encore, Harold balaie le compliment d'un geste.

— On a l'air vieux jeu, mais c'est une impression que
je cherche à encourager. Les gens préfèrent ça. Nous
voyons passer plus de douze clients par semaine, en
fait.

Glenn hoche la tête, manifestement impressionné.

— De quelle solution d'embaumement vous servez-
vous ?

— De formol. A faible concentration, généralement,
pour que l'odeur ne soit pas trop forte. Pourquoi ?

— Beaucoup d'entreprises sont passées au Sorbent.
C'est ce que nous utilisions à Houston. Le Sorbent est
moins toxique que le formol.

— Sorbent... Il me semble que j'ai lu quelque chose
là-dessus.

— Je pourrais en commander, si vous voulez.

— Bonne idée. Allez-y.

— Je n'ai certainement pas voulu insinuer que les
solutions à base de formaldéhyde sont un mauvais
choix, comprenez-le bien. Je ne voudrais surtout pas
apparaître comme un jeune exalté qui, à peine arrivé,
vous demande de tout changer.

— Ne vous excusez pas, Glenn, dit Harold Hopkins
d'un ton bienveillant. Il y a sûrement beaucoup de
choses ici pour lesquelles j'ai besoin de rattraper mon
retard. Si vous voyez quoi que ce soit qui vous paraît
mériter une remise à jour, dites-le-moi.

Cet après-midi-là, Harold et son nouvel assistant se rendent avec le fourgon dans une maison de retraite locale pour prendre le corps d'un des résidents. Les maisons de retraite sont un des lieux les plus délicats pour un entrepreneur de pompes funèbres, et Harold a l'intention d'observer attentivement comment son protégé s'en tire.

Il note avec satisfaction que Glenn ne dit pas grand-chose pendant le trajet. Il sait que de nombreux techniciens funéraires rient et plaisantent en chemin puis arborent soudain un visage grave lorsqu'ils se mettent au travail. Il a même entendu dire qu'un croque-mort a quelquefois besoin de se montrer d'humeur légère devant un cadavre pour atténuer un peu la pression. Il n'est pas de cet avis et se félicite que Glenn Furnish ne semble pas fonctionner de cette façon-là non plus. C'est la raison pour laquelle Harold avait piqué une telle colère contre Mervyn la fois où il était allé au drive-in du McDonald's avec le fourgon. Que le véhicule ait été vide n'y changeait rien. Les gens attendent un comportement irréprochable de ceux qui s'occuperont d'eux quand ils seront morts.

Il remarque également avec plaisir que Glenn ne manœuvre pas pour faire franchir au fourgon les grilles de la maison de retraite en marche arrière. Comme Harold ne cessait de le répéter à Mervyn, les entrepreneurs de pompes funèbres ne sont pas des éboueurs. On entre normalement par la grille, on pense à charger le client le moment venu, et pas avant.

La directrice, une femme compétente du nom de Margot Wingate, les attend devant la porte. Harold a souvent travaillé pour elle. Il lui présente son nouvel employé, puis les deux hommes la suivent dans la chambre du résident défunt. C'est essentiellement pour cette raison que le travail en maison de retraite est délicat. Les personnes âgées qui y vivent savent toutes pourquoi vous êtes là — du moins celles qui ont encore toutes leurs facultés — et se demandent sans doute si elles seront la prochaine à partir. En se rendant à la chambre du mort, Harold prend toujours le temps de répondre aux vieux qui l'abordent. Parfois uniquement pour faire remarquer, en plaisantant, que ce n'est pas encore leur tour ; parfois pour parler sérieusement du mort, en particulier si c'était un ami. Là encore, Harold constate que Glenn Furnish a été bien formé et qu'il répond aux résidents de la même façon polie et solennelle que lui.

Le corps est celui d'une vieille dame, qui repose paisiblement dans le lit où elle a expiré.

— Je lui ai enlevé son cathéter, dit Margot. Elle est prête à partir.

Harold mesure du regard l'espace entre le lit et le mur, puis la largeur de la porte.

— Le chariot passera facilement, je crois, Glenn.

Tandis que le jeune homme retourne au fourgon chercher la civière roulante, Margot fait observer :

— Il est nouveau, non ?

— C'est son premier jour chez nous, mais il a beaucoup d'expérience, et il sait se conduire.

— Comment vous l'avez trouvé ?

— Sur Internet. Ils viennent d'ouvrir une page d'offres d'emploi. J'ai décidé de tenter le coup.

— Il fera l'affaire, estime la directrice. Il semble plaire à nos pensionnaires, en tout cas.

Harold lui sourit.

— Beaucoup de gens ne s'en rendent pas compte, mais dans les pompes funèbres, le contact est essentiel.

Glenn revient avec le chariot. Ensemble, les deux hommes soulèvent le corps de la vieille femme pour le glisser dans la housse à fermeture Eclair. Lorsque Glenn entreprend de la refermer, son patron l'arrête.

— Voilà peut-être un cas où je peux vous donner un conseil, Glenn. Normalement, nous emmenons le corps dans une housse fermée, mais, dans une maison de retraite, nous faisons une exception. Comme certains des résidents ne sont pas toujours assez valides pour assister aux funérailles, nous donnons à ceux qui le souhaitent la possibilité de venir dire adieu au défunt pendant que nous faisons rouler le chariot dans les couloirs.

Le jeune employé hoche la tête d'un air pénétré.

— C'est une merveilleuse idée, monsieur Hopkins. Je vous suis reconnaissant de l'avoir partagée avec moi.

— Appelle-moi Harold, je t'en prie, dit Hopkins, disposant l'ouverture de la housse pour qu'elle encadre plaisamment le visage de la vieille dame.

29

Elle a pensé donner rendez-vous à Henry dans un bar à midi, puis, se rappelant le problème que les bars posent à l'ancien comédien, elle a opté pour un petit déjeuner dans un *diner*.

Il lui paraît plus vieux que la dernière fois qu'elle l'a vu. Les rides de sa figure se sont creusées, les poches qu'il a sous les yeux se sont emplies de liquide. Même à cette heure matinale, elle sent l'odeur d'alcool éventé qu'il dégage.

— Je croyais que tu m'avais oublié, se plaint-il lorsqu'elle se glisse dans le box.

— Je sais, je suis en retard. Excuse-moi.

— Ce n'est pas ce que je voulais dire, Claire.

Elle s'attarde sur le visage autrefois séduisant, sur la souffrance du regard et pense : Non, pas toi aussi. Ne me fais pas porter ta douleur.

— J'ai eu des soucis, répond-elle avec douceur.

— Peines de cœur ?

Elle hausse les épaules.

— J'espère qu'il sait qu'il a de la chance.

— J'ai besoin de ton aide, Henry.

— Pour quoi ?

— Tu te rappelles Stella Vogler, une cliente ?

— Bien sûr. Premièrement parce qu'elle était jolie, deuxièmement parce qu'elle s'est fait assassiner, et troisièmement parce qu'elle a été quasiment ma dernière vraie cliente.

— Christian Vogler est le suspect principal des flics. Je les aide à découvrir s'il est coupable.

Henry regarde Claire d'un air bizarre.

— Comment ?

— Comme avec toi. Je sers d'appât, en quelque sorte.

Il émet un sifflement.

— Seulement, voilà, je ne suis pas sûre que ce soit lui, ajoute-t-elle.

— La police n'a aucune preuve ?

Claire secoue la tête.

— Cette opération… commence-t-elle. Il y a quelque chose de curieux là-dedans : des psy du FBI complètement cinglés planqués dans un immeuble du Queens ; un flic new-yorkais qui… qui est jaloux de Christian, je crois. Il voudrait qu'il soit coupable uniquement pour l'éloigner de moi, c'est l'impression que j'en ai, en tout cas.

— Qu'est-ce que je peux faire ?

— J'ai besoin d'un bon détective.

— Et tu as pensé que je pourrais te recommander quelqu'un ?

— J'ai pensé que, si tu n'es pas trop occupé bien sûr, tu pourrais t'en charger, dit Claire avec un sourire.

— Je ne suis pas un bon détective, déclare Henry tout net.

Claire sait qu'il vaut mieux ne pas lui mentir :

— Peut-être, mais tes tarifs sont abordables. Ça va sûrement te paraître insensé, mais je sais que tu es ce que tu prétends être, pas un acteur.

— Comment ça, pas un acteur ? Mon nom figure au générique de quatre-vingt-sept productions !

— Plus maintenant, je veux dire. On dirait que tous ceux à qui je parle en ce moment sont répertoriés dans *Spotlight*.

Henry réfléchit un instant avant d'accepter :

— OK. Ça me va. Sur quoi tu veux que j'enquête ?

— Avant sa femme, Christian a eu une liaison avec une fille. Je ne connais pas son nom mais ça ne devrait pas être trop dur à trouver. Ils ont été fiancés. Elle l'accuse de l'avoir droguée pour se servir d'elle dans une sorte de rite sexuel passif. C'est la seule véritable piste de la police. Si cette fille ment… Et puis, il y a Stella. Je veux savoir pourquoi leur couple battait de l'aile.

— Du vrai boulot de privé, en somme ?

— Du vrai boulot de privé. Tu le feras ?

— Pour une nana comme toi, je me baignerais nu dans un volcan en éruption, dit Henry avec un clin d'œil. Tu vois ? Je connais encore les répliques.

Claire procède elle-même aux recherches juridiques.

A la bibliothèque publique, elle se plonge dans les livres de droit, des manuels de première année pour commencer, puis, à mesure qu'elle trouve les références qu'elle cherche, des recueils de jurisprudence, des ouvrages de droit international.

La journée touche à sa fin quand elle déniche ce dont elle a besoin.

Le soir, elle retrouve Christian dans un bar de Mercer Avenue, juste au coin de la rue où il a son appartement.

— Tu veux venir chez moi ? propose-t-il à la fin de la soirée.

Claire sait qu'elle ne doit pas accepter — on lui a expliqué que son collier-micro a une portée limitée —, qu'elle doit le convaincre de retourner à son appartement à elle, avec son mobilier suédois anonyme, ses tiroirs remplis de sous-vêtements qu'elle n'a jamais achetés, ses placards pleins de mensonges et de policiers.

— C'est encore un peu tôt, plaide-t-elle. L'endroit que tu partageais avec ta femme…

Il cède.

— Bien sûr. Allons chez toi.

Dans l'appartement, il lui montre un jeu.

Elle doit demeurer immobile sur le lit tandis qu'il trace des lettres de l'alphabet sur son clitoris avec sa langue, et annoncer chaque lettre à voix haute.

Au début, cela paraît facile, asexué presque, aussi simple qu'une charade. Puis, peu à peu, le fait de se concentrer sur les plus infimes sensations leur donne une intensité quasi insupportable. L'attente elle-même devient exquise, chaque mouvement se frayant un chemin jusqu'aux terminaisons nerveuses de Claire avant même que la langue l'ait esquissé. Elle doit plaquer ses mains sur ses jambes pour s'empêcher de pousser son bas-ventre contre la bouche de Christian.

Bientôt, tout le corps de Claire n'est que frémissement, attente du moment où la langue la projettera dans l'oubli.

— Attends, halète-t-il tout en continuant à tracer des lettres.

Il s'agit maintenant d'autre chose : Claire se rend compte qu'il écrit des mots.

— Tu as compris ce que c'était ? lui demande-t-il bien plus tard, alors qu'ils sont allongés par terre.

— Non, répond-elle, j'étais incapable de me concentrer.

Ce qui est un mensonge, parce qu'elle est à peu près sûre qu'il a écrit sur son corps, avec sa langue, *Je te veux pour toujours.*

Comme il passe la nuit chez elle, ce n'est qu'en milieu de matinée que Leichtman et Durban peuvent venir lui parler. Claire leur ouvre, marmonne « Oh, c'est vous » et retourne dans la salle de séjour en les laissant la suivre.

— Vous n'avez pas l'air ravie de nous voir, fait remarquer Connie.

Elle tire de sa poche un paquet de cigarettes, en plante une entre ses lèvres. Claire la lui prend, la jette sur la table.

— Je préfère que vous ne fumiez pas ici, dit-elle. Non, je ne suis pas ravie de vous voir. Je n'ai pas beaucoup dormi.

— Nous non plus, répond la psychiatre d'un ton entendu.

— Vous êtes venus inspecter les draps ? grommelle Claire.

— Ecoutez, la nuit dernière, c'était bon…

— Pour moi aussi, coupe-t-elle.

— … à de nombreux égards, mais pour être franche, nous n'obtenons pas la dynamique que nous espérions.

— De mon point de vue, c'était on ne peut plus dynamique, fait Claire d'une voix traînante. Debout, assis, à genoux…

Connie ne relève pas et poursuit :

— Il ne se livre pas plus. En fait, maintenant que vous passez moins de temps à parler, nous recueillons nettement moins de matériau qu'avant.

— Cela pose un problème ?

— D'après vous, Claire ?

La comédienne hausse les épaules avec insolence.

— Pour parler brutalement, il ne risque pas d'avouer avec votre chatte collée contre sa bouche, jette Leichtman.

— C'est une pointe de jalousie que je détecte là ? insinue Claire. La psychologue a peut-être besoin elle-même d'une petite thérapie ?

Connie a un geste excédé.

— Claire, je comprends les conflits qui vous tiraillent. D'un côté, vous vous sentez manipulée et salie par cette opération ; de l'autre, cet homme semble vous offrir amour et respect. Mais pour que l'opération serve à quelque chose, vous devez faire abstraction de ces sentiments et continuer le boulot.

— Est-ce le cas ?

— Quoi ?

— Est-ce que l'opération sert à quelque chose ?

Du regard, Durban lance un avertissement à Leichtman.

— Je suis allée à la bibliothèque de droit hier et j'ai trouvé des choses intéressantes, poursuit Claire. Vous avez entendu parler de l'affaire Kessels, une décision de la Cour suprême en 1984 ? Non ? Je vous explique en gros. Tout enregistrement fait à l'insu du suspect et sans son accord ne peut avoir valeur de preuve.

— C'est exact, reconnaît Frank.

— Alors, à quoi bon tout ça ? lui lance-t-elle, montrant les murs, les micros, les caméras, les fils invisibles qui l'entourent comme une cage en filigrane. Pourquoi je suis ici ?

— Attendez. Oui, vous avez raison. Si Christian

185

avouait dans votre appartement, l'enregistrement ne serait pas nécessairement recevable. Mais nous pourrions l'utiliser pendant l'interrogatoire. Et surtout, cela nous permettrait de convaincre nos propres services qu'il fait un suspect plus que probable.

— Et mon rôle s'arrête dans la corbeille de la salle de montage, marmonne la comédienne.

— Claire, votre contribution est précieuse, affirme-t-il. Il est sur le point de craquer, je le sais. Il faut juste que vous poussiez un peu plus fort…

— Il faut surtout que je prenne une douche, l'interrompt-elle en se dirigeant vers la salle de bains.

— Vous en avez déjà pris une, dit-il sans réfléchir.

Elle lui jette un regard furieux avant de claquer la porte derrière elle.

L'après-midi, elle ferme tous les rideaux et reste assise dans l'obscurité, à regarder la télé.

— Qu'est-ce qui se passe là-haut? demande Weeks quand il vient relayer Durban en fin d'après-midi.

— Pas grand-chose. Elle regarde des rediffs de vieux films, à en juger par ce que j'entends. Elle pleure. Elle marche de long en large…

— Une vraie star, dit Weeks en tournant le bouton des canaux.

Elle se connecte sur Necropolis. La lueur de l'écran de son portable est la seule source de lumière de la pièce.

>> Victor?
>> Claire. J'espérais que tu reviendrais.
>> J'ai une faveur à te demander.
>> Tout ce que tu voudras, mon ange.
>> Ça ne va pas te plaire.

>> Essaie toujours. J'ai l'esprit étonnamment large pour un pervers.

>> Je souhaite te rencontrer. Vraiment, je veux dire. DLMR.

Dans le long silence qui s'ensuit, elle a l'impression d'entendre le bourdonnement des câbles, le crépitement des parasites, les sifflements et les bips des modems, tandis que leur absence de dialogue rebondit entre les satellites, file d'un ordinateur à l'autre, crachote le long des fils téléphoniques interminables qui bordent les routes désertes.

>> Victor ?

>> C'est un rendez-vous, Claire ?

Elle pense aux nombreux hommes qu'elle a fait marcher, à qui elle a joué la comédie, pour qui elle est devenue une chimère, une créature de rêve.

>> Désolée. Amis seulement. Mais tu peux me croire, c'est important.

Nouveau long silence. Ou s'agit-il d'un décalage de transmission du serveur ? Puis :

>> Où es-tu ?

>> A New York. Et toi ?

Elle attend.

>> Pas très loin.

>> Quel endroit te conviendrait ?

>> Il y a un cybercafé dans l'East Village, sur la St Mark's Place. Je pourrais t'y retrouver à sept heures.

>> Comment je te reconnaîtrai ?

>> Branche-toi sur le site. Je te le dirai.

>> Merci, Victor. Je ne te demanderais pas ça si je n'y étais pas obligée.

>> Je le sais, ma biche.

30

Elle arrive au café un quart d'heure plus tard, s'installe devant un ordinateur, dans un coin.

A côté d'elle, deux jeunes Japonaises s'adonnent avec ardeur au bavardage cybernétique. Une femme d'affaires tape un rapport en martelant le clavier à deux doigts. Un adolescent s'amuse avec un jeu informatique.

Il y a aussi quelques touristes, un type âgé à catogan qui donne l'impression d'écrire en code, une femme en veste de cuir devant une pile de livres, des étudiants qui surfent, un homme à l'air sournois, vêtu d'un long imperméable, qui tripote une tasse à café déjà vide.

Claire se connecte et demande :

>> Victor, où es-tu ?

>> Ici, Claire.

>> Ici sur le site, ou dans le café ?

>> Les deux. A quoi tu ressembles ?

>> J'ai vingt-cinq ans, des cheveux blonds coupés court. Je porte un sweater noir de chez Gap et un Levi's. Je suis dans le coin.

>> Tu ne m'avais pas dit que tu étais belle.

Elle lève les yeux ; la femme d'affaires lui adresse un sourire piteux.

— Mais tu serais capable de faire mal à quelqu'un ?

Victor, dont le vrai nom est Patricia, répond :

— Dans mes fantasmes, je rêve de domination sexuelle. Mais je rêve aussi de connaître la paix mondiale, de vivre avec Kate Moss et de devenir guitariste professionnelle. Je reconnais mes obligations envers la société. Je souhaite vivre parmi les gens, ce qui implique que, comme tout le monde, je contrôle mes désirs.

Elle hausse les épaules, poursuit :

— C'est vrai que les soumises de qualité sont difficiles à trouver, surtout quand on est une vieille grosse gouine. Mais la vie n'a pas l'air plus facile pour mes amis « normaux ».

Claire approuve de la tête.

— Explique-moi de quoi il s'agit, suggère Patricia.

La comédienne omet quelques détails, mais, même résumée, l'histoire semble plutôt étrange.

— Qu'est-ce que tu comptes faire ? lui demande le faux Victor quand elle a terminé.

— Je ne sais pas, soupire Claire. Je crois que je veux juste avoir une certitude, dans un sens ou dans l'autre.

— Alors, pourquoi ne pas t'en tenir au plan ? Collaborer avec les flics jusqu'à ce qu'ils arrêtent Christian ou l'éliminent comme suspect ?

— Quand j'ai commencé, cela me semblait… délirant, mais possible. Maintenant, je n'en suis plus si sûre… dit Claire, qui marque une pause. Tu sais, avant de faire ce boulot pour Henry, je ne soupçonnais pas le pouvoir qu'une femme peut exercer sur un homme, la facilité avec laquelle elle peut se glisser dans ses fantasmes. Je suis convaincue que Christian a fait semblant de pratiquer tous ces trucs pervers dans l'unique but de préserver notre relation.

— En tant qu'adepte de trucs pervers moi-même, je dirai qu'il a beaucoup de chance.

— Désolée. Je ne voulais pas…

Patricia interrompt les excuses de Claire d'un mouvement de la main.

— Ne t'en fais pas, je sais ce que tu voulais dire. En quoi puis-je t'être utile ?

— Selon la police, Christian a visité Necropolis. Je me demandais s'il n'y aurait pas un moyen de vérifier.

— Il n'a certainement pas utilisé son vrai nom. Comment savoir si je suis tombée sur lui ?

— Vous aimez tous les deux Baudelaire, si cela peut t'aider.

— Mmm, fait Patricia. Cela me rappelle quelqu'un. Il y a un moment, déjà. L'automne dernier ? Elle se faisait appeler Blanche.

— Elle ?

— Oui. Ce qui n'implique pas que c'était une femme, bien sûr. Les distinctions de genre ne sont pas très rigides à Necropolis, comme tu l'as probablement compris. Des hommes se font passer pour des femmes, des femmes se font passer pour des hommes. Au bout d'un moment, cela n'a plus d'importance. On les accepte à leurs propres conditions.

— Alors, tu ne peux pas deviner si Blanche était un homme ou une femme ?

— Non. Je peux seulement dire qu'elle était nettement intéressée par son côté soumis. Elle a fait allusion à un mari, mais ce n'était peut-être qu'un écran de fumée…

— Non, je dirais que non, dit Claire lentement. Ce n'était pas Christian. Quoi qu'il puisse feindre par ailleurs, je ne le crois pas capable de se faire passer pour un soumis. C'était peut-être Stella, sur l'ordinateur de Christian. Le nom me paraît révélateur : comme tu le sais sûrement, les biographes de Baudelaire appellent l'une des femmes dont il était épris — celle qu'il vénérait — sa « Vénus blanche ». Stella en avait sans doute assez d'être vénérée. Necropolis lui offrait la possibilité d'échapper à cette adoration, même si ce n'était qu'en imagination.

— Il y a autre chose que tu dois savoir. Quand tu t'es connectée sur Necropolis, tu ne t'en es probablement pas rendu compte, mais le site ne se limite pas aux espaces publics. Il existe une partie que même les membres ne peuvent trouver que si on leur en a parlé. Une sorte de saint des saints.

— Qu'est-ce que tu veux dire ?

— Sur l'une des pages de bavardage, il y a un lien qui n'a ni texte ni image. Si tu sais où placer le curseur de ta souris et que tu cliques, il t'emmène sur un ESUM.

— Un Esum, répète Claire, plissant le front.

— Un Environnement Simulé à Utilisateurs Multiples. Jargon de fêlé du Net pour désigner un monde virtuel, un lieu qui n'existe que sur un réseau. Pour te donner un exemple, si tu tapes l'instruction correspondant à « entrer dans une pièce », l'ordinateur te décrit la pièce, les objets et les personnes qui s'y trouvent. Tu peux leur parler, tu peux aussi te balader et même créer tes propres pièces et objets. L'ESUM de Necropolis s'appelle le Tartare.

— Je suis censée savoir ce que cela veut dire ?

— Dans la mythologie grecque, le Tartare est une sorte de royaume des morts.

— Je vois, dit Claire. Un monde souterrain.

— Quelque chose comme ça. En tout cas, c'est là que se passent les choses sérieuses.

L'actrice regarde l'internaute.

— Qu'est-ce que tu entends par « choses sérieuses » ?

— Les transactions.

— Sur quoi ?

— Des photos, essentiellement.

— Des photos interdites, c'est ça ?

— Essaie de ne pas nous juger trop durement. Certains d'entre nous n'ont que Necropolis dans la vie.

— Désolée, s'excuse Claire, pressant le bras de Patricia. Continue.

— Au Tartare, tout le monde se sert d'un nom de code, encore différent du pseudo utilisé dans la partie principale de Necropolis. C'est une sorte de protection supplémentaire. Bref, le site est fréquenté par un type qui a toujours des photos vraiment morbides à vendre. Ce genre de truc ne m'intéresse pas. Mais il y a des amateurs.

— Comment il s'appelle ?

— Il se fait appeler Charon. Le nom vient aussi de la mythologie grecque, je crois. Charon était le passeur qui transportait les morts de l'autre côté du fleuve les séparant des Enfers. Il fallait le payer ; c'est pour ça que les Grecs posaient de petites pièces de monnaie sur les yeux des cadavres.

— Tu ne sais pas qui il est vraiment ?

Patricia fait non de la tête, mais elle précise :

— Quand j'ai bavardé avec Blanche, Charon était là aussi.

— Alors, il aurait pu prendre contact ensuite avec Stella, s'il s'agit bien d'elle.

— Possible.

— Et si ce Charon est le tueur, c'est au cours de ce contact qu'il l'aurait choisie comme victime…

— Possible, répète Patricia. Naturellement, personne ne donne son nom et son adresse sur le Net, mais il est étonnamment facile de trouver ce genre de détails. Certains sites vous permettent de fouiner dans les archives publiques et les listes électorales. Ensuite, il y a peut-être un autre site où on pouvait voir sa photo. Cela arrive. J'ai bien trouvé l'annuaire de mon lycée sur le Net, l'autre jour.

Claire hoche la tête d'un air pensif.

— Tu vas en parler aux flics ? lui demande Patricia.

— Bien sûr. Mais je ne crois pas que cela changera

quoi que ce soit en ce qui les concerne. Il n'y a aucune preuve. Rien qui puisse discriminer ou incriminer, comme ils aiment dire, explique Claire avec un soupir. Il me faudra plus, beaucoup plus, si je veux qu'ils laissent Christian tranquille. Je te suis quand même très reconnaissante.

En sortant, elle frôle le type à l'air sournois en imperméable et lui murmure :

— Ce serait plus convaincant si vous allumiez l'ordinateur, inspecteur.

A l'opposé du fonctionnalisme lisse et brillant du cybercafé, elle retrouve Henry dans un bar de l'Upper East Side, un lieu pour buveurs sérieux où le barman laisse la Guinness reposer, comme il convient, avant de finir de remplir le verre en dessinant un trèfle irlandais dans la mousse avec les dernières gouttes.

Pour une fois, cependant, Henry est au soda citron.

— En gros, cette femme — Jane Birnes, elle s'appelle — avait très envie d'épouser Christian, résume-t-il. Si tu veux mon avis, son horloge biologique avait sonné et elle voyait en lui le père idéal de ses futurs enfants. Et puis, un mois environ avant la noce, Christian décide que ça ne marchera pas. Sur quoi, la fille pète les plombs — rien d'étonnant. J'ai vu le portier de l'ancien immeuble de Christian. Il a fallu une ordonnance de référé pour empêcher Jane de traîner dans le hall d'entrée, de beugler des insanités et de dire du mal de Christian aux voisins. Je pense que, depuis, elle n'attendait que l'occasion de se venger.

— La police est au courant ?

— Je ne suis pas fan des flics new-yorkais, mais une ordonnance de référé, ils étaient forcément au courant.

Henry regarde Claire d'un air malin avant d'ajouter :

— A moins qu'ils préfèrent ne pas savoir.

Elle reste un moment perdue dans ses pensées, devant le verre auquel elle n'a pas touché.

31

Comme Harold l'avait prévu, le choix de Glenn Furnish est une réussite. Déjà impressionnant pendant la levée du corps à la maison de retraite, le jeune homme s'est révélé tout simplement remarquable dans la salle de préparation. Il traite les cadavres avec un respect tout à fait au goût de Harold, et se montre en même temps un technicien rapide et compétent.

Le corps est déshabillé, aspergé d'un fongicide, lavé avec un savon désinfectant. Puis, à moins qu'il n'y ait eu autopsie et qu'on ait déjà prélevé les organes, les cavités intérieures doivent être purgées de ce que Harold appelle les « saletés ». Après quoi, on insère un trocart dans une artère, on le relie à une pompe et on plante dans une veine une autre aiguille prolongée par un conduit d'évacuation. Le sang est aspiré hors du système circulatoire du cadavre, généralement sous pression parce qu'il s'est un peu solidifié après la mort. Ce n'est qu'après aspiration et purgation que l'embaumement commence. On injecte dans les veines une solution antibactérienne qui remplace le fluide d'aspiration, et on vaporise cette même solution, moins concentrée, sur la peau du mort.

L'embaumement ne vise naturellement pas à préserver le corps à tout jamais mais à le maintenir dans une condition acceptable pour qu'il puisse être vu par les proches du défunt. Comme Harold se plaît à le dire, l'embaumement n'est que le premier pas dans la science plus vaste que constitue la cosmétologie, domaine dans lequel Glenn Furnish excelle. Il est farci d'idées brillantes, comme ajouter du Downey, un assouplissant pour tissu, à la solution vaporisée.

« Un assouplissant pour tissu ? s'était étonné Hopkins. Pour le capitonnage du cercueil ? »

Glenn Furnish ne s'était pas gaussé de l'ignorance de son patron.

« Non, Harold. Les assouplissants pour tissu modernes contiennent un humectant au glycérol qui empêche le derme de se dessécher. »

Hopkins avait remarqué les talents cosmétologiques de son employé dès le premier embaumement qu'ils avaient fait ensemble, lorsqu'ils avaient préparé le corps de la vieille dame de la maison de retraite. Il avait suturé les lèvres de la morte tout en faisant part de ses réflexions à Glenn :

« Tu sais, les lèvres sont vraiment la partie la plus importante de l'opération. Une fois les yeux clos, c'est à l'expression des lèvres que les gens essaieront de deviner si elle est morte paisiblement ou non. Toi et moi, nous savons que l'expression normale d'un cadavre est grincheuse, parce que la peau sèche et retrousse les lèvres sur les dents. Mais la plupart des gens l'ignorent, et ce qu'ils aiment vraiment voir sur le visage de l'être cher, c'est une ombre de sourire. Pas un sourire d'une oreille à l'autre, comme si quelqu'un venait de sortir une blague, mais une expression satisfaite, apaisée. Alors, quand je couds les lèvres, je serre un peu plus aux commissures…

— La supercolle, c'est mieux, avait dit Glenn.

— Pardon ?

— Beaucoup de jeunes techniciens funéraires utilisent de la supercolle pour fixer les lèvres. De cette façon, on est sûr qu'on ne verra aucun fil. Quant au sourire, il sera encore plus réussi si vous mettez un peu de mastic sous la lèvre supérieure. Je peux ? »

Furnish avait montré à son patron comment utiliser le pistolet à mastic pour relever les coins de la bouche, et Harold voulait bien être pendu si le résultat ne semblait pas plus naturel qu'avec une aiguille.

Hopkins n'a jamais été particulièrement versé en cosmétologie, il a toujours laissé cette partie du travail à sa femme et, plus récemment, à Alicia. Bientôt, c'est Glenn qui s'en charge totalement. Il passe un baume de skieur sur les lèvres du cadavre pour qu'elles restent souples, verse de la litière pour chat dans les cavités de la poitrine afin de gonfler les poumons vides. Il pousse des cotons imprégnés d'insecticide au fond des narines pour donner l'impression que le mort vient juste de prendre une bonne dernière inspiration. Il remplit de mastic les parties enfoncées du derme, dissimule les incisions avec une pâte scellante invisible. Il vaporise ensuite le corps de SkinTone, pour lui donner l'apparence d'une parfaite santé. Ensuite seulement, il a recours à sa boîte de maquillage pour appliquer plusieurs couches de fond de teint sur la peau d'un blanc cireux, du rouge sur les lèvres exsangues, du Cutex coloré sur les ongles. A ce stade, si le cadavre est celui d'une femme, il prend souvent conseil auprès d'Alicia, la fille de Harold, et ils essaient ensemble jusqu'à trois ou quatre combinaisons différentes, échangeant leurs idées à voix basse, effaçant leurs erreurs avec une crème démaquillante avant d'opter enfin pour la bonne solution.

Si on peut reprocher quelque chose à Glenn, c'est d'avoir des préférences parmi les morts. Dès la deuxième semaine, Harold note qu'il a les obèses en aversion, en particulier les hommes. Entrant un jour dans la salle de préparation où son employé travaille sur un cadavre volumineux, Hopkins constate qu'il a enfoncé l'aiguille de l'aspirateur dans la carotide, juste sous l'oreille, et que le trocart d'évacuation est planté dans la jugulaire. Choix critiquable puisque, en règle générale, on s'efforce d'éviter toute intervention non indispensable sur le visage. Harold lui en fait la remarque.

— Impossible de trouver une artère ailleurs, se justifie Glenn, qui transpire malgré la fraîcheur de l'air conditionné. Je l'ai bien retourné une dizaine de fois, il ne lui reste pas une seule artère utilisable. Pas étonnant qu'il ait clamsé, ce gros lard, maugrée-t-il en abattant une main agacée sur la chair ridée.

Harold le regarde fixement, il n'arrive pas à croire que le jeune homme d'ordinaire si bien élevé ait utilisé un tel langage.

— Glenn, finit-il par dire, tu fais vraiment du bon travail, et je ne voudrais pas que tu penses que nous ne sommes pas contents de toi, mais pour moi, la salle de préparation est un lieu sacré, consacré presque, où les défunts sont traités avec le même respect que Dieu dans une église. Voilà pourquoi je n'apprécie pas les écarts de langage dans cette pièce.

Furnish s'excuse aussitôt.

— N'en parlons plus, décide Hopkins. On est tous un peu tendus, de temps en temps.

L'incident ne se reproduira plus, mais Harold remarque que, désormais, Glenn évite de s'occuper des obèses. En revanche, il semble avoir une prédilection pour les jeunes femmes qui leur sont confiées. Ils en ont une en ce moment, une victime d'un accident de la route âgée de vingt et un ans. Son visage est un magma effroyable, et il faudra manifestement beaucoup de travail avant de la rendre présentable. En fait, Harold a déjà pris à part les parents affligés pour suggérer qu'un cercueil fermé serait peut-être nécessaire. Mais, quand il en touche un mot à Glenn, le jeune homme se fend d'un « Voyons d'abord ce que je peux faire » plutôt décidé.

Après l'embaumement, il prend son pistolet à mastic, son tube de supercolle et sa crème scellante invisible. Il s'affaire encore sur le cadavre quand son patron s'apprête à rentrer chez lui. Harold passe la tête dans la salle de préparation, voit Glenn en train de frictionner la tête de la morte. Le jeune employé sent une présence, lève les yeux.

— Une lotion pour ses cheveux, dit-il, presque tendrement.

Comme la maison de Hopkins se trouve juste derrière l'entreprise, il n'a pas trop de scrupules à laisser Glenn seul, mais il est près de onze heures quand il entend la voiture du jeune homme quitter le parking.

Le lendemain matin, Harold arrive le premier et se rend à la salle de préparation pour jeter un coup d'œil au travail de Glenn. Il doit reconnaître que son employé est remarquablement doué pour ce genre de chose. Le visage de la jeune femme a été totalement refaçonné, les incisions parfaitement recouvertes de crème scellante invisible et de SkinTone : quelqu'un qui ignorerait qu'elle a eu un grave accident ne soupçonnerait jamais l'état épouvantable dans lequel on l'a amenée. Harold a passé sa vie parmi les cadavres, il y a longtemps que les morts ne lui font plus peur, mais cette fille a l'air si douce, si paisible, qu'il se signe et récite une courte prière. Il se tient près du corps, tête baissée, quand il entend un léger bruit, une sorte de gémissement émanant de la gorge de la morte.

Harold J. Hopkins sursaute.

Puis sourit. Elle remonte à loin, la dernière fois qu'un cadavre l'a pris comme ça par surprise. C'est uniquement parce que le résultat du travail de Glenn ressemble tellement à la vie qu'il a tressailli.

Il ouvre l'autoclave, y choisit une pince en acier recourbée récemment stérilisée, retourne auprès de la morte, lui glisse délicatement l'instrument dans la gorge.

Comme il s'y attendait, il ne rencontre aucune résistance : Glenn a oublié de boucher la trachée. Des gaz s'échappant par le larynx lui ont fait croire que la fille gémissait. Il va à la réserve chercher un bouchon large et épais, l'enfonce dans la gorge du cadavre, le tapote avec l'extrémité de la pince jusqu'à ce qu'il soit bien coincé.

Erreur facile à commettre. C'est rassurant, d'une certaine façon, de savoir que Glenn n'est pas parfait. Quelquefois, comparé à lui, Harold se sent… pas exactement stupide, mais un peu lent.

Quand même… une erreur facile à commettre, mais aussi facile à réparer. Chaque fois que Glenn s'est appuyé sur sa poitrine, elle a dû émettre un petit son, comme de l'air expulsé d'un accordéon. Comment a-t-il pu ne pas s'en apercevoir ?

Il était tard quand le jeune homme a terminé, il devait être fourbu. Il avait probablement l'intention de placer le bouchon à la fin, et il aura oublié.

Harold chasse cette vétille de son esprit.

32

— Je ne crois pas que ce soit lui, affirme-t-elle.

— Je vous le répète, Claire, soupire Durban. Malheureusement, votre opinion ne constitue pas une preuve.

— Les ventes de photos sur Necropolis…

— Une rumeur, pas un témoignage. Vous le savez bien.

Ils sont dans l'appartement et préparent la jeune

femme à une autre soirée avec Christian. Comme il lui a donné rendez-vous au restaurant, elle sera équipée de toute une panoplie d'appareils de surveillance en plus du collier : un émetteur dissimulé dans l'ourlet de la robe, une mini-caméra vidéo dans son sac.

Agenouillé par terre, Frank parle la bouche pleine d'épingles en mettant le micro en place. Un instant, il rappelle à Claire une parente épinglant le bas d'un tablier d'enfant. Elle secoue la tête pour se débarrasser de ce semblant de souvenir.

— Je veux l'interroger sur sa liaison avec cette fille avant son mariage, s'obstine-t-elle. Je veux avoir sa version de l'affaire.

— Ce n'est pas une bonne idée, la prévient l'inspecteur. Nous ne tenons pas spécialement à ce qu'il sache que nous sommes au courant de cette histoire quand nous l'arrêterons — si nous l'arrêtons. D'ailleurs, comment allez-vous expliquer que vous êtes au courant, vous ?

Leichtman, qui les observe de l'autre bout de la pièce, n'y tient plus :

— Bon, ça suffit comme ça !

— De quoi tu parles ?

— J'ai pris ma décision, Frank. On arrête tout, maintenant. J'aurais déjà dû le faire il y a deux semaines.

Durban ôte une épingle de sa bouche.

— Ce n'est pas votre opération, docteur Leichtman. A strictement parler, vous n'avez aucun droit d'y mettre fin.

— Et qu'est-ce qui te donne le droit de continuer ? rétorque-t-elle.

Il reste coi.

— Regardez-vous ! leur assène Connie d'un ton cinglant. Quelle belle paire vous faites ! L'un parie tout sur la culpabilité de Christian, l'autre sur son innocence. Claire, si je n'arrive pas à faire entendre raison à l'inspecteur Durban, vous y parviendrez peut-être, vous. Enlevez cet attirail et allons-nous-en.

La comédienne hésite.

— Allez, insiste Connie, qui va à la porte et la tient ouverte.

Au bout d'un moment, Claire secoue la tête. La psychiatre hausse les épaules, claque la porte derrière elle.

Durban, qui continue à placer ses épingles, prédit sans relever la tête :

— Elle reviendra. C'est dur aussi pour elle, vous savez.

Claire sent une douleur aiguë au bas de la cuisse : une des épingles l'a piquée. Une petite mûre de sang, replète et ronde, apparaît sur la chair.

— Houps, dit Frank en l'écrasant de son pouce.

Elle arrive au restaurant en avance pour que les flics puissent essayer le matériel. Assise sur la banquette, elle marmonne, se parle à elle-même comme une clocharde, récite un monologue appris il y a longtemps.

La serveuse qui lui apporte un spritzer[1] a un sourire hésitant.

Ponctuel, Christian fait son apparition à sept heures pile, les épaules humides de pluie.

— C'est pour toi, dit-il en lui tendant un paquet.

C'est une boîte carrée, un peu plus grande qu'un étui de CD et deux fois plus profonde. Claire l'ouvre. Elle contient un collier, ou, pour être plus précis, un torque, collier plat et rigide en argent, frappé en son centre d'un dessin.

— Les armoiries familiales, explique-t-il. Regarde.

Il lui montre la chevalière qu'il porte au petit doigt et sur laquelle le même dessin est gravé.

1. Vin blanc allongé d'eau gazeuse. (N.d.T.)

— Tu ne peux pas me donner ça, proteste-t-elle. Tu l'as sûrement eu en héritage.

— Bien sûr. C'est pour ça que je veux te l'offrir.

Elle tire de l'écrin le croissant délicat.

— Il est magnifique.

— Tu permets que j'enlève celui que tu portes toujours ? demande-t-il avec nervosité.

— Ce truc ? fait-elle, prenant dans ses doigts l'horreur en toc de Frank. Je ne pleurerai pas si je ne le revois plus jamais.

Christian tend les bras, détache la lourde chaîne et fourre le collier de l'inspecteur dans sa poche. Il caresse doucement la gorge nue de Claire avant de lui mettre le torque. Il doit l'écarter légèrement, comme un stéthoscope, pour que le cou puisse passer. Elle sent le métal se refermer sur elle comme un collier de chien, y porte une main.

— Il a trop de valeur, argue-t-elle. Tu ne peux pas le donner comme ça.

— Je ne le donne pas comme ça. Je *te* le donne.

— Tu sais bien ce que je veux dire. Alors je le prends comme un prêt.

— Non, réplique-t-il fermement. Tu l'acceptes ou pas.

Elle comprend au ton de sa voix que, si elle consent, elle acceptera plus qu'un morceau de métal.

— Je dois me rendre en Europe la semaine prochaine, annonce-t-il.

— Oh, fait Claire, qui ne s'attendait pas à ça. Tu resteras là-bas longtemps ?

— Deux semaines. Peut-être plus.

— Pour une conférence ?

— Plusieurs. Ça t'ennuie ?

— Je pourrais peut-être t'accompagner.

— Ne sois pas bête, dit-il avec un sourire. Les services de l'Immigration ne te laisseraient jamais passer une deuxième fois.

— Oh. Oui, bien sûr.

— Je te verrai à mon retour.

— Christian ?

— Oui.

— Quand tu vivais avec Stella et que tu partais en voyage, il t'arrivait de lui être infidèle ?

— Jamais. Je te l'ai dit : les relations passagères ne m'intéressent pas.

D'un ton précipité, elle lâche :

— La police pense qu'elle et toi… que tu l'as peut-être tuée, non ? C'est pour ça qu'ils ont mis la presse au courant, pour voir si tu craquerais, tu ne crois pas ?

Il fait signe à la serveuse de lui apporter le menu. Claire a remarqué la façon dont ses yeux ont parcouru, brièvement, le corps de la fille, lorsqu'elle les a conduits à leur table. Ce n'était pas un regard furtif, juste une franche évaluation. Là, il ne lui accorde pas un second coup d'œil.

— La police ? Elle m'a soupçonné, bien entendu. Sta-tistiquement, le mari est toujours le coupable le plus probable. Et les flics étaient trop stupides et dépourvus d'imagination pour chercher une autre piste.

— Tu l'aimais ?

— Oui, je l'aimais. Pourtant, je suis content qu'elle soit morte. C'est horrible de dire ça, non ? Mais si Stella était encore en vie, je ne serais pas ici avec toi. Assez de questions, on commande, maintenant !

— Il y a autre chose, insiste Claire. Une fille du nom de Birnes. Jane Birnes.

Christian fronce les sourcils.

— Elle prétend que vous étiez fiancés, continue-t-elle.

— Ah, oui. *Jane*. C'est de l'histoire ancienne, et nous n'avons jamais été fiancés.

Il s'esclaffe, comme si l'idée l'amusait.

— Cette fille était une déséquilibrée, reprend-il. Comment es-tu au courant de ça ?

— Par l'amie d'une amie, marmonne Claire.

Peu avant qu'ils quittent le restaurant, elle s'excuse et se rend aux toilettes.

— Ta robe est décousue, lui signale-t-il quand elle le rejoint.

Claire baisse les yeux vers l'ourlet.

— Elle s'est prise dans la porte.

Dans la camionnette de surveillance, Durban entend un bruit de chasse d'eau, de l'écho, la conversation banale de deux femmes se plaignant des mecs avec qui elles sont sorties.

— Elle nous a balancés dans les chiottes, fait-il d'une voix désabusée.

— Et la caméra ? demande Positano.

Le technicien règle ses appareils. Ecran noir. Nouveau bruit de chasse d'eau.

— La poubelle des gogues, diagnostique-t-il.

— Qu'est-ce qu'on fait, maintenant ? veut savoir Positano.

— Rien, répond Frank. On sait où ils sont allés.

Bien que l'appartement de Christian se trouve à proximité, ils sont trempés par l'averse. Une fois chez lui, Christian part à la recherche de vêtements secs et de champagne, laissant Claire parcourir les pièces, toucher les choses d'un doigt curieux. Vaste et sombre, l'appartement offre au regard des antiquités mauresques, quelques œuvres d'art — pour la plupart des nus féminins —, des livres anciens reliés en cuir et des rayonnages entiers de littérature française et espagnole. L'endroit a la même odeur que son propriétaire, bois de cèdre et cuir, relevée d'épices.

Pas de photos de Stella. Claire se dit qu'il a dû ratisser chaque pièce pour faire disparaître toute trace de sa femme en prévision de ce moment. Sur une table, elle avise une photo d'elle dont elle ne savait même pas qu'il l'avait prise. Elle se voit marchant dans la rue, parmi des visages réduits à des taches floues.

Elle s'arrête devant une sculpture d'une vingtaine de centimètres de haut. C'est un nu de femme, dans un marbre aussi lisse que du verre. La statue évoque quelque chose dans sa mémoire, comme une association qu'elle ne parvient pas à retrouver.

— Tiens, mets ça, lui dit Christian à son retour.

Il lui tend une longue tunique, une djellaba arabe.

— Elle était… à ta femme ? demande Claire en se déshabillant.

Il la regarde ôter ses sous-vêtements, tenter de s'envelopper dans le tissu rêche.

— Pas comme ça, dit-il.

Il lui montre comment arranger les plis du vêtement, à la manière d'une toge, finit par répondre à sa question par une autre question :

— Ça te gêne ?

— Non, répond-elle.

Elle sent, emprisonné dans la trame grossière, un vestige de parfum plus léger, plus féminin que celui de Christian.

— Bien, approuve-t-il.

Il glisse une main sous le tissu, caresse un sein.

— Penche-toi, ordonne-t-il.

Elle appuie les mains sur la table, devant la statue. Il relève la djellaba jusqu'à sa taille, la coince soigneusement pour qu'elle ne retombe pas. Un doigt mouillé de champagne suit la raie de ses fesses, du bas de la colonne vertébrale à l'amorce du sexe. Quand il s'attarde sur l'ouverture plissée de l'anus, elle se raidit involontairement. Il rit. Elle entend cliqueter la ceinture qu'il fait glisser hors des passants de son pantalon.

— Fais-moi confiance, murmure-t-il.

Elle attend, remplie d'appréhension mais excitée. Avec un claquement paresseux, la ceinture s'abat sur sa fesse droite. Une pointe de feu fuse de ses terminaisons nerveuses, cascade d'étincelles qui crépite dans sa tête. La douleur suit, l'instant d'après, avec une intensité qui lui arrache une plainte. La ceinture mord l'autre fesse, et Claire crie de nouveau, plus fort.

Christian s'interrompt. La tête enfouie dans ses bras, Claire ne bouge pas. Elle comprend que la colère de Christian — s'il est en colère —, qui s'exprime dans ce besoin de faire mal, n'est pas dirigée contre elle mais contre l'occupante précédente de la tunique, celle qui l'a abandonné en mourant. Il frappe de nouveau et elle oscille pour s'offrir au coup suivant, grognant comme s'il la baisait. Autre coup, autre cri, autant de plaisir que de douleur, cette fois. Elle a chaud, elle ne saurait dire si le liquide qu'elle sent sur sa peau meurtrie est de la sueur ou du sang. Elle se rend compte qu'elle s'en fiche. Elle ne l'aurait jamais cru : elle va jouir d'être battue, elle va avoir un orgasme sans même qu'il effleure son clitoris, il suffit qu'il continue, que le feu et la douleur persistent. Elle le lui dit, du moins elle essaie, et bien que les mots ne soient pas vraiment audibles, il semble avoir compris.

— Putain, lâche Durban. Ça doit faire mal...

Il est minuit passé et trop de flics sont entassés dans la fourgonnette garée devant l'immeuble de Christian. Il flotte dans le véhicule une odeur rance de corps et de plats tout préparés.

Le récepteur qui capte les signaux émis par le collier enfoui dans la poche de Christian est tourné à fond. Il y a des sifflements, parfois des interférences provenant d'un dispatcher de taxis, mais le bruit du cuir sur la chair est parfaitement net, tout comme les cris que Claire pousse en réponse.

Personne dans la fourgonnette ne dit mot. Frank tire de sa poche un mouchoir en papier et s'éponge le front.

Christian porte Claire au grand lit, prend dans sa bouche une gorgée de champagne. Il entoure un mamelon de ses lèvres, le tète doucement. Les bulles mordillent la chair sensible.

Gardant le liquide dans sa bouche, il se redresse, fait tomber quelques gouttes sur le ventre et les cuisses de Claire en descendant lentement vers le pauvre sexe endolori.

D'abord sa langue, que le champagne rend glissante. Puis, quand il la prend toute dans sa bouche, un picotement soudain, une sensation de brûlure quand les bulles se nichent dans tous les replis. Comme si les lèvres de son vagin étaient envahies par un millier de minuscules abeilles.

— Oh! mon Dieu! hoquette-t-elle, saisissant la tête de Christian. Mon Dieu!

Elle espère que l'appartement est bien insonorisé, ou que les voisins sont sortis.

33

Elle quitte l'appartement à l'aube, au moment où la ville s'éveille. La matinée est resplendissante. Des écureuils jouent à chat le long des troncs d'arbres, filent entre les pieds des sportifs matinaux.

Perdue dans ses pensées, Claire marche parmi les joggeurs, silhouette plus lente que le reste du monde.

Dans la fourgonnette, Frank enlève ses écouteurs et se frotte les yeux.

— Elle est sortie. Allons-y.

Accompagné de Leichtman, il se dirige vers la porte de l'immeuble, appuie sur le bouton.

— Qui est là ? demande la voix de Christian dans l'interphone.

— Durban.

La serrure bourdonne. L'inspecteur et la psychiatre montent à l'appartement où Christian, en peignoir de bain, sirote un café noir.

— Salut, Chris, lui dit Frank. Ça va ?

— Ça va, répond Vogler, l'air fatigué. Vous avez quelque chose ?

— Vous vous en êtes remarquablement tiré, au restaurant, le félicite Connie. En disant que vous étiez content que Stella soit morte.

L'appât hoche la tête, boit une autre gorgée de café.

Derrière lui, sur la table, une photo de Stella a remplacé celle de Claire.

QUATRIEME PARTIE

> *On rapporte qu'après sa dernière crise Baude-*
> *laire ne reconnaissait plus son reflet dans un*
> *miroir et s'inclinait poliment, comme devant*
> *un inconnu.*

Clark et Sykes,
Baudelaire

34

— Pour de nombreux acteurs, la partie la plus importante de l'enseignement de Stanislavski est ce qu'il appelait la « mémoire affective ». Il s'agit de remonter dans son propre passé, de se remémorer une émotion forte ou un événement marquant, et de les utiliser pour créer un personnage…

Paul s'interrompt comme pour laisser place aux questions mais personne n'en pose. Les élèves se tiennent en demi-cercle autour de lui et l'écoutent, concentrés.

— Maintenant, je veux que vous fermiez les yeux et que vous pensiez à un moment où vous avez éprouvé une émotion très forte. Attention, pas de manière abstraite. Je veux que vous vous rappeliez précisément ce que vous faisiez à ce moment-là et quels étaient vos gestes.

Il leur fait répéter l'exercice cinq ou six fois, jusqu'à être sûr qu'ils ont compris ce qu'il attend d'eux.

— OK. Maintenant, vous allez faire les gestes auxquels vous venez de penser. Leon, tu commences.

Leon, grand étudiant efflanqué originaire de Caroline, rougit un peu puis se met à courir frénétiquement à travers le plateau de répétition, comme s'il cherchait quelque chose. Au bout de plusieurs minutes, Paul l'arrête.

— Qu'est-ce que tu fais, Leon ?

— Je fais… euh, un jour que je devais aller à l'aéroport, je ne trouvais plus mes clefs de voiture. J'ai paniqué.

— Pourquoi tu as paniqué ?

— Parce que j'avais seulement deux minutes pour les retrouver, sinon je ratais l'avion.

— Qu'est-ce qui s'est passé, au bout des deux minutes ?

— Quoi ?

— Qu'est-ce qui s'est passé au bout des deux minutes ? Tu viens de les chercher devant nous pendant cinq minutes environ. Pourquoi tu ne t'es pas arrêté quand c'était trop tard ? Pourquoi tu n'as pas téléphoné pour avoir un taxi, ou demandé à un voisin de te conduire ?

Leon, dont le visage est monté d'un ton dans le rouge, bredouille :

— J'ai pensé…

— Nom de Dieu, tu n'écoutes pas un mot de ce que je dis ? explose soudain le metteur en scène. Ne pense pas, crétin. Joue.

— Je t'emmerde, lâche Leon.

— Quoi ?

— Tu fais chier, avec tes jeux à la con. C'est juste pour étaler ton pouvoir. Monsieur a ses chouchous, il leur répète sans arrêt qu'ils sont merveilleux. Comme elle, dit Leon en montrant Claire. Les autres, ils existent pas.

— Je te complimenterais également si tu mettais une once d'effort dans ce que tu fais, répond Paul, d'une voix parfaitement calme maintenant. Mais non. Pour toi, c'est un cours comme un autre. Quelques notes à grappiller pour obtenir ton diplôme. Et un bon boulot pépère.

— Un boulot meilleur que le tien, en tout cas, rétorque l'élève. Si t'es aussi génial, pourquoi tu n'es pas célèbre ? Comme on dit : ceux qui ne sont pas capables d'agir enseignent. Merde, je fous le camp d'ici.

Après le départ de Leon, Paul déclare :

— Bien. Une classe comme la nôtre ne doit pas s'encombrer de passagers. Elouise, tu nous montres ce que tu as préparé ?

Le cours reprend, pour des élèves un peu abasourdis. Paul est si calme que Claire se demande s'il n'a pas choisi Leon dans l'intention délibérée de le pousser à partir. Une sorte de sacrifice rituel, pense-t-elle, pour renforcer leur sentiment collectif d'identité en tant que groupe.

En quittant le local de répétition, elle découvre Durban appuyé contre le coffre d'une voiture banalisée.

— Salut, Frank, dit-elle d'un ton las.

— Salut, Claire, répond-il en ouvrant la portière arrière. Je vous dépose quelque part ?

— J'ai le choix ?

— On a toujours le choix.

L'air impatient avec lequel il tient la portière semble pourtant contredire son affirmation.

— Je sais, je sais, grommelle Claire en se glissant sur la banquette arrière. Désolée d'avoir enlevé le micro, hier soir.

— Ça appartient à la Ville, ce matériel de surveillance, grogne l'inspecteur. On a passé la soirée à démonter le restaurant pour le retrouver.

— Je suis désolée, je vous l'ai dit.

— Pourquoi vous avez fait ça, de toute façon ?

Il lui jette un coup d'œil dans le rétroviseur en s'engageant dans le flot de voitures.

Elle hausse les épaules.

— Parce que j'en avais marre de ne pas avoir de vie privée, je suppose.

— Vous nous laissez tomber, Claire ?

Du doigt, elle trace une marque sur la vitre latérale et reprend après un silence :

— Christian a fait une remarque curieuse, hier soir.

— Il n'arrête pas d'en faire, des remarques curieuses.

— Il a dit que je ne pouvais pas l'accompagner en Europe parce que les services de l'Immigration ne me laisseraient jamais rentrer.

— C'est juste. Vous ne pourriez plus revenir aux Etats-Unis.

— Comment il le savait?

— Comment il savait quoi?

— Que je n'ai pas de passeport américain. Je ne lui en ai jamais parlé.

— Vous l'avez forcément fait, avance Durban, ôtant une main du volant pour appuyer sa phrase d'un geste. Peut-être quand vous avez discuté de Raoul. Vous vous rappelez : Raoul, qui trouvait que vous preniez l'accent new-yorkais.

Claire secoue la tête, n'en démord pas :

— Je ne lui ai jamais dit que j'avais un passeport britannique.

— Alors, il est peut-être tombé dessus en fouinant dans votre appartement, ou il a simplement deviné…

— Peut-être, répond Claire, tournant les yeux vers la circulation. Comment se fait-il qu'on ne voie jamais de moto à New York?

35

— C'est sidérant, la façon dont il a amené ce Leon à perdre son sang-froid, dit-elle. Une touche ici, une autre là, une troisième entre les deux, et voilà. Comme quand on regarde quelqu'un pratiquer l'origami : on n'arrive pas à saisir comment ça peut être aussi simple.

Christian, allongé à côté d'elle, répond par un grognement sans lever la tête du manuscrit qu'il est en train de lire. Elle balance les jambes hors du lit et annonce :

— Je vais prendre une douche.

— Je te rejoins dans une minute, dit-il en tournant une page.

— C'est quoi, ce texte ? demande-t-elle de la salle de bains.

— Une nouvelle biographie de Baudelaire. On me demande un commentaire pour la jaquette.

Claire se penche vers le miroir de la salle de bains pour défaire ses boucles d'oreilles.

— Un coup de brosse…

— Un quoi ?

— Un coup de brosse à reluire. C'est comme ça qu'on dit dans l'édition. Ah merde !

Elle a laissé tomber une boucle. S'agenouillant, elle passe une main derrière le lavabo.

— Et c'est bon ?

— Moyen, répond Christian. Il y a quelques éléments nouveaux sur ses relations avec Poe. Mais dans l'ensemble…

Elle ne l'entend plus : sa voix a disparu, comme aspirée dans un long tunnel. Toute l'attention de Claire est soudain concentrée sur la chose qu'elle vient de découvrir derrière la colonne : un petit fil noir, à peine plus gros qu'un vermicelle, derrière la porcelaine. Elle le tâte. Comme un vermicelle, il est gluant au toucher. Elle glisse un ongle dessous, le décolle doucement.

Il descend jusqu'au bord de la moquette. Claire tire de nouveau ; le fil noir se détache de la bordure, comme une amarre se soulève du sable sur une plage. Elle lève le bras, tire, tire encore. Quand son bras est totalement ramené en arrière, elle a extirpé de leur cachette trois mètres environ de câble miniaturisé.

— … ne semble pas mesurer tout ce que les Décadents avaient d'original, est en train de dire Christian.

— Bien sûr…

Elle remonte dans l'autre sens. Le mince fil noir serpente derrière les robinets et passe dans un petit trou. Elle le suit jusqu'à l'endroit où il disparaît, derrière le miroir.

Un moment, elle contemple sa propre image sans vraiment y croire, puis elle décroche le miroir, le retourne. Nichée derrière, là où on a creusé une encoche peu profonde, il y a une petite puce.

— Merde, merde, meeeerde… débite Frank dans la camionnette.

L'image du visage de Claire oscille follement quand elle éloigne le miroir du mur. Le point de vue dégringole, passe par les genoux de la jeune femme et sombre dans l'obscurité.

Claire décolle la minuscule caméra, l'examine, puis entreprend d'enrouler le fil autour de ses doigts. Elle tire le long de la moquette, va jusqu'au coin de la cabine de douche. Derrière un placard, le fil pénètre dans une boîte de dérivation miniature, où un autre fil le rejoint. Claire suit maintenant à quatre pattes le double fil.

Christian continue à parler. Perdu dans son manuscrit, il ne la voit pas remonter la piste jusqu'à une alcôve où sont empilés des livres. Elle les écarte.

Derrière les manuels négligemment rangés, une dérivation plus grande est tapie comme une grosse araignée noire qui aurait pour pattes une dizaine de fils s'étirant vers les quatre coins de l'appartement.

— Merde ! répète Frank, avec plus de vigueur, cette fois. Trouve-moi Connie. Et préviens l'équipe de soutien. Dis-leur qu'on s'est…

Soudain, sur leurs moniteurs, toutes les images de l'appartement de Christian se transforment en neige.

Elle jette l'araignée sur le lit de Christian : un disque en plastique de la taille d'un biscuit traînant des fils derrière lui.

— Qu'est-ce que c'est ? l'interroge-t-elle d'un ton calme.

Elle le voit se raidir.

— Dis-le-moi, toi, répond-il en la regardant par-dessus ses lunettes. C'est la première fois que je vois ce truc.

Lentement, ironiquement, elle se met à applaudir.

— Bravo. On fera peut-être de toi un acteur.

— Navré, je ne te suis pas.

Il a maintenant l'air un peu effrayé, un peu mal à l'aise.

— Tu ne me suis pas, hein ? Tu ne comprends rien du tout, en quelque sorte ?

Claire sent qu'elle perd son sang-froid, que sa colère va exploser.

— Qu'est-ce qu'ils t'ont raconté, pauvre con ? Que je suis une sorte de psychopathe ? Que j'ai peut-être assassiné ta putain de femme ?

— Venez vite ! crie-t-il au plafond. Vite !

— Ils ne peuvent pas t'entendre, si tu veux mon avis…

Elle lance sur la couverture une autre poignée de fils et imite le ton d'un preneur de son :

— Tu nous fais ça un poil plus fort, Christian. On t'entend pas tout à fait nettement…

Il roule sur le côté pour s'éloigner d'elle, garder le lit entre eux.

— Tu ne comprends pas ? reprend-elle de sa voix normale. Ils pensent que c'est forcément l'un de nous deux. Ils n'arrivent pas à savoir lequel. Alors ils nous ont enfermés ensemble, comme deux rats dans une cage, et ils attendent pour savoir lequel va bouffer l'autre.

Claire entend l'ascenseur, elle sait que les flics seront bientôt là. Le couloir retentit déjà de cris, de claquements de portes.

— Tu es vraiment nul, murmure-t-elle, incrédule. Au moins, moi je leur ai dit que j'étais sûre que ce n'était pas toi…

Elle se jette soudain sur lui, se met à lui marteler la poitrine des deux poings.

— Je leur ai dit ça, putain !

La sonnette de l'entrée se met à bourdonner, ne s'arrête plus.

— Vite ! beugle Christian, parant les coups. Par ici !

La porte émet un bruit sourd quand les flics, dans le couloir, y appliquent leur bélier hydraulique. Claire s'écarte de Christian, se laisse tomber sur le lit.

— Vas-y, dit-elle à voix basse. Fais-les entrer, ces salauds.

TRANSCRIPTION N° CR2449H
(Durban, Rodenburg, Vogler, autres personnes)

Bruits intérieurs/extérieurs. Certains non identifiables. Coups réguliers du bélier hydraulique. Ouverture de la porte.

Voix 2 (Vogler) : *Entrez, bon Dieu !*

Voix 3 (Durban) : *Vous n'avez rien ?*

Voix 1 (Rodenburg) : *Laissez-moi passer.*

Voix (non id.) : *Attendez…*

Voix 2 : *Laissez-la.*

(Silence sur la bande.)

Voix 3 : *Qu'est-ce qu'elle vous a dit ?*

(Silence)

Voix 2 (indistincte) : *Rien.*

Fin de l'enregistrement.

36

La première chose qu'elle remarque le lendemain matin, en s'éveillant dans son propre lit, c'est qu'il manque une forme chaude et familière.

Auguste, le chat, avait pris l'habitude de se glisser sous la couverture la nuit et de se lover contre le dos de Claire avant de s'endormir. Ce matin, elle ne voit pas trace de l'animal.

— Lui aussi il m'en veut, maugrée-t-elle en se levant.

Pour gagner la salle de bains, elle doit enjamber des tas de décombres un peu partout sur le sol.

Hier soir en rentrant, elle a légèrement disjoncté. Le poste de télévision est couché sur le flanc ; le sofa suédois a perdu deux de ses pieds ; des tiroirs ont été jetés contre les murs. Constatant les dégâts, Claire ajoute :

— Peux pas vraiment le lui reprocher.

Avant de prendre sa douche, elle baisse le store de la salle de bains et éteint la lumière.

Ce jour-là, pendant l'exercice de mémoire affective, Paul interrompt les autres élèves pour les faire regarder Claire. Quand elle a terminé, il lui demande :

— Qu'est-ce que c'était ? De la colère ?

Elle acquiesce.

— Et les gestes ?

— Je frappais quelqu'un. Ça m'a vraiment fait du bien.

Au bout d'un moment, le metteur en scène suggère :

— Rentre chez toi, Claire. Rentre et repose-toi.

Elle marche sur le trottoir, s'arrête brusquement à plusieurs reprises pour voir si on la suit. Ils sont bons, ces flics, ils sortent de son champ de vision un fragment de seconde avant qu'elle se retourne.

— Je sais que vous êtes là, murmure-t-elle.

Elle se tourne vers une vitrine, nonchalamment, comme pour regarder l'étalage, observe les reflets des passants.

Rien.

Elle pénètre dans le magasin, s'approche d'une pile de CD, en prend un. L'étui en plastique est assez lisse pour lui servir de miroir et elle l'incline vers la porte.

Au bout d'un moment, un homme entre. Imperméable, pantalon écossais. Elle sait qu'elle l'a déjà vu quelque part. Elle se baisse comme pour renouer les lacets de ses baskets, et le mouvement fait surgir un éclair de mémoire. La fois où elle a rencontré Victor au cybercafé. Un type en imper qui les épiait. « Ce serait plus convaincant si vous allumiez l'ordinateur, inspecteur… »

Elle se glisse derrière lui. Le magasin est plein d'adolescents qui s'agglutinent autour des bornes d'écoute, bloquent les allées, et Claire doit presser le pas pour ne pas perdre de vue l'imperméable marron. Quand il s'arrête pour inspecter la salle, elle fonce droit sur lui.

— Pourquoi vous me foutez pas la paix ? fulmine-t-elle, assez fort pour que d'autres clients l'entendent.

Des têtes se tournent dans leur direction. Le flic fait soudain demi-tour et gagne la sortie. Elle le suit. Ils avancent parallèlement, séparés par un présentoir de disques. Il se met à courir, elle fait de même.

— Vous vous trompez de personne ! lui crie-t-elle.

Tout le monde les regarde, maintenant. La sortie est au fond, il la franchit juste avant Claire, qui sort elle aussi.

— Viens ici, enfoiré ! piaille-t-elle.

Des bips aigus retentissent derrière elle, un système

d'alarme quelconque. Une grosse main noire se referme sur le poignet de Claire.

Le vigile du magasin. Il montre le CD qu'elle tient encore, celui qui lui a servi de miroir, et grogne :

— Y a pas de caisses sur le trottoir, m'dame. Retournez à l'intérieur.

Claire tente de se tirer d'affaire au boniment : pas mèche. Le vigile montre une pancarte accrochée au mur qui ne laisse planer aucun doute :

NOUS ENGAGEONS
TOUJOURS DES POURSUITES

— Tolérance zéro, dit-il avec un haussement d'épaules. Ils nous ont piqué l'idée.

Elle essaie le ton flirteur, les supplications, les larmes. Rien ne marche. A sa surprise, une fois qu'elle a commencé à pleurer, elle a du mal à s'arrêter.

La police alertée finit par faire son apparition en la personne d'une femme flic si éléphantesque que la comédienne se demande comment elle arrive à monter dans une voiture de ronde. Elle se nomme Ryder, elle écoute d'un air grave et attentif les explications de Claire.

— Cet inspecteur qui vous filait, vous connaissez son nom ? demande-t-elle à la fin du récit.

— Non.

— Comment vous savez qu'il est flic ?

— C'est une longue histoire.

— Ouais ?

Claire soupire, se lance :

— Je participais à une... euh, une opération de surveillance. J'aidais la police.

— Alors, pourquoi elle vous suit ?

— Pour l'amour du Ciel, fait-elle, exaspérée. Ce n'est qu'un CD à douze dollars.

221

Le visage de Ryder demeure impassible.

— Pourquoi il vous filait, l'inspecteur ?

Claire se sent épuisée. Elle veut seulement rentrer chez elle, dormir, oublier toute cette histoire.

— Ecoutez, ils croient que j'ai tué quelqu'un.

— Tué qui ?

— Appelez Frank Durban, à la Criminelle, il vous expliquera.

— L'inspecteur Durban ?

— C'est ça.

— Attendez ici.

Ryder confie Claire au vigile, se met en quête d'un téléphone et d'une autorité supérieure.

Claire attend. Le CD est encore sur la table, devant elle. Un groupe dont elle n'a jamais entendu parler.

— Vous avez de la chance, annonce la fliquesse quand elle revient enfin. C'est plutôt limite. Le patron de Charlie est d'accord pour laisser tomber, finalement.

Claire balbutie des remerciements mais Ryder la coupe :

— Vous payez le disque et je vous ramène là où vous dites que vous créchez…

La policière insiste pour monter.

— Bel appart', apprécie-t-elle en inspectant les lieux. C'est grand, pour Manhattan. Combien c'est, le loyer ?

Claire hausse les épaules.

— Aucune idée. Ce n'est pas moi qui paie.

Ryder examine d'un air perplexe les débris éparpillés dans le séjour.

— C'est qui, le proprio ?

— Vous, je suppose.

— La Ville, vous voulez dire ?

— La police. L'appartement appartient à la police.

— Ah ouais ? fait Ryder. Je cherche quelque chose

dans le coin, justement. Ça me coûterait dans les combien ?

— Mon installation ici faisait partie de l'opération, explique Claire d'une voix morne.

— Vous vous prostituez, Claire ? Pas de problème, vous savez, vous pouvez me le dire.

— Mais non. Ecoutez, vous avez appelé Durban ?

— Il était pas là.

— Ah.

— Parlez-moi de cette opération, suggère Ryder.

Claire prend une longue inspiration.

— Je sais que ça paraît insensé, mais cet appartement — je ne vis pas vraiment ici — est truffé de micros, de fils, de caméras pour circuit fermé. Des caméras minuscules qu'on voit à peine à l'œil nu…

Ryder l'interrompt :

— Vous m'excusez une seconde, Claire ?

Ryder va dans un coin, chuchote dans sa radio en gardant les yeux sur la comédienne. Puis elle écoute, revient près de Claire dès la fin de sa conversation.

— J'ai demandé à un collègue de venir. Y a quelques trucs que je voudrais regarder de plus près.

L'autre flic s'appelle Murphy. Il est plus jeune et en meilleure forme physique que Ryder.

— Je vois que ça vous étonne mais j'ai participé à une opération de surveillance, répète Claire. Cet appartement est plein de caméras. Vos collègues observent tout depuis l'appartement du dessous.

— Qu'est-ce qu'ils observent, au juste ?

— Moi et Christian Vogler.

— Vous voulez parler d'activités… intimes ?

— Sexuelles. Dites-le, bon Dieu. De relations sexuelles. Durban m'a demandé de coucher avec Christian Vogler.

— Vous prenez des médicaments, Claire ? s'enquiert

223

Murphy d'un ton précautionneux. Prozac, lithium, insuline, quelque chose de ce genre ?

— Non. Pourquoi vous n'appelez pas plutôt Frank Durban ? s'impatiente-t-elle.

— Je l'ai fait. L'inspecteur Durban est en congé. Depuis plusieurs semaines.

Claire éprouve de nouveau une sensation de vertige, comme si elle se trouvait dans un ascenseur dont quelqu'un aurait pressé à son insu le bouton du dernier étage.

— Vous avez un médecin traitant, Claire ? Un thérapeute, quelque chose comme ça ?

— Je peux prouver ce que je dis. Je sais que ça paraît délirant, mais je peux le prouver. Laissez-moi vous montrer l'appartement du dessous, celui où Durban était installé.

— D'accord, consent Murphy. On y va tout de suite.

Elle les conduit à l'étage inférieur par l'escalier de service et déclare :

— Voilà, nous y sommes.

— Vous êtes sûre ?

— Absolument.

Murphy passe devant elle, frappe à la porte. Ils entendent un bruit de pas.

— Ça va être drôle, prédit Claire.

La porte s'ouvre sur une toute petite Coréenne.

— Oui ?

— Police, madame, annonce Murphy, insigne à l'appui. C'est votre appartement ?

La femme hoche la tête, répond dans un anglais haché :

— Appartement de la compagnie de mon mari. Compagnie Terlo.

— Vous vivez ici depuis quand ?

Comme elle a l'air déroutée, il répète :

— Depuis quand ?

Elle comprend, hoche de nouveau la tête.

— Trois ans.

— Attendez, c'est impossible, intervient Claire. Demandez-lui s'ils ont été absents pendant quelques semaines, son mari et elle.

— Si on retournait là-haut voir toutes ces caméras cachées dans votre appartement ? suggère le policier.

Ils remontent en silence. Claire décolle un coin du papier mural et l'arrache, dans l'espoir de découvrir des fils.

Rien.

Elle essaie de se rappeler où se trouvait la caméra qui a filmé Christian en train de farfouiller dans son linge sale.

— La chambre ! s'exclame-t-elle. Il y a une caméra dans la chambre !

Elle entend Ryder soupirer.

— Elle devrait être là, suppute Claire, tirant une chaise à elle. A côté du plafonnier.

Mais elle n'y est pas. Tout le monde se tait.

— Bon, je sais comment faire, dit la comédienne. Il y a un immeuble, dans le Queens, où les agents du FBI ont leurs bureaux.

— Le FBI, hein ?

Elle remarque le regard que Ryder coule à son collègue, et qui signifie manifestement : « On est vraiment obligés de se taper tout ça ? »

— Très bien. En route pour le Queens, décide Murphy, imperturbable.

Elle sait, avant même qu'ils arrivent là-bas, ce qu'ils vont trouver.

Le long bâtiment bas est vide, les portes fermées à

225

clef. Le panneau d'une agence immobilière couvre l'une des fenêtres.

Par une vitre poussiéreuse, Ryder regarde à l'intérieur d'un bureau sombre et hausse les épaules.

— Ça fait un bail qu'il a pas servi.

— Il y a une salle de réunion au sous-sol, dit Claire d'un ton désespéré. Ils ont des téléphones, un accès à Internet. Ils consommaient de l'électricité, bon Dieu, ça doit se voir sur les relevés…

Elle fond en larmes.

— Excusez-moi. Ça va aller.

Mais ça ne va pas. Pour une raison ou une autre, elle n'arrive pas à cesser de pleurer. Murphy referme son calepin, tire de sa poche un téléphone portable.

— Je vous prends un rendez-vous avec un médecin, dit-il d'une voix douce. Je pense que c'est la meilleure chose à faire, vous ne croyez pas ?

37

A l'enterrement de Rachel, la jeune femme morte dans l'accident de voiture, les Hopkins et leur employé sont invités à se joindre à la famille pour prendre une tasse de thé chez les parents. Après avoir poliment accepté un soda, Glenn Furnish sort attendre devant le fourgon. Il ouvre le livre qu'il a emporté, se met à lire tranquillement au soleil.

— Glenn.

Il lève la tête : Alicia Hopkins est sortie elle aussi et marche dans sa direction. Comme lui, elle est vêtue de noir, mais elle a atténué la sévérité de sa tenue funéraire par un cardigan bleu clair.

— Qu'est-ce que tu lis ?

Elle s'approche, s'appuie, comme lui, au capot tiède du fourgon. Leurs épaules s'effleurent et il a soudain l'impression qu'elle se tient un peu plus près que nécessaire pour jeter un coup d'œil au livre.

— C'est de la poésie?

Il lui montre la couverture.

— «Œuvres complètes… Charles Baudelaire», lit-elle à voix haute. Je ne connais rien de lui. Au lycée, mon poète préféré était Frost.

Glenn se force à sourire.

— Rien à voir avec les poèmes de Baudelaire.

— Tu m'en lis un?

— Eh bien, euh… certains ne sont pas tout à fait de circonstance.

— Je ne serai pas choquée, répond Alicia, dont le regard s'éclaire un instant d'une lueur malicieuse. Tu ne dois pas juger toute la famille d'après ce que tu connais de Papa, tu sais.

— Je peux essayer d'en trouver un qui convienne à la situation, propose-t-il en feuilletant les pages. Voyons, peut-être…

— Il a écrit des poèmes d'amour? le coupe-t-elle. J'aime bien entendre des poèmes d'amour.

Il réfléchit, tourne les pages dans l'autre sens.

— Il y a celui-ci. Il s'intitule «Recueillement»…

Il s'éclaircit la voix, lit à voix haute:

— «Sois sage, ô ma Douleur et tiens-toi plus tranquille./Tu réclamais le Soir; il descend; le voici:/Une atmosphère obscure enveloppe la ville/Aux uns portant la paix, aux autres le souci.

«Pendant que des mortels la multitude vile,/Sous le fouet du Plaisir, ce bourreau sans merci,/Va cueillir des remords dans la fête servile,/Ma Douleur, donne-moi la main; viens par ici,

«Loin d'eux. Vois se pencher les défuntes Années,

/Sur les balcons du ciel, en robes surannées ;/Surgir du fond des eaux le Regret souriant ;

« Le Soleil moribond s'endormir sous une arche,/Et, comme un long linceul traînant à l'Orient,/Entends, ma chère, entends, la douce Nuit qui marche. »

— Ça me plaît, dit-elle quand il a terminé. C'est plutôt bizarre, mais ça me plaît.

Il hoche la tête, s'autorise un sourire prudent.

— Il est plutôt génial, Baudelaire.

— Glenn, ça t'arrive que des gens réagissent à ce que tu fais ?

— Qu'est-ce que tu veux dire ?

— Par exemple, quand je suis dans une soirée, il y a toujours quelqu'un pour dire : « Hé, tout le monde, je vous présente Alicia, elle est croque-mort ! » Alors qu'on n'entend jamais : « Voilà Phil, il est vendeur », ou mécanicien, ou je ne sais quoi.

— Les gens rient de ce qui touche à la mort parce qu'elle les effraie.

— C'est tout à fait vrai, approuve-t-elle. C'est peut-être pour ça que je me sens plus à l'aise avec d'autres croque-morts. Comme dans ton poème : « Donne-moi la main, viens par ici… » Comment déjà ?

Il lit de nouveau :

— « Pendant que des mortels la multitude vile,/Sous le fouet du Plaisir, ce bourreau sans merci,/Va cueillir des remords dans la fête servile,/Ma Douleur, donne-moi la main ; viens par ici… »

— Le fouet du plaisir, ça fait drôlement penser à la Beat Box un samedi soir, commente Alicia. Ça manque pas, la multitude vile, là-dedans.

Comme il ne répond pas, elle ajoute :

— On devrait peut-être y aller un de ces soirs.

— Peut-être, dit-il.

Au bout d'un moment, il reprend le livre, feuillette à nouveau les pages.

— C'est un dessin ? demande-t-elle tout à coup.
— Quoi ?
— Là. Reviens en arrière...

Alicia tourne quelques pages et, ce faisant, effleure de sa main celle de Glenn.

— C'est de toi ? Qu'est-ce que c'est ?
— Juste un dessin, répond-il. Une étude sur... sur l'un des poèmes.
— Il est bien, le complimente-t-elle. Je le savais, que tu étais un artiste.

Elle penche la tête sur le côté pour considérer le croquis, un fragment de nu, de corps féminin étendu sur un lit.

— Tu as suivi des cours ? glousse-t-elle. Question idiote. Tu n'as pas besoin de ça. Tu es comme Léonard de Vinci, non ?
— Pourquoi comme Vinci ?
— Parce qu'il a appris l'anatomie avec des cadavres, bien sûr, répond Alicia.

Sur ce, elle lui sourit et repart vers la maison d'un pas nonchalant.

38

Le psychiatre auquel le médecin de la police l'a adressée est un nommé Bannerman. Il est jeune, légèrement enrobé, avec la peau maladive des surmenés chroniques. Il passe un long moment à vérifier les réflexes de Claire, à lui braquer une lampe dans les yeux. A son étonnement et à sa honte, elle est prise de tremblements incontrôlables.

— A votre connaissance, souffrez-vous d'un stress physique ou d'un traumatisme ? l'interroge-t-il.

— Je vous l'ai dit. J'ai participé à une opération secrète.

— Pas d'accident de voiture ? Pas d'agression ?

Il examine de nouveau ses yeux à la lumière de la petite torche électrique.

— Rien de tout ça, répond-elle dans un claquement de dents.

— Aviez-vous déjà eu des troubles psychiques dus à un traumatisme ?

— Jamais. Comment ça, « Aviez-vous déjà eu » ?

— Des maladies nerveuses ? Epilepsie ? Crises d'hypoglycémie ? Etats psychotiques ?

— J'ai trucidé un docteur, un jour.

La lumière s'éteint.

— Humour, précise Claire.

Le Dr Bannerman ne sourit pas.

— Tentatives d'automutilation ou de suicide ?

Elle regarde ses poignets.

— Pas récemment.

— Avez-vous pris des substances illégales ou des médicaments non prescrits ces douze derniers mois ?

— De l'ecsta, à l'occasion.

Il griffonne une note sur son carnet.

— Ecoutez, dit Claire, quelqu'un a tué une nommée Stella Vogler. Les flics m'ont monté un bateau pour me faire passer devant une psy, et elle m'a soumise à tous ces tests. Je pense que je n'ai pas réussi à me disculper, parce qu'ils m'ont de nouveau piégée en me faisant signer tout un tas de formulaires les autorisant à me filmer et à utiliser ces films comme preuve. Ils m'ont fait quitter mon appartement, ils m'ont suivie jour et nuit avec des caméras...

Elle s'interrompt, consciente de devenir trop agitée.

— Quels tests ?

— Pardon ?

— Vous avez parlé de tests. Qu'est-ce que c'était ?

Claire essaie de se rappeler.

— Nous avons simplement parlé. De mes parents, surtout, et de mon boulot.

— Test de mémoire de Weschler ? Test de personnalité multiphasique du Minnesota ? Tests de Benton, de raisonnement visuel ? EEG ?

— Elle a suggéré l'hypnose. J'ai refusé.

Bannerman prend de nouveau note.

— Vous me croyez ?

— Bien sûr, répond-il.

— Vraiment ? s'étonne-t-elle. Dieu merci. Vous savez, un moment, ça paraissait complètement dingue, même pour moi.

Continuant à écrire, le psychiatre reprend :

— J'ai eu un patient qui croyait avoir un arbre qui poussait en lui. Il s'imaginait qu'il avait avalé des pépins de pomme, qui avaient germé dans son estomac. Il souffrait de crampes très douloureuses. Une fois que nous lui avons administré un médicament pour calmer ses douleurs, il a cessé de se faire du souci pour son pommier. Il s'est persuadé que l'arbre était mort et qu'il l'avait rejeté avec ses excréments.

— Mais il était toujours fou, non ? fait observer Claire, qui n'est pas sûre de comprendre le sens de l'anecdote.

— L'était-il ? repartit Bannerman, qui prend une dernière note et range son stylo dans sa poche de poitrine. Nous habitons tous notre propre réalité. Comme... (il regarde autour de lui, ses yeux tombent sur son ordinateur) comme un réseau informatique. Les ordinateurs d'un réseau utilisent des logiciels différents. Il y a parfois de petits ennuis, des problèmes de compatibilité, si vous voulez. Il faut y remédier par une aide technique. Vous voyez ce que je veux dire ?

— Pas vraiment.

Bannerman jette un coup d'œil à sa montre.

— Disons que votre système présente certains déséquilibres chimiques qu'il convient de réduire. On pourra ensuite vous relancer et vous marcherez de nouveau parfaitement.

— Comment ça, « réduire » ?

— Je vous fais hospitaliser pour quelques jours. De manière à nous assurer que le régime que nous proposerons soit le meilleur possible. Il faut quelquefois un peu de temps pour que les choses se clarifient.

39

Greenridge Hospital. Un établissement psychiatrique situé à une trentaine de kilomètres au nord. Pendant l'année qu'elle a passée à New York, Claire ne s'est trouvée hors de Manhattan que deux fois : quand elle est allée à la campagne avec Christian, et quand elle est venue de l'aéroport JFK. Rien dans son expérience de l'Amérique ne l'a préparée aux conditions de vie sordides de ses hôpitaux.

Le pavillon où elle a été admise est équipé de serrures à combinaisons électroniques. En principe, elles protègent Claire et les autres patients pendant qu'on évalue le risque qu'ils présentent pour les autres et pour eux-mêmes. En fait, ils sont prisonniers. Un homme, un énorme Noir que les infirmiers appellent Gros-Naze, est attaché à son lit par des menottes vingt heures sur vingt-quatre pour une raison que Claire ne découvrira jamais. Les autres patients se déplacent, d'une certaine façon, traînant les pieds dans les couloirs cirés comme s'ils avaient les jambes entravées par des fers invisibles, marmonnant dans un patois urbain qu'elle ne comprend pas.

Il fait terriblement chaud dans le pavillon et aucune des fenêtres n'est ouverte. Un grand nombre de patients masculins ont le torse nu, et même les membres du personnel médical ne portent rien sous leur mince blouse bleue. La nuit, les hommes et les femmes ne sont séparés que par un couloir. Le premier soir, Claire entend les cris d'une fille assaillie dans son lit, à l'autre bout de la salle. Les infirmiers maîtrisent son agresseur, mais deux heures plus tard il s'en prend de nouveau à elle.

Le Dr Bannerman vient à Greenridge deux fois par semaine pour ce qu'il appelle ses visites. Elles se résument à de brefs monologues qu'il débite tout en mettant ses notes à jour, suivis d'un mutisme absolu pendant qu'il rédige une nouvelle liasse d'ordonnances. Claire commet l'erreur de lui confier que sa peur des autres patients trouble son sommeil, si bien qu'en plus des autres médicaments il lui prescrit des somnifères, de petites gélules qui la laissent abrutie la moitié de la journée suivante. Elle est en cours de « stabilisation », quoi que cela puisse signifier, avec ce que le psychiatre appelle des « phases d'attaque » au Pimozide, à la Provérine et à l'Iclymitol, molécules dont il assure qu'elles n'ont pas d'effet secondaire mais qui, elle en est convaincue, émoussent ses capacités de réflexion en enduisant ses synapses, autrefois rapides et vives, d'un épais sirop tout gluant de médications. Ils provoquent aussi en elle une faim constante. Claire passe toute la journée dans la salle de télévision, attendant comme un oisillon léthargique et boursouflé l'arrivée d'un infirmier poussant un chariot de nourriture d'hôpital bourrative.

Il semble paradoxal que Bannerman soit obsédé par le recours aux médicaments puisque c'est manifestement l'abus de drogues qui a grillé les circuits de la plupart de ses patients. Ils comparent leurs ordonnances avec la sûreté de jugement d'un gourmet — « T'as de la méthadone ? Putain, la chance ! Moi, il m'a seulement filé deux saloperies de Tuey et un peu de Deth » — et racontent à qui veut bien les entendre l'expérience de réalité supérieure que leur ont procurée le LSD, la poudre d'ange ou le crack.

40

Glenn Furnish finit de charger l'autoclave, enlève sa blouse et ses gants en nitrile, les laisse tomber dans la poubelle de la salle de préparation.

— Bonsoir, Harold, dit-il poliment en passant la tête dans le bureau voisin. J'ai terminé. A moins que vous ne vouliez que je vous donne un coup de main pour ces permis d'inhumer ?

De la main, Hopkins décline l'offre.

— Non, non, tu peux y aller. Toi aussi, Alicia, ajoute-t-il à l'intention de sa fille. Vous les jeunes, vous avez sûrement autre chose à faire.

Bien qu'il ne soit pas particulièrement observateur, il a remarqué qu'Alicia semble s'intéresser à son employé. S'ils quittent le travail ensemble, Glenn lui proposera peut-être de sortir avec lui.

— Je n'ai rien de prévu ce soir, répond la jeune fille négligemment.

Si elle aussi espère que Glenn lui suggérera de faire quelque chose ensemble, elle n'est pas dans un jour de chance.

Le pavillon de Claire, Faraday, dispose d'un bureau administratif équipé d'un ordinateur. Pendant que l'intendante est en train de dîner, Claire se glisse à l'intérieur, jette un œil. Comme elle l'espérait, le PC est

234

connecté au Net. Elle appelle un moteur de recherche, tape le nom du Dr Constance Leichtman, obtient plus d'une douzaine de réponses.

Claire s'attendait à des liens menant à des obsédés sexuels ou à des meurtriers en série, mais tout ce qu'elle a pour le moment, autant qu'elle puisse en juger, c'est une série d'articles sur l'anthropologie sociale et les structures familiales chez les gorilles. Il y a peut-être deux Dr Leichtman.

Elle passe à un site sur Baudelaire, charge une traduction des *Fleurs du mal*.

«J'ai plus de souvenirs que si j'avais mille ans…»

Elle est sûre que la clef est là, quelque part, dans les poèmes.

En rentrant chez lui, Glenn s'arrête au supermarché. C'est la fin de la journée et le personnel est occupé à réassortir les rayons, à remettre les denrées périssables dans les chambres froides. Il s'approche de la poissonnerie, demande à voir de plus près une des pièces en exposition. Sans dire un mot, l'employée se gante la main d'un sac en plastique, prend le poisson et le montre au client. L'œil est trouble, recouvert d'une substance laiteuse. Glenn le renifle puis exprime son accord d'un hochement de tête. Il met le poisson dans son panier, se dirige vers le rayon fruits. Une vendeuse, jeune blonde attirante penchée au-dessus de l'étal, enlève les fruits trop mûrs. Glenn remarque avec plaisir que des mèches de ses cheveux se sont échappées du calot hygiénique réglementaire. Deux ou trois boucles effleurent le long cou de la fille et le col de l'uniforme du magasin.

— Excusez-moi… fait-il avec douceur.

La fille se redresse. Oui, elle est aussi jolie qu'il l'avait imaginé. Un fin duvet blond ombre sa lèvre supérieure, comme ces poils qui recouvrent la moisissure d'une conserve avariée.

— J'peux vous aider ?

Il montre l'étal de pommes dans lequel elle farfouillait.

— J'en voudrais quelques-unes.

— Oh ! elles sont plus bonnes, prévient la fille.

— Vraiment ?

— Ouais. Il devait y en avoir une pourrie dans le tas. On va devoir tout jeter.

— Ne faites pas ça, murmure Glenn.

Il prend un sac en plastique au distributeur, entreprend de le remplir. Les pommes sont grêlées de taches couleur de gingembre. Çà et là, la peau a éclaté et s'est couverte d'une croûte grise.

— Je les aime bien mûres, argue-t-il. Question de goût. Comme les toasts trop grillés.

Au badge qu'elle porte, il voit qu'elle s'appelle Marianne, et il s'enquiert :

— Vous finissez à quelle heure, Marianne ?

Elle semble déconcertée par ce brusque changement de tactique, puis répond, méfiante :

— Je, euh, je finis tard.

— Peut-être une autre fois, alors, dit Glenn.

Il tend le bras vers l'étal des raisins, prend quelques grains trop mûrs qui se sont détachés, les fourre tous ensemble dans sa bouche, comme une poignée de cacahuètes.

Marianne ne dit rien. Il s'éloigne en faisant claquer son panier contre le bord du comptoir.

En retournant dans son bureau, l'intendante, Sheryl, trouve Claire endormie devant l'écran de l'ordinateur. Des imprimés tombés de sa main jonchent le sol. Sheryl les ramasse, plisse le front.

— Vous ne devriez pas faire ça, Claire, la gronde-t-elle doucement.

Claire se réveille en sursaut.

— Quoi ?

— Cet appareil n'est pas à la disposition des patients. Et ces textes ne vous valent peut-être rien de bon, dans votre état. Je vais être obligée de les montrer au docteur, pour qu'il soit au courant de ce que vous faites.

Sans savoir pourquoi, Claire se remet à pleurer.

Une heure après lui avoir parlé, Glenn voit Marianne sortir par la porte du personnel et se diriger vers une petite voiture japonaise garée dans le parking, derrière le magasin. Il la regarde ouvrir la portière — avec une clef, note-t-il, pas de système d'alarme télécommandé —, mettre sa ceinture avant de démarrer.

Il la suit jusque chez elle, une petite construction d'avant-guerre en préfabriqué dans une cité délabrée sise à cinq minutes du supermarché. Il y a des petits vélos et un trotte-bébé dans la cour. Marianne doit être plus âgée qu'elle ne le paraît, ou peut-être a-t-elle commencé très jeune à avoir des enfants.

Il est tenté de trouver un poste d'observation et d'attendre, mais il n'a pas vraiment le temps. Il décide de remettre ça à une autre fois.

— Il faut oublier tout cela, est en train de dire Bannerman, l'air mal à l'aise.

Il tient à la main les poèmes que Claire a téléchargés sur Internet.

— Ce n'est pas une lecture… euh, appropriée, pour quelqu'un dans votre état, continue-t-il.

— C'est quoi, mon état ? murmure-t-elle.

— Comment vous réagissez à la Provérine ? demande le psychiatre, ignorant la question.

Claire regarde par la fenêtre.

— Bien.

Pour la première fois, dans cette séance d'après-midi, le médecin manifeste un enthousiasme sincère :

— A la bonne heure ! Comme je le soupçonnais, il devait y avoir une abréaction entre le Pimozide et l'Iclymitol, qui provoquait ces nausées. Excellente évolution.

41

Glenn débouche une bouteille de vin, en hume délicatement l'arôme et mange la première pomme, écrasant la chair molle pourrie entre langue et palais. Elle a un vague goût de cerise. Le fruit se décompose dans ses mains tandis qu'il le finit, et il doit se lécher les doigts et les rincer avant de s'asseoir devant son ordinateur. Pendant qu'il attend que son modem se connecte, il fredonne d'une voix monotone et se lèche de nouveau les doigts.

Bienvenue à Necropolis
Vous êtes sur un site du Web exclusivement réservé aux adultes...

Avant même que l'appareil ait fini de charger la page, il a tapé son mot de passe et pressé la touche *Entrée*. Le menu commence à s'afficher. De nouveau, il clique sur le lien souhaité avant même que la page soit totalement visible.

Un autre écran montre maintenant une liste apparemment innocente de sites portant sur des thèmes apparentés. Il positionne la flèche de la souris dans le quadrant inférieur droit, la fait tourner jusqu'à ce qu'elle se transforme en une main indiquant qu'il a trouvé un lien caché. Il clique.

Tu es dans un bosquet de peupliers qui t'entourent de toutes parts, sauf au nord.

Impatiemment, il tape *Charon*.

Reconnaissant en toi un habitant de ces lieux,
Cerbère te laisse passer.
Tu as trois nouveaux messages.

Glenn déroule la liste des messages. Ils proviennent tous de ses clients, comme il se plaît à les appeler. L'un le remercie pour sa dernière livraison et l'informe que le paiement sera effectué par transfert sur un compte en banque d'Internet, un autre fait quelques observations sur le grain, un troisième annonce simplement :

La Vénus n'est pas accessible pour le moment. Tu as laissé passer l'occasion. Pourrais-tu agir plus vite la prochaine fois, Charon ? Je te joindrai dès que j'aurai des nouvelles.
Amitiés,
Hélios

Glenn efface les messages, se déconnecte, efface ensuite de son ordinateur toute trace des sites qu'il vient de visiter. Puis il reprend son exemplaire corné des *Fleurs du mal*, l'ouvre à une page si souvent consultée qu'elle se détache presque de la reliure : la préface de Vogler. Il lit tout haut :
— «La tâche du traducteur consiste non seulement à transcrire d'une langue dans une autre mais à *trans-figurer*, à libérer les sombres captifs des donjons lointains et humides de l'histoire, et à les voir émerger,

nouveau-nés clignant des yeux, dans l'air glacial et inhospitalier du présent. Traduire, c'est se faire l'accoucheur d'une nouvelle naissance sanglante mais triomphante. »

Le passage a été souligné deux fois, au crayon. En marge, avec le même crayon, Glenn Furnish a noté une définition du dictionnaire : *transfigurer : v. tr. 1) transformer la forme ou l'aspect ; 2) élever ou embellir, faire passer de la chair à l'esprit.*

Il referme le livre et prend avec précaution une autre pomme. Plus pourrie que la première, elle laisse couler son jus le long des doigts de Glenn quand il la porte lentement à sa bouche. La peau, qui se déchire déjà comme un sac en papier mouillé, est si molle qu'il lui suffit d'aspirer pour que la bouillie aigre-douce franchisse sa gorge. Quand il a terminé, il se nettoie les doigts avec la langue puis tend la main vers son carnet de croquis.

42

Assis dans la salle de télévision, Gros-Naze lit une bande dessinée. Depuis quelques jours, on lui a enlevé ses entraves mais il est manifestement sous l'emprise d'une camisole chimique plus puissante encore que celle de Claire. Il a cependant une attitude amicale, et elle présume que si on le laisse maintenant circuler à sa guise, c'est qu'il n'est pas plus dangereux que n'importe quel autre patient.

Dans la caisse de livres cornés et déchirés posée au fond de la pièce, elle cherche quelque chose que son esprit englué parviendrait à lire. La caisse contient essentiellement des éditions bon marché, westerns et kung-fu principalement, ainsi que quelques vieux best-sellers, probablement un don des infirmières.

Gros-Naze relève la tête.

— Hé, Claire, t'as trouvé quoi ?

Elle regarde la couverture sans enthousiasme.

— *La Rage du désir*. Et toi ?

— *Le Juge Dredd*.

— On échange ? propose-t-elle.

— Je lis pas si y a pas d'images, prévient Gros-Naze d'un ton méprisant.

Claire tente de déchiffrer la première page mais les mots gigotent et se tortillent. Au bout d'un moment, elle repose le livre et regarde la télévision. Cinquante-huit pour cent des téléspectateurs pensent que l'héroïne devrait accorder une deuxième chance à son petit ami sorti du droit chemin.

— Claire, vous avez de la visite.

Elle a dû s'assoupir et sursaute au son de la voix du garçon de salle. Près d'elle, Gros-Naze a abandonné *Le Juge Dredd* pour fixer d'un œil hagard le petit écran. Derrière lui, Christian la regarde.

Ils vont dans l'un des cabinets de consultation. Christian semble consterné par l'aspect de Claire : elle a pris du poids, elle a la peau marquée de taches graisseuses, réaction aux médicaments.

— Tu as une tête épouvantable, lâche-t-il.

— Tu sais vraiment parler aux femmes, marmonne-t-elle.

Elle titube un peu en s'approchant d'une chaise : le traitement affecte son équilibre.

— Je suis désolé, dit-il. Je suis profondément désolé.

Sachant qu'il ne parle pas de sa remarque sur son aspect physique, elle agite la main. Elle voudrait répondre que rien de tout cela n'est de sa faute, mais elle peine à trouver les mots.

— Si cela peut te consoler, ils m'ont roulé, moi aussi, poursuit-il. Le Dr Leichtman et l'inspecteur.

Il s'assied sur l'autre chaise, prend une des mains de Claire dans les siennes.

— Ça va, bredouille-t-elle. Ça va, je t'assure.

— J'ai engagé des avocats. De bons avocats. Pour qu'ils découvrent ce qui s'est vraiment passé.

— Je le sais, ce qui s'est passé, répond Claire, grattant d'une main machinale la plaque qu'elle a au front. Ils m'ont dit que tu étais le suspect, ils t'ont dit que c'était moi. Ils nous ont menti à tous les deux.

Christian secoue la tête.

— Pas seulement, Claire. C'est bien plus grave que ça. A proprement parler, le Dr Leichtman n'est pas une psychiatre de la police. Elle occupe un poste de recherche à Quantico. Toute cette histoire est assez trouble, mais d'après ce que j'ai pu apprendre, son travail consistait à trouver des moyens d'étudier les tueurs.

— Tu veux dire avant qu'ils se fassent prendre ?

— Dans certains cas, avant même qu'ils passent à l'acte. Les étudier en liberté, si tu veux. Elle les attirait dans une série de sites d'Internet qu'elle avait créés dans ce but. Des sortes de terrariums où elle les regardait s'affairer, comme des fourmis.

— Necropolis, murmure Claire.

— Une idée délirante, reprend Christian. On ne peut pas contrôler Internet. D'après ce que j'ai compris, au lieu de lui permettre simplement d'observer des tueurs, ces sites contribuaient en fait à les engendrer. Le FBI était débordé, il essayait de limiter les dégâts…

— J'aurais dû me douter qu'elle n'était pas psy, grommelle Claire, à moitié pour elle-même. Elle n'a jamais essayé de me bourrer de médicaments.

242

— Ils t'ont envoyée à Necropolis, comme un asticot qu'ils ont délibérément promené devant la gueule du tueur, agitant régulièrement la ligne pour maintenir son intérêt. En même temps, ils ont semé sur le Net assez d'informations pour qu'il puisse te localiser. Ils savaient qu'il se servait de la Toile pour trouver ses victimes : la prostituée avait une page Web sur un site d'« accompagnatrices », et Stella a laissé une trace quand elle s'est connectée sur Necropolis. J'ai également découvert qu'il y avait eu d'autres assassinats, des femmes dont nous n'avons même pas entendu parler. Une technicienne en information de Houston. Une Danoise qui avait installé une Webcam dans sa salle de bains. Toutes tuées par le même homme.

Il la regarde pour voir si elle a bien compris.

— Tu saisis, Claire ? Nous avons servi d'appât. Nous étions juste des chèvres attachées à un piquet, toi et moi, pour attirer le tueur dans le piège de Connie. Le reste ne servait qu'à nous maintenir au bon endroit.

Claire regarde par la fenêtre. Une soudaine rafale de vent secoue les arbres ponctuant les pelouses de l'hôpital. Une odeur de cuisine s'insinue par la porte ouverte, la fait saliver.

Bientôt l'heure du déjeuner.

— Nous leur ferons un procès, à ces salauds, dit Christian. Peu importe qu'ils nous aient fait signer des formulaires dégageant leur responsabilité, ils cracheront rien que pour étouffer l'affaire.

— Et Frank ? Ça ne risque pas de bousiller sa carrière ?

— Je l'espère bien.

— Je n'arrive pas à me sortir de cette histoire, gémit Claire, qui se remet à pleurer sans bruit.

— Qu'est-ce qu'ils t'ont fait ? demande-t-il, la voix durcie par la colère.

Elle essuie ses larmes à sa manche.

— Rien qu'un traitement chimique, apparemment. Mais je ne veux faire de procès à personne, je veux juste sortir d'ici.

— Tu es sûre ? Le Dr Bannerman…

— L'idée que Bannerman se fait de la santé mentale, très peu pour moi.

— Il y a aussi le problème de ta sécurité. Tant qu'ils n'auront pas pincé ce type, tu seras en danger, dehors, fait valoir Christian.

— Au dernier recensement, il y avait dans ces murs trois psychopathes, deux schizophrènes, six maniaco-dépressifs et une demi-douzaine d'abrutis au crack, récite-t-elle d'une voix lasse. Tu crois vraiment que je suis moins en danger ici ? Nous ne pourrons qu'espérer qu'ils ne tarderont pas à le coincer.

Christian hoche lentement la tête.

— Tu as des tripes, Claire.

Enfonçant deux doigts dans son ventre, elle réplique :

— A peu près sept kilos de plus qu'à mon admission, malheureusement. Maintenant, sauve-toi, tu vas me faire rater le déjeuner.

43

Harold Hopkins a fini de dîner et, comme à son habitude, il s'installe dans son fauteuil préféré avant d'ouvrir son journal. Il a l'intention de terminer sa journée, comme toujours, par la lecture de la rubrique nécrologique, au cas où elle annoncerait une mort qu'il se doit de connaître. Il tend la main vers le bras du siège, là où son étui à lunettes devrait se trouver, et se souvient avec irritation qu'il a laissé ses lunettes de lecture dans le petit bureau de son entreprise, quand il s'est occupé des permis d'inhumer.

— Ellen, je fais un saut au bureau ! crie-t-il en direction de la cuisine.

Pas de réponse. Sa femme écoute la radio en faisant la vaisselle.

Harold quitte son fauteuil, parcourt la vingtaine de mètres qui séparent la maison de l'entreprise de pompes funèbres. La clef se trouve au bout d'une chaîne et, comme il fait sombre, il s'y reprend à deux fois avant de réussir à la glisser dans la serrure.

Il n'a jamais trouvé l'endroit inquiétant la nuit. A ses yeux, les morts sont les gens les moins inquiétants au monde, ne serait-ce que parce qu'ils perdent leur mystère et leur étrangeté quand on passe son temps à les purger et à les vider. Il les voit comme certaines nurses voient les bébés : des bestioles malpropres un peu rétives, toujours en train de vomir ou de déféquer. C'est pourquoi il n'allume pas le plafonnier : il fait assez clair avec la lumière de la cour. Il pénètre dans le bureau pour prendre ses lunettes de lecture, qu'il a laissées sur la table. Au moment de faire demi-tour, il s'aperçoit, avec un claquement de langue contrarié, que la lampe de la table d'aspiration est restée allumée dans la salle de préparation.

C'est une lampe puissante au faisceau concentré, facilement orientable, comme celle d'un fauteuil de dentiste. Harold suppose que quelqu'un a dû oublier de l'éteindre en partant, manquement compréhensible car le faisceau se remarque peu vu de côté. Il se dirige vers la table. Il y a trois cadavres dans la salle de préparation, le nombre moyen que l'entreprise accueille un jour ordinaire. L'un des morts vient d'une maison de retraite ; l'autre est la vieille mère de Peggy Watts, victime d'une crise cardiaque à quatre-vingt-deux ans ; la troisième est une jeune femme, directrice adjointe du grand magasin situé sur le chemin du centre-ville. La malheureuse a été électrocutée dans son propre jardin par le fil défectueux d'une tondeuse.

Au moment où il tend la main vers la lampe, Harold entend quelque chose, comme le bruit d'une fuite soudaine. Un moment, il se demande si ce n'est pas un animal venu du bois, un rat ou un chat sauvage. Puis il entend de nouveau le bruit et, cette fois, il est presque sûr que ce sont des pas.

Les vivants, Harold les trouve inquiétants, surtout ceux qui s'introduisent dans des endroits où ils n'ont rien à faire. Il rallume la lampe de la table, saisit le premier objet lourd à portée de sa main — un pistolet à mastic — et traverse la salle. Tenant le pistolet d'acier à l'envers, comme une bouteille par le goulot, il gagne le couloir.

Personne. Peut-être a-t-il tout imaginé. En homme prudent, il inspecte cependant une dernière fois les lieux… et aperçoit une jambe, une jambe d'homme, derrière l'un des cercueils rangés debout dans le couloir. Il ouvre la bouche pour dire quelque chose, mais le cercueil vient à sa rencontre. L'époque où Harold aurait eu d'assez bons réflexes pour l'éviter est révolue depuis longtemps. La lourde caisse le heurte à l'épaule et à la tête, l'expédie par terre, les bras en croix. Il entend vaguement des pas précipités, un bruit de verre brisé, et plus rien.

44

— Ce qui est curieux, c'est qu'on n'a rien volé et rien cassé, fait remarquer Dan Etheridge. A part la fenêtre et le cercueil, bien sûr.

— Exact, reconnaît Harold, fatigué maintenant.

Le policier est venu aussi vite qu'il a pu, mais il habite à l'autre bout de la vallée. Les deux hommes ont ratissé soigneusement le bois autour de la maison, ils ont cherché des traces de pneus sur le bas-côté de la route, ils ont vérifié que l'intrus n'avait rien emporté. Ils ont immédiatement trouvé une explication au verre brisé : l'homme a cassé le carreau de la fenêtre située près de la porte de derrière en s'enfuyant.

— C'est ce qui me chiffonne, dit Dan. Je vois bien par où il est ressorti, mais je ne vois pas par où il est entré.

Harold presse un mouchoir plié contre sa blessure à la tempe, qui lui fait mal.

— Alors, il est entré par où il est ressorti, suggère-t-il.

— Reste à savoir ce qu'il était venu faire, reprend Dan. C'était peut-être un cambrioleur que t'as dérangé avant qu'il mette la main sur quelque chose de valeur. C'est une possibilité.

— Il y en a d'autres ? demande Harold.

Plus pour inciter le policier à se presser un peu que parce qu'il n'arrive pas à imaginer lui-même d'autres hypothèses. En fait, il en est une qui le préoccupe beaucoup depuis qu'elle lui est venue à l'esprit, une demi-heure plus tôt.

— Ben, t'as un cadavre de jeune femme dans tes murs, argue Dan. Une jeune femme attirante. Ça me plaît pas de te le rappeler, Harold, mais y a des malades en liberté. Je crois qu'il faut envisager la possibilité qu'un type se soit intéressé à elle. Ce qui veut dire qu'il faudrait reporter l'enterrement et envoyer le corps à Longbay pour le faire examiner. Pour voir si y a des traces qui prouvent que c'est bien le cas.

— Dan, tu sais aussi bien que moi que si on reporte l'enterrement pour cette raison, je perds ma clientèle. Personne ne me confiera plus jamais un « cher disparu ».

247

S'il est arrivé quelque chose de ce genre ce soir à cette jeune femme — Dieu ait son âme —, ça ne change rien pour elle. Elle est morte. Mais évoquer cette possibilité rendra les choses beaucoup plus pénibles pour sa famille, et pour moi. Je te propose que nous l'examinions, toi et moi. Si nous trouvons la moindre trace allant dans ton sens, nous l'expédions à Longbay. Mais si nous ne trouvons rien, nous laisserons la pauvre fille reposer en paix. D'accord?

Dan Etheridge mâchouille sa moustache.

— Jeter un coup d'œil, c'est pas idiot, finit-il par lâcher. On aura une idée de ce à quoi on a affaire.

Ensemble, les deux hommes déshabillent le cadavre et l'inspectent avec soin.

— Je ne vois rien d'inconvenant, déclare Harold. Nous avons de la chance : ou je l'ai dérangé à temps, ou c'était un simple cambrioleur.

— Attends une seconde, fait le policier. Tourne la lampe, tu veux? Par ici.

Harold dirige le faisceau vers un coin de la salle.

— Qu'est-ce que c'est?

Dan fixe des yeux quelque chose sur le sol, un petit disque noir, à peine plus grand qu'une pièce de monnaie.

— Un bouchon d'objectif, m'est avis, répond-il enfin.

— Ce n'est pas assez grand pour ça, fait observer le croque-mort.

— Pour un de ces appareils numériques, si. Mon frère Ed en a un, les objectifs sont plus petits. T'as des gants en plastique?

— Bien sûr.

Harold tire une paire de gants en nitrile du distributeur. Le policier en enfile un, ramasse le disque.

— Ton gars a peut-être simplement pris des photos. Pour ce qu'on en sait, ça pourrait être un étudiant qui a fait un pari. Alors, on en reste là pour le moment,

Harold. Mais je garde cette histoire dans un coin de ma tête, au cas où ça se reproduirait.

Quand Christian retourne à l'hôpital, deux jours plus tard, il est accompagné d'un médecin qui, Claire croit le comprendre, travaille pour lui à un titre quelconque. Cet homme, le Dr Felix, lui pose quelques questions d'une voix grêle et l'entraîne vers la fenêtre pour l'examiner à la lumière du jour. Il pince les lèvres puis lance au garçon de salle resté à la porte qu'il souhaite voir le Dr Bannerman. Lequel n'est pas de service, si l'on en croit l'employé, et Claire voit les lèvres de Felix s'amincir encore. Il parle plus longuement au garçon de salle, qui s'empresse de disparaître. Bannerman le remplace bientôt, visiblement troublé, et Felix l'entraîne à l'écart. Bannerman n'a pas enfilé sa blouse d'hôpital, il sue abondamment en écoutant son confrère. Puis Felix retourne auprès de Christian et annonce d'un ton tranquille :

— Nous pouvons partir. Tout est réglé.

— C'est gentil à vous d'être venu, dit Claire. Vous reviendrez ?

— Vous nous accordez une minute ? sollicite Christian de Felix.

— Bien sûr, répond le médecin, avec l'aménité d'un homme qui sait que chaque minute qu'il accorde sera grassement rémunérée.

Seul avec Claire, Christian lui dit doucement :

— Nous t'emmenons. Le Dr Bannerman a reconnu que tu n'as finalement pas besoin de ses services. Tu logeras chez moi jusqu'à ce que tu ailles mieux. De cette façon, la police n'aura qu'une adresse à surveiller. Si tu es d'accord, bien sûr.

— Naturellement.

— Bien. Nous parlerons plus tard, quand tu auras évacué toutes ces drogues.

45

Glenn Furnish se penche au-dessus d'Ellen Vortenssen et plonge son regard dans ses yeux d'un bleu profond. Avec tendresse, révérence presque, il fait tomber une goutte de supercolle au centre exact de l'iris. Puis il ferme la paupière du pouce, maintient la pression le temps que la colle prenne.

Cela fait deux jours qu'on a décroché l'adolescente enceinte de la poutre d'une remise située derrière la ferme de ses parents. Ses yeux ont pris une teinte laiteuse et un voile de décomposition recouvre la cornée injectée de sang.

Injectée de sang, parce que l'adolescente n'est pas tombée d'assez haut pour que la corde lui brise le cou. Elle a essayé de se pendre mais elle est morte étouffée. Dans ses yeux et sous la peau délicate de ses joues, des vaisseaux sanguins ont éclaté, lui donnant une trogne de vieille clocharde.

Les yeux clos, elle présente déjà mieux. Presque comme si elle venait de rentrer d'une promenade à cheval par une froide matinée d'hiver, pense Glenn. La peau un peu rougie. Mais bientôt, quand il aura fait usage de son SkinTone, même cette rougeur aura disparu.

Il se penche à nouveau pour maintenir l'autre œil fermé et, voyant les lèvres de la fille, exsangues et pâles comme celles d'une statue, si près des siennes, il ne peut se retenir, il presse délicatement sa bouche contre la sienne, prend la lèvre inférieure sèche de l'adolescente entre ses lèvres humides, l'aspire, inhale la lourde odeur de gibier…

— Hé, Glenn!

Il sursaute, surpris. Alicia se tient sur le pas de la porte.

Il la regarde fixement, attend qu'elle se mette à crier. Il sait déjà qu'il devra la tuer. Mais elle lui sourit.

— Je ne dirai rien si tu ne dis rien.

— Vous n'êtes pas… choquée ?

— Sûrement pas ! Tu crois que quand j'étais plus jeune je n'en ai pas profité pour lorgner certains des jeunes types qui passaient dans cette salle ? Nous, les rats de morgue, nous sommes bien tous pareils…

— Oui, peut-être, répond-il, mal à l'aise.

— Tu sais ce qu'on dit du travail de croque-mort ? murmure-t-elle en s'approchant de lui.

— Qu'est-ce qu'on dit ?

— Que ça excite. Une façon qu'a la nature de nous faire perpétuer l'espèce, glousse-t-elle. Voir un cadavre donne envie de baiser. Papa est à l'enterrement, ajoute-t-elle en lui prenant la main.

— Je sais.

Les doigts d'Alicia glissent le long de ceux de Glenn, effleurent le devant de son pantalon. Ce qu'elle sent la fait sourire de plus belle.

— On peut aller chez toi ? suggère-t-elle.

Glenn réfléchit à toute vitesse.

— D'accord, acquiesce-t-il.

Alicia contemple les photos fixées sur l'un des murs et s'exclame : « Waoh ! » Six épreuves de soixante centimètres sur un mètre montrent le poisson que Glenn a acheté au supermarché. Il l'a photographié chaque jour de la semaine, captant les changements de couleur à mesure que les écailles viraient au violet puis au noir. Vers la fin, ce n'était guère plus que des arêtes dans un tas de gelée moisie iridescente.

— Elles sont magnifiques, assure-t-elle. Tordues mais magnifiques.

Il se place derrière elle, hoche la tête.

— Rembrandt disait que pour une nature morte, les meilleurs fruits sont ceux qui sont sur le point de pourrir.

— C'est en train de se décomposer, mais tu arrêtes la décomposition avec tes photos, c'est ça ? Génial.

— Oui, répond-il, surpris qu'elle comprenne si vite son art.

Un instant, il se demande si cette fille et lui… Non, il traîne trop de choses derrière lui, trop de fantômes.

— Cela fait partie d'un… d'un ensemble, ajoute-t-il.

Ils restent un moment immobiles, chacun perdu dans ses pensées.

— Où est la chambre ? demande-t-elle enfin. Par là ?

— Mm.

Il la suit, comme il sait qu'elle le désire.

— Oh ! c'est génial aussi, ça, dit-elle.

Elle regarde l'Insect-O-Cutor fixé au mur au-dessus du lit, cercle de néon rutilant qui projette une lumière bleu pâle dans la pièce aux stores baissés.

— De l'art de récupération, hein ?

— Exactement.

Elle plonge sur le lit, se tourne pour lever les yeux vers Glenn. Il voit dans son regard qu'elle est excitée quand elle tend la main vers la boucle de sa ceinture.

Il reste sans bouger et l'observe, comme par l'entremise d'une caméra. Elle libère le pénis, émettant ces petits bruits que font les filles dans les films ; elle le tient dans son poing comme un couteau, pour le poignarder ; elle mouille le gland de salive, le frotte contre ses lèvres tel un tube de baume. Elle donne de petits coups de langue à l'extrémité du sexe puis le lèche sur toute sa longueur, lentement, détachant de temps à autre ses yeux de la hampe pour croiser le regard de Glenn. Elle place une main en coupe sous les testicules, les soupèse, les fait rouler, sans se rendre compte que ce sont des bombes qui, en éclatant, les anéantiront, elle et le monde autour d'elle. Alicia referme ses lèvres autour du bout de la queue, sans comprendre qu'elle prend dans sa bouche le canon d'un fusil. Glenn la sent essayer de le vider de sa force, d'aspirer les balles du fusil et les charges explosives des bombes. Un moment, il s'amollit en elle, durcit de nouveau quand il pose les mains sur son cou. Elle paraît hésiter mais ne s'arrête pas. De ses pouces, il presse le devant de la gorge, sent les cartilages délicats du larynx, la thyroïde élastique, la bosse plus dure du cricoïde, dessous. Il appuie, elle essaie de se dégager, mais comme il se tient debout au-dessus d'elle, c'est lui qui a le pouvoir. Elle tente de crier mais la pression sur sa trachée est trop forte. De sa main gauche, Glenn prend la ceinture qu'elle a ôtée du pantalon quelques minutes plus tôt. Il la passe autour du cou d'Alicia, place la boucle sous l'oreille et serre, en tirant vers le haut de toutes ses forces. Entraînée par le mouvement, la fille commence à monter mais il la retient en lui empoignant une épaule de l'autre main. La langue d'Alicia jaillit de sa bouche sous la pression du larynx, expulse le pénis. Glenn s'en aperçoit à peine. Il n'avait pas envie de jouir, de toute façon. Pas encore.

46

— J'ai peut-être quelque chose pour toi, Frank, dit Rob Fleming.

Durban hoche la tête, l'informaticien de l'équipe technique indique l'écran de l'ordinateur et poursuit :

— Les juristes n'ont pas réussi à fermer pictureman.com, je ne t'apprends rien.

— On en est à combien de connexions, maintenant ?

Fleming vérifie quelque chose sur l'écran avant de répondre :

— Plus d'un demi-million. Moi, je me suis demandé s'il n'y avait pas d'autres moyens de liquider un site, et je me suis dit, pourquoi pas le pirater ?

Positano, qui les observe d'un coin de la pièce, remue sa chaise d'un air incertain.

— Le pirater ?

— Bien sûr. La semaine dernière encore, des étudiants se sont introduits dans un site du Pentagone et l'ont délibérément foutu en l'air. Le Pentagone ! Où une équipe travaille à plein temps sur la protection contre le piratage ! Pictureman.com, c'est juste une page Web bricolée.

— C'est légal, le piratage ? veut savoir Positano.

— On est dans le flou, comme pour la création d'un site de ce genre, d'ailleurs.

— Et alors ? demande Durban. Tu pourrais le faire ?

— Un peu de patience. D'abord, j'ai moi-même ouvert un compte sur le serveur pour voir quel genre de logiciel de création de site il fournit. Comme je le supposais, il accorde au concepteur des privilèges d'accès, au cas où celui-ci souhaiterait mettre son site à jour, changer la police de caractères ou je ne sais quoi. Ensuite, il ne restait plus qu'à trouver les codes. Je n'ai même pas eu besoin de passer par les fabricants du logiciel, toutes les infos étaient là, sur un tableau piraté. Tu vois ?

Fleming tape sur son clavier, la page Web se couvre de son charabia ; il clique avec la souris pour le faire disparaître.

— Super, dit Durban. Qu'est-ce que t'attends ? C'est tout simple, maintenant. Elimine ce type du réseau.

— C'est ce que j'allais faire. Mais j'ai eu une autre idée.

Durban le regarde.

— A quoi tu penses ?

— T'as entendu parler des sites miroirs ?

— Pas vraiment, non.

— Comme son nom l'indique, c'est un site qui donne accès à des informations copiées sur un site originel. Si je crée un site miroir de pictureman.com et si je cache le vrai, on pourrait faire en sorte que lorsque le tueur se connectera pour mettre son site à jour, voir le nombre de touristes qui l'ont visité, ou ce que tu veux, nous en soyons informés.

— Putain, fait Durban entre ses dents. Tu veux dire qu'il suffirait de regarder pour savoir quand le type se connectera ? Et peut-être même remonter jusqu'à lui ?

— Du boulot de voyeur, confirme Fleming. On pourrait même s'arranger pour que le site nous envoie un e-mail, s'esclaffe-t-il. On appelle ça la Toile, non ? Ben, on sera l'araignée au milieu de cette toile.

Pendant une semaine, Christian la soigne et la dorlote, malgré ses protestations. Il lui apporte des petits plats du traiteur italien du coin de la rue, lui prépare des bains parfumés avec des huiles de Paris puis l'emmitoufle dans d'immenses serviettes moelleuses. Il a une salle de gymnastique et Claire se met à l'exercice, perd lentement le poids pris à l'hôpital, tonifie son corps pendant qu'il la regarde dans le double mur de miroirs qui reflètent un millier de Claire, un millier de Christian Vogler. Il la coiffe quand elle sort de la douche encore mouillée, lui apporte les vêtements qu'il a achetés pour elle chez Barney et Donna Karan, cuisine pour elle des légumes frais provenant du Farmer's Market d'Union Square ou de chez Dean & DeLuca.

Deux fois par jour, le Dr Felix passe à l'appartement s'assurer qu'elle se rétablit au mieux.

Le septième jour après le retour de Greenridge, Christian emmène Claire à Liberty Island par le ferry. Ils se tiennent au bastingage, comme des touristes, regardant les lumières de Manhattan danser sur l'eau noir et argent.

— Claire, j'ai besoin de savoir quelque chose.

Elle attend.

— Jusqu'à quel point tu jouais la comédie ? demande-t-il avec douceur. Totalement ? En partie ?

Elle contemple un moment les tours au-dessus de l'eau, finit par répondre :

— Connie était très fine. Il y avait juste assez de mon vrai moi dans cette histoire inventée pour rendre plausibles toutes les dingueries qu'elle nous a fait faire. Même quand j'ai été sûre que tu n'étais pas coupable, je n'ai pas voulu arrêter.

— Moi non plus.

— Et ta femme ?

— C'est pour Stella que j'avais accepté d'aider la police, au départ. Ce n'est pas pour elle que j'ai continué. Je craignais de te perdre si je laissais tomber.

— Je comprends, murmure Claire.

— Tu crois… tu crois que nous pouvons tout recommencer ? Ou est-ce qu'il est passé trop d'eau sous le pont ? Je t'aime, Claire. Je veux vivre avec toi.

— Moi aussi.

— Quoi qu'il puisse arriver, je t'ai donné mon amour. Tu accepterais aussi mon nom ?

— Christian… tu veux vraiment dire ce que je crois avoir compris ?

— Tu veux m'épouser ?

Après la plus brève des pauses, elle répond :

— Bien sûr.

Il passe presque toute la nuit en elle. Parfois, ils bougent à peine, se balancent doucement ensemble en murmurant. Il finit par s'endormir, toujours en elle, sans avoir joui, et Claire comprend que c'est cela, non l'orgasme, qu'il désire vraiment : redevenir entier, refermer le cercle ; être uni à elle par son pénis comme un bébé est uni à sa mère par le cordon ombilical.

CINQUIEME PARTIE

Au fond de l'Inconnu pour trouver du nouveau.

Baudelaire,
« Le Voyage », *Les Fleurs du mal*

47

— Mes condoléances, Harold, dit Dan Etheridge d'un ton emprunté. Martha m'a demandé de te présenter les siennes aussi…

Hopkins hoche tristement la tête. Toutes ces années qu'il a lui-même passées à présenter des condoléances, de graves formules de compassion et de regrets. Maintenant seulement, il comprend à quel point elles sont vides et dépourvues de sens.

— On a eu le rapport d'autopsie, dit le policier lentement. Juste pour que tu saches, c'est à peu près ce qu'on prévoyait. Quand une personne se pend, y a une marque sous l'oreille, et là, nous avons trouvé la marque d'une boucle de ceinture…

Il laisse la phrase en suspens, reprend au bout d'un moment :

— Ça arrive, chez les jeunes. Une sorte de mode. T'en as un qui commence, un autre qui l'imite, et en moins de deux ça se transforme en épidémie.

— Oui, murmure Hopkins.

Il regarde par la fenêtre, en direction du bois où le corps de sa fille a été découvert, au pied d'un arbre, après une semaine de recherches.

— Je sais pas si tu veux t'occuper toi-même de… de faire le nécessaire. Faut que je te prévienne : elle est restée une semaine dans un bois plein d'animaux de toutes sortes… On n'a même pas retrouvé la ceinture, c'est te dire… Enfin, bref, il vaudrait peut-être mieux demander à une autre entreprise de s'en charger…

Glenn, le jeune employé qui se tient, silencieux, derrière son patron, intervient pour la première fois :

— Harold ? dit-il avec douceur. Harold, laissez-moi voir ce que je peux faire pour elle. Je serais honoré de donner le meilleur de moi-même pour Alicia.

Hopkins a l'impression d'avoir perdu sa capacité à prendre une décision.

— Si tu penses que tu peux, soupire-t-il.

Dan Etheridge pose les yeux sur le jeune homme à la mine austère, remarque qu'il n'a pas de ceinture à son pantalon.

Glenn fredonne en branchant la pompe aspirante sur le corps d'Alicia. Un tube d'entrée, un tube de sortie, comme si la pompe était une sorte de cœur artificiel, un engin qui, une fois mis en marche, la ferait se lever et marcher.

Il sourit au souvenir des journées qu'ils ont passées ensemble. Lui et Alicia. Tranquilles, recueillies. Son sourire s'élargit. Pour l'œuvre qu'il a l'intention d'appeler *Recueillement*, il avait placé la fille devant un écran de télévision où une cassette porno montrait une scène d'orgie.

> *Pendant que des mortels la multitude vile,*
> *Sous le fouet du Plaisir, ce bourreau sans merci,*
> *Va cueillir des remords dans la fête servile,*
> *Ma Douleur, donne-moi la main ; viens par ici.*

Il avait procédé à plusieurs essais, introduisant divers objets dans le vagin d'Alicia. Finalement, en raison du jugement pénétrant qu'elle avait porté sur son œuvre, il avait choisi un poisson pourri. « Les mouches bourdonnaient sur ce ventre putride... » Ses clients apprécieraient, il le savait.

Glenn a l'intention de fixer le prix de *Recueillement* à dix mille dollars.

Tandis que la pompe tremble et gargouille, il répare les dégâts causés par les charognards tout en retournant dans son esprit les possibilités d'une idée qui lui est venue récemment : il dispose en ce moment des corps de deux jeunes mortes ; une telle occasion ne se présente que rarement. Bientôt, il le sait, le moment sera venu pour lui de passer à autre chose. Il lui reste juste le temps de créer une dernière œuvre avant de partir.

Il avait lu quelque part que, selon Michel-Ange, la statue est déjà dans le marbre, captive ; le travail de l'artiste consiste simplement à la libérer. Intrigué, il avait cherché la série de sculptures intitulée *Les Esclaves* et les avait étudiées pendant des heures, fasciné par les visages grimaçants des sujets tentant de se dégager de leur gangue de pierre. Il avait eu une idée du sentiment de puissance quasi divine que Michel-Ange avait dû éprouver quand il se penchait vers ses créations, conscient que lui et lui seul avait le pouvoir de les libérer.

Quand Glenn s'était rendu en Italie, il avait fait spécialement le pèlerinage pour les voir ; il avait attendu devant l'Académie avec les autres touristes américains à l'heure d'ouverture. Ceux-ci, bien entendu, ne désiraient que jeter un coup d'œil au *David* serein et gracieux du sculpteur, pas aux effigies rabougries et tordues des *Esclaves*. Brandissant leurs appareils photo, ils avaient parcouru la longue colonnade en mitraillant le *David*, placé stratégiquement au bout de la galerie. Glenn avait été consterné. Comment pouvait-on simplement passer devant les *Esclaves*, en n'accordant aucun regard à ces formes nues et torturées ?

Un jour, il fera quelque chose d'aussi grand que les *Esclaves*. Pas en marbre, naturellement, mais dans sa propre matière, celle de l'époque dans laquelle il vit : la chair. Ses œuvres d'art, préservées sous forme d'octets, tranches d'information électronique, passant d'un ordinateur à un autre à travers l'infosphère.

Pas encore, cependant. Pas encore. Pour le moment, Glenn a besoin de l'argent de ses clients, tout comme Michel-Ange avait besoin de l'or des Médicis. Encore une œuvre ici, et puis en route pour la ville, où l'attend sa prochaine mission.

Dan Etheridge parcourt méthodiquement la liasse de fax envoyés par le FBI, Interpol, le NYPD et d'autres services de police. En temps ordinaire, il ne les néglige pas vraiment — rien n'est jeté, chaque fax est ajouté à la pile rangée derrière les réserves de cartouches d'encre —, mais il ne leur prête pas non plus beaucoup d'attention. Là où il vit, le maintien de l'ordre consiste davantage à empêcher les ivrognes de prendre le volant qu'à guetter en permanence les criminels les plus recherchés du pays.

Quelque chose le tracasse, pourtant. Le jeune employé que Harold a engagé est bien considéré par presque tous ceux qui ont eu affaire à lui. D'un autre côté, depuis son arrivée dans le coin, il semble qu'il y ait bien plus de morts que d'habitude. Des jeunes femmes, surtout. Il y a aussi l'effraction des locaux de Harold. Et la ceinture.

Alicia s'est pendue avec une ceinture d'homme, si l'on en croit la marque de la boucle sur son cou. Cela n'a rien de particulièrement étrange en soi — beaucoup de jeunes femmes préfèrent les ceintures larges, et Alicia portait un jean Gap, avec de grands passants —, mais, ajouté au reste, ce détail met le policier mal à l'aise.

Soudain, alors qu'il feuillette les avis de recherche fédéraux, il tombe sur quelque chose qui le fait s'arrêter et siffler entre ses dents.

Dan monte dans sa voiture et prend la direction de chez Harold.

48

Il n'y a pas beaucoup de personnes à prévenir, seulement Bessie et quelques amis du cours d'art dramatique. Bessie, elle ne l'a pas vue depuis des mois. Son ancienne colocataire est maintenant installée dans un appartement en copropriété de l'Upper East Side, le plancher autour d'elle recouvert de scénarios hollywoodiens portant le cachet d'agences comme ICM ou William Morris. Les coups de téléphone qui les interrompent à tout bout de champ ne concernent pas des auditions mais des bouts d'essai. Pendant leur période de séparation, l'amie de Claire est passée de l'état de mouton-débordant-d'énergie à celui d'étoile montante.

— *Te marier*? glapit Bessie, sidérée. Mais tu connais ce mec depuis trois semaines seulement!

— Depuis des mois, corrige Claire. C'est largement suffisant.

— Sauf qu'à ce moment-là, tu pensais qu'il avait trucidé sa femme... Et la différence d'âge?

— Christian n'est pas vieux, réplique Claire. Il est simplement plus âgé que moi.

— Ben, j'espère au moins que c'est formidable au lit, entre vous. Parce que sinon, je ne vois vraiment pas pourquoi tu l'épouses!

Claire garde le silence.

— Formidable, alors? conclut Bessie.

— Formidable.

— Je serai demoiselle d'honneur? C'est comme ça qu'on dit?

— Si tu es prête à prendre l'avion pour Paris. Nous nous marierons là-bas.

Bessie écarquille les yeux.

— Il est riche ?

— Je… je crois. Nous n'en parlons jamais.

— Ce n'est pas pour ça que… ?

— Bessie !

— Et il est de nationalité américaine, hein ? Du coup, tu te retrouves avec une carte verte et une carte bleue… Qu'est-ce qu'il fait comme boulot, déjà ?

— Prof de fac.

— Fabuleusement riche, formidable au lit, et en plus intelligent ! Tu es sûre que ce n'est pas toi qui as zigouillé sa première femme ? Ne réponds pas, dans ce pays tu as le droit d'invoquer le Cinquième Amendement. C'est pour quand, le grand jour ?

— Dès la fin du trimestre. Christian a des conférences à donner, et je veux finir mon cours d'art dramatique.

Parvenu aux Crossways, Dan Etheridge pénètre dans l'entreprise de pompes funèbres par-derrière, frappe à la porte des Hopkins. Harold en personne vient ouvrir. Le policier remarque qu'il a l'air épuisé et se dit qu'il a pris un sacré coup de vieux.

— Comment ça va, Harold ? s'enquiert-il poliment.

— Le Seigneur nous soutient dans nos épreuves, répond Hopkins, qui tient une bible à la main.

— Désolé de te déranger. C'est à M. Furnish que je voudrais dire un mot, s'il est encore là.

— Glenn ? Il est rentré chez lui. Il a fini avec… avec…

Harold paraît sur le point de craquer, mais se reprend :

— Il a fini avec Alicia. Il a dit qu'elle a l'air vraiment paisible, maintenant. Je lisais quelques pages de la Bible avant d'aller passer un moment auprès d'elle.

— Bien sûr. T'as son adresse ?

— Je dois l'avoir. Dans le bureau, sur le Rolodex. Je vais te la do…

— Bouge pas, je trouverai moi-même.

— Il te faut la clef, dit Hopkins, qui glisse deux doigts dans la poche de son gilet. Tiens. Glenn a fermé en partant. Il a dit qu'on ne saurait être trop prudent.

Etheridge prend la clef, se dirige vers la porte de l'entreprise. Le bureau est à droite, et il voit le Rolodex sur le classeur métallique, mais quelque chose l'incite à jeter d'abord un coup d'œil dans la salle de préparation.

Il entre, presse l'interrupteur. Les grands tubes fluorescents s'allument l'un après l'autre au plafond, tremblotent et inondent la pièce de lumière, révélant une scène macabre et grotesque sur le sol.

Le policier a envie de séparer les corps des deux jeunes mortes, de les extirper l'une de l'autre, mais il sait qu'il ne le doit pas. Pas avant que les techniciens du labo les aient photographiées.

Photographiées… Il se rappelle le bouchon d'objectif qu'il a trouvé par terre et présume que les gars du labo ne seront pas les premiers à mitrailler la scène.

Il se précipite dehors en courant, ne s'arrêtant brièvement que pour emporter le Rolodex. Puis il referme à clef derrière lui et retourne vers la maison.

— Harold, dit-il quand Hopkins lui ouvre, il y a un double de cette clef ?

— Non, c'est la seule qui…

— Bon. J'ai fermé, là-bas. Je veux pas que t'y ailles, d'accord ? Y a un problème. Des collègues passeront tout à l'heure pour jeter un coup d'œil. Je t'appelle plus tard.

Dan s'est remis à courir tout en finissant sa phrase et n'entend pas la réponse de Hopkins, couverte par le bruit du moteur de la voiture.

Glenn télécharge ses dernières photos avant de consulter ses messages. Ils sont nombreux, mais le seul qui l'intéresse pour l'heure est celui d'Hélios. En le lisant, il hoche pensivement la tête.

> Vénus va bien, elle t'attend à New York. J'ai en tête quelque chose de simple et de sentimental. Dans le genre de « La mort des amants ».
> Amitiés.
> Hélios

Glenn va prendre son exemplaire des *Fleurs du mal*, trouve « La mort des amants » :

> *Nous aurons des lits pleins d'odeurs légères,*
> *Des divans profonds comme des tombeaux,*
> *Et d'étranges fleurs sur des étagères,*
> *Ecloses pour nous sous des cieux plus beaux.*
>
> *Usant à l'envi leurs chaleurs dernières,*
> *Nos deux cœurs seront deux vastes flambeaux,*
> *Qui réfléchiront leurs doubles lumières*
> *Dans nos deux esprits, ces miroirs jumeaux.*
>
> *Un soir fait de rose et de bleu mystique,*
> *Nous échangerons un éclair unique,*
> *Comme un long sanglot, tout chargé d'adieux ;*
>
> *Et plus tard un Ange, entrouvrant les portes,*
> *Viendra ranimer, fidèle et joyeux,*
> *Les miroirs ternis et les flammes mortes.*

Il hoche lentement la tête en songeant que ce devrait être facile à reproduire, bien sûr. Les miroirs ternis, les flammes... Mais ce serait une interprétation littérale, et

Glenn Furnish s'enorgueillit d'aborder ses sujets de manière plus... oblique.

Il se connecte sur son site, le met à jour en signalant brièvement ses dernières œuvres. Il envisage de poster quelques-unes des photos de *Recueillement* puis décide de n'en rien faire. Cela pourrait diminuer leur valeur commerciale. Il se contente de télécharger d'autres images de la série *Une martyre*. Un coup d'œil au compteur de connexions lui fait plisser le front. Le nombre de visiteurs est en baisse. Il est peut-être temps de montrer quelque chose de vraiment spectaculaire.

Il se rend ensuite sur un site de cartes, où il télécharge le plan d'une ville. Comme cela prend un moment, il s'assied sur son lit, croise les jambes et fixe des yeux le cercle brillant de l'Insect-O-Cutor. Son regard devient vague, le tube violet perd de sa netteté. Une mouche se prend dans le piège et le craquement du courant électrique tire Glenn de sa rêverie. Avec précaution, il débranche l'appareil, le pose sur le lit près de sa valise. Le plateau de fer-blanc est plein de mouches mortes qu'il fait glisser au creux de sa main. Elles ne pèsent pas plus que de la balle de maïs. Sur une impulsion, il en prend quelques-unes dans sa bouche, les mastique. Elles ont un goût légèrement amer, pas désagréable.

Un *bip* de l'ordinateur lui rappelle qu'il n'a pas beaucoup de temps. Il sauvegarde le plan sur son disque dur, ferme le portable et le met dans sa valise.

Rob Fleming est en train d'écrire une carte d'anniversaire à sa nièce d'Ottawa quand le tintement de sa boîte à e-mails le prévient qu'il a du courrier. Après un coup d'œil à l'ordinateur pour voir de quoi il s'agit, il se jette sur le téléphone, compose un numéro.

— Joan ? La mouche est dans la toile !

Quelques instants plus tard, un ordinateur d'AT&T s'affaire à localiser l'origine de l'appel téléphonique par lequel le webmestre de pictureman.com a pénétré dans son royaume. L'homme y reste quelques minutes seulement puis se déconnecte.

— Merde, c'était rapide, grommelle Rob. Ça suffira pour le trouver ?

— Ça devrait, répond la femme à l'autre bout du fil.

Il entend un cliquetis quand elle tape des instructions sur le clavier de son ordinateur. Au bout d'un moment, elle annonce :

— Ouais, on l'a. Tu as de quoi écrire ?

Rob utilise aussitôt l'autre ligne :

— Frank ? On a une adresse. Dans le nord de l'Etat. A trois cents kilomètres d'ici environ.

Le Rolodex indique que Furnish habite au 86 Gordons Drive, mais au moment où il s'engage dans cette rue, Etheridge se rappelle que le 86 est une pension. Comme il fallait s'y attendre, la logeuse lui apprend que Furnish a déménagé il y a déjà quelques semaines, dès qu'il a touché son premier salaire.

— Il a donné une adresse où faire suivre son courrier ?

— Non.

Merde, pense le policier, mais la logeuse enchaîne :

— Je sais quand même où il est allé. Il a loué la vieille maison Kessler, dans Craven Road. L'agent immobilier est une de mes amies.

Etheridge la remercie, redémarre. Il a déjà prévenu les flics de la ville et leur a demandé d'aller fouiller l'entreprise de pompes funèbres.

La maison Kessler est une construction en bois, petite mais mignonne. Etheridge remarque qu'elle n'a pas de voisins proches. Il n'y a pas de voiture dans l'allée, mais il dégaine son arme, pour la première fois depuis des années, en se dirigeant vers l'entrée.

La porte s'ouvre quand il la pousse. Il flotte à l'intérieur une odeur fétide, des relents de poisson pourri mêlés à quelque chose de plus douceâtre. Dan plaque un mouchoir sous son nez avant de franchir le seuil.

Personne. Quelques photos sont restées accrochées au mur près de la porte, comme si l'oiseau s'était envolé du nid dans l'urgence.

Une demi-heure plus tard, Durban rappelle.

— Rob, je suis avec Mike Positano. Je branche l'ampli, d'accord ?

— Bon.

L'instant d'après, Fleming entend de nouveau la voix de l'inspecteur :

— Les collègues locaux ont déjà l'adresse. Apparemment, notre homme a mis les bouts. Je reste en ville avec quelques gars, en attendant que tu le localises à nouveau…

— Tu seras aux premières loges, de toute manière.

— Qu'est-ce que tu veux dire ?

— Après avoir quitté pictureman.com, il s'est connecté sur un site de cartes et il a téléchargé un plan de New York.

En roulant vers le sud dans le soir tombant, Glenn remarque les citrouilles évidées dont les yeux clignotent aux fenêtres, les groupes d'enfants portant des suaires et des masques effrayants. Il éclate de rire : bien sûr, Halloween. Il n'aurait pas pu choisir une date plus appropriée.

Son attention est attirée par une silhouette plus grande, une adolescente à en juger par la forme de son corps sous le tissu sur lequel on a peint un squelette aux os lumineux. C'est un déguisement courant, et Glenn ne lui accorde qu'un bref coup d'œil en passant, mais son image reste dans un coin de son esprit.

Pendant une trentaine de kilomètres, il tente de la chasser de ses pensées, mais, comme une mouche bourdonnant autour d'un morceau de viande, elle revient sans cesse le harceler. Finalement, l'enseigne d'un magasin proposant des déguisements d'Halloween le fait brusquement obliquer vers le bas-côté.

Ils attendent. Pendant des heures.

Les techniciens passent au peigne fin l'entreprise de pompes funèbres et la maison louée par Furnish. Le lieutenant Lowell se rend sur place par hélicoptère pour superviser l'opération.

A neuf heures, Frank se fait livrer des sushis ; à minuit, il se rend à l'hôtel au coin de la rue pour se doucher et se reposer un peu.

Il est sous l'eau quand il entend le téléphone sonner. Poussant un juron, il se précipite hors de la salle de bains, encore couvert de savon. L'appareil glisse entre ses mains, il lui faut un moment pour l'approcher de son oreille. C'est Fleming, il a l'air tout excité :

— Tu vas pas me croire ! dit le technicien. Ce salaud vient d'utiliser son ordinateur portable dans un motel.

— Où ?

— A Westchester. Un motel sur Marin Road. Et tu sais quoi, Frank ? En prime, on a le numéro de sa carte de crédit. Une Visa, il a payé la chambre avec.

— Ça ne tient pas debout, objecte Durban. Il doit savoir qu'on le recherche, maintenant.

— Exact. Mais c'est pas sa carte. Elle est attribuée à un nommé Harold J. Hopkins. Tu veux qu'on déclare le vol ?

— Non. Il vaut mieux pour nous qu'il puisse continuer à l'utiliser. Dis à Positano ou à Weeks de m'appeler sur mon portable d'ici un quart d'heure.

Quelques minutes plus tard, Durban est dans sa

voiture, une main sur le volant, l'autre pressant son
oreille pour en chasser l'eau de la douche, quand son
portable sonne. Positano.

— De notre côté, tout est prêt, Frank. Une chose que
tu dois savoir : il vient encore de se servir de la carte.
Pour se payer une pute.

— Merde. Tu es sûr ?

— A cent pour cent. L'agence d'accompagnatrices
A1.

— Appelle-les, dis-leur de ne pas envoyer la fille.

— On l'a fait. C'est trop tard. Elle est déjà partie.

Durban réfléchit tandis que la voix de Weeks poursuit :

— Tu veux qu'on téléphone au motel ? L'employé de
la réception pourrait intercepter la fille et l'empêcher
d'aller à la chambre…

— Non. Non, laissez tomber. Si c'est bien notre
homme, il ne faut surtout rien faire qui risque de l'alerter. Bon, on se dépêche. Je vous attendrai à la bretelle
d'entrée du tunnel.

49

L'homme dans la chambre du motel défait sa valise
avec soin, examine toutes les choses qu'il a emportées
avant de les remettre dans le bagage et de le glisser sous
le lit. Il jette un coup d'œil au réveil serti dans la tête de
lit : un peu plus de neuf heures. La fille est en retard,
mais pas trop. Il sent l'excitation monter en lui, émotion
indisciplinée qu'il repousse par un effort de volonté. Il
doit rester calme. La maîtrise de soi, tout est là.

Quand il entend des coups à la porte, il traverse rapidement la pièce pour décrocher la chaîne de sûreté.

— Qui est-ce ? demande-t-il à voix basse.

— Corinne. De l'agence A1.

Il ouvre, s'écarte pour la laisser entrer. Elle n'est pas mal pour une prostituée, un peu vulgaire, mais bien, dans l'ensemble. Sous son imperméable, elle porte un jean coupé, un T-shirt au col en V. Blonde, un mètre soixante-dix, comme sur le catalogue du site de l'agence. Il sourit, soulagé.

Se méprenant sur sa réaction, elle lui rend son sourire.

— Salut, je suis Corinne, des accompagnatrices A1. Ça me fait plaisir d'être ici. Si tu me disais ton prénom et ce que tu as en tête pour nous deux... récite-t-elle d'un ton machinal.

— Je m'appelle Harold.

— Harold, t'as déjà réglé le tarif de base mais avant qu'on fasse plus ample connaissance, tu aimerais peut-être que je te parle des extras que je peux te proposer ?

— Merci, j'aimerais beaucoup.

— Le rapport complet, c'est deux cents. Sans capote, trois cents. Le rapport oral, avec capote aussi, cent cinquante. Un simple massage, cinquante.

— Et si je souhaite quelque chose... de particulier ?

— Tout dépend de ce à quoi tu penses. Explique-moi, on verra ce qu'on peut faire.

Comme il semble tergiverser, elle le relance :

— Je suis d'un tempérament aventureux, Harold. Pour un beau garçon comme toi, rien n'est interdit.

— C'est assez... spécial.

Le sourire de la fille vacille, révélant non de l'hésitation mais une froide cupidité.

— Tant mieux, approuve-t-elle. On s'installe et tu me racontes ?

Ils ont de la chance. Le flot des banlieusards s'est quasiment tari et la caravane des voitures de flics parvient à l'autoroute en un quart d'heure, se frayant un chemin à coups de sirène parmi les automobilistes prompts à prouver leur sobriété en s'écartant dans l'instant. Au moment où elle quitte la ville, il se met à pleuvoir, de gros rideaux liquides qui noient les pare-brise et transforment la surface de la route en soupe. Durban accroche son regard aux feux arrière du véhicule qui le précède, s'efforce de ne pas les perdre et jure à mi-voix quand ils attaquent une bretelle de sortie trop rapidement.

A côté de lui, Positano s'agrippe à la portière quand l'arrière dérape dangereusement sur la chaussée glissante.

Le téléphone sonne de nouveau, Frank le coince entre son oreille et son épaule pour garder les deux mains sur le volant.

— Ouais ?

— Weeks. Je viens d'avoir Ellis… Tu sais qu'il a bossé aux Mœurs ? Apparemment, la procédure normale veut que la fille appelle son agent dès qu'elle arrive dans la chambre. Ce qui signifie que l'agent va la prévenir qu'on a posé des questions.

— Merde. Bon, demande aux flics locaux de faire pression sur l'agent. De lui expliquer que si la fille se rend compte qu'il se passe quelque chose, c'est là que ça va vraiment devenir dangereux pour elle. Précise que nous sommes déjà en position et qu'elle ne risque rien.

Dans le silence qui suit, Durban se demande si Weeks va contester sa décision, mais celui-ci se contente de marmonner « Très bien » avant d'interrompre la communication.

Si la fille meurt, ils devront fournir des explications, Frank le sait.

— Il me faut juste le feu vert pour la carte, fait Corinne.

Elle glisse le rectangle de plastique dans un appareil portable qu'elle a tiré de son sac puis compose le numéro de Visa. Glenn n'avait pas prévu ce détail. Il n'est pas sûr que le numéro de la carte sera encore accepté.

— Hopkins, H. J. Hopkins, dit-elle au téléphone. Deux mille dollars.

Elle attend, tapote de ses longs ongles le bord de la carte, se tourne vers Glenn.

— Tu nous fais monter quelque chose à boire ?

Il ne tient pas à ce que quelqu'un d'autre pénètre dans la pièce.

— Désolé, je suis aux Alcooliques Anonymes, répond-il poliment.

Corinne hausse les épaules. Son correspondant a dû revenir en ligne car elle répète dans l'appareil :

— Zéro, huit, neuf, deux, zéro. Merci.

Elle note le chiffre sur le ticket, raccroche et annonce :

— Un dernier coup de fil.

Nouvelle attente.

— Judy ? Je suis arrivée… Non, j'en ai pour un moment. Dis-lui que je l'appellerai demain… Ouais, plutôt bien… Toute la nuit… Ouais, je rappelle demain. Salut.

Elle repose le téléphone, se lève en disant :

— Voilà, tout est réglé. Tu veux qu'on bavarde un moment ou tu préfères qu'on commence tout de suite ?

— Je crois qu'on pourrait commencer.

— OK.

Elle ôte son T-shirt, sous lequel elle porte un soutien-gorge pigeonnant.

— Il est où, ton truc ?

Sans répondre, Glenn tire la valise de dessous le lit et l'ouvre. Le déguisement d'Halloween est soigneusement plié sur les autres vêtements. Le squelette tracé à la peinture fluorescente luit faiblement. Il l'étale sur la couverture.

Corinne relève sa chevelure, se retourne.

— Tu me dégrafes, s'il te plaît ?

Glenn sent l'humidité de la pluie sur la peau de la fille quand il défait l'agrafe. Elle se tourne vers lui, tenant le soutien-gorge contre ses seins, puis les libère et glousse.

— Ça va être super, murmure-t-elle.

Ils éteignent sirènes et phares à un kilomètre environ du motel. Quelqu'un a prévenu la police locale par radio : une voiture de ronde les attend au croisement et les conduit, à vitesse réduite, sur le côté du bâtiment.

Ils descendent, laissent les portières ouvertes : inutile de risquer d'alerter leur proie par un claquement de métal.

Le policier local échange quelques mots avec l'employé de la réception et ressort.

— Chambre 12, chuchote-t-il. Celle du fond. Il l'a demandée spécialement.

Ils ont déjà pris les fusils dans le coffre de la voiture de tête. Durban dégaine son pistolet, s'en sert pour faire signe aux autres de se mettre en position.

La fille est sur le lit maintenant, engoncée dans le costume de squelette. Comme il est taillé pour un enfant, il la serre. Il y a un trou sous chaque narine, afin de lui permettre de respirer. Glenn lui saisit les bras, sent la chair et les os à travers le plastique mince. Quand il s'introduit en elle, un bruit s'échappe de sa bouche, un gémissement de satisfaction, suivi dans l'instant d'un double craquement en provenance du couloir, le premier quand le verrou peu solide cède, le second, dans la continuité, lorsque la force du coup projette la porte contre le mur.

Il lève la tête, plisse les yeux cependant que la pièce s'emplit d'uniformes et de fusils. Pendant une seconde, il reste en équilibre sur la fille, puis roule sur le côté tandis qu'elle se redresse, arrache le masque en caoutchouc de son visage et s'écrie :

— Qu'est-ce qui se passe, bordel de merde ?

50

Christian décroche le téléphone.

— Oui ?

Il écoute puis répond :

— Merci. Bien joué. Nous ne manquerons pas de fêter ça.

— Qu'est-ce qu'il y a ? demande Claire.

— La police vient d'arrêter quelqu'un, elle est à peu près sûre que c'est lui.

Il replace le combiné sur son socle avec soin.

— Nous sommes libres, Claire. Plus de protection, plus de gardes du corps, plus de flics autour de nous. C'est fini.

Ils ramènent Glenn Furnish en ville le soir même pour le mettre en examen. Au central du NYPD, dans le New Jersey, ils le déshabillent pour soumettre ses vêtements à une analyse de fibres et lui donnent une combinaison en papier blanc à porter. Au préalable, il passe par un examen médical aussi poussé que celui des victimes de viol. On lui prélève des cheveux, des poils sur la poitrine et le bas-ventre, des cellules du palais pour avoir un échantillon d'ADN ; on lui racle le dessous des ongles ; on lui tire un peu de sang du creux du bras avec une seringue.

Lorsque la femme médecin a fini la prise de sang, une goutte perle à l'endroit de la piqûre. Elle s'apprête à la nettoyer quand il la devance en portant son bras à sa bouche et en aspirant.

— J'ai lu quelque part que quand un requin saigne, il arrive qu'il devienne fou à essayer de se dévorer lui-même, dit-il sur le ton de la conversation.

Elle ne répond pas. Elle a vu passer beaucoup de suspects dans sa salle d'examen, mais jamais quelqu'un d'aussi détendu.

A huit heures trente précises, Furnish demande à donner un coup de téléphone. On le conduit dans une cellule d'attente où on le laisse avec l'appareil. Il compose un numéro qu'il a mémorisé de longue date.

— Chance, Truman et associés, énonce une voix féminine.

— Monsieur Truman, s'il vous plaît.

Malgré l'heure matinale, il obtient la secrétaire de Truman.

— Il est là ?

— M. Truman est en réunion. Puis-je…

— Dites-lui que c'est Charon, la coupe-t-il. Il possède quelques-unes de mes, euh, de mes œuvres. Je crois qu'il aura envie de me parler.

Deux minutes plus tard, une voix d'homme annonce :

— Truman.

Glenn explique ce qui lui est arrivé. Après un silence, la voix reprend :

— Vous êtes sûr que la police n'a rien d'autre ?

— Certain.

— Bon, je serai là dans une heure, promet Truman. En attendant, j'envoie par fax un formulaire de contrat que vous signerez pour me désigner comme votre avocat. Mon cabinet facture huit mille dollars par jour.

— C'est plus que je ne pensais.

— C'est le tarif, monsieur Furnish.

Pour la première fois de la matinée, Glenn ressent une poussée d'irritation. Lui, l'artiste qui prend tous les risques, il gagne, semble-t-il, moins que ce sale baveux.

— Vous me consentiriez une réduction ?

— Pourquoi le ferais-je, monsieur Furnish ? réplique Truman d'un ton froid.

— Je crois que vous le savez.

— Moi, je crois que vous feriez mieux de ne plus y songer. Je ne sais pas qui m'a recommandé à vous. En ce qui me concerne, vous n'êtes qu'un client qui a besoin de mes services. Si vous ne l'acceptez pas ainsi, je raccroche et vous cherchez un autre avocat. C'est clair ?

— Euh, d'accord, cède Furnish, qui se dit qu'il pourra toujours faire chanter Truman plus tard. Faxez-moi le contrat, je le signerai.

— Pour en revenir au sujet précédent, je suppose que la police n'a pas accès à une liste de… de vos clients ?

— Non. Elle existe mais elle est en lieu sûr. Faxez-moi le contrat, Truman. Je veux sortir d'ici.

Durban et Positano prennent le premier tour dans la salle d'interrogatoire. Derrière le miroir sans tain, la salle d'observation est pleine d'autres flics qui ont travaillé sur l'affaire. Furnish paraît calme. De temps à autre, il se gratte sous la combinaison de papier blanc.

— Alors, Glenn, attaque Durban quand l'enregistrement a commencé. Ça nous a pris un moment mais nous y sommes arrivés.

Après un silence, Furnish répond :

— Arrivés où ? Qu'est-ce que vous voulez dire ?

L'avocat — élégant, courtois et désintéressé — pose une main modératrice sur le bras de son client.

— Quelle est votre question, inspecteur ?

Durban ignore l'intervention.

— Tu en as bien profité, Glenn. Mais tu sais quoi ? Je parie que tu es finalement soulagé qu'on t'ait arrêté. Ça t'empêchera de tuer d'autres femmes innocentes.

Truman intervient de nouveau :

— Votre question…

— Mais peut-être que ce n'étaient pas des femmes innocentes, pour toi, poursuit Durban. Tu penses peut-être que ces putes méritaient tout ce que tu leur as fait.

— Vous vous trompez, dit Furnish avec un sourire. Je ne suis pas celui que vous cherchez.

— Mon client a pris par erreur la carte de crédit de son patron au lieu de la sienne, allègue Truman. Il suppose que c'est pour cette raison qu'il est ici.

— Pas pour des meurtres en série ?

— Quels meurtres en série ?

Frank tire quelques photos d'un mince classeur marron, les fait glisser sur la table.

— C'est ton boulot, hein, Glenn ?

L'avocat prend les photos, les regarde puis les passe à son client, qui jette un coup d'œil à la première et les repose.

— J'ai travaillé sur ces corps, oui, reconnaît Furnish. Je suis un technicien funéraire qualifié. Qui les a mis dans cette position ?

— A toi de nous le dire.

— En tout cas, il a dû falloir pas mal de lubrifiant… Durban le dévisage.

— Autant que je puisse en juger, aucun délit n'a été commis, fait observer Truman. A part peut-être violation de domicile par la personne qui s'est introduite dans les lieux.

— C'est là que vous faites erreur, rétorque Frank. Primo, un nouvel examen du corps d'Alicia Hopkins laisse penser qu'elle ne s'est pas suicidée. Elle a probablement été étranglée avec une ceinture semblable à celle que plusieurs personnes ont vue sur votre client.

Secundo, continue-t-il, si celui qui a fait ça a pris des photos et les a téléchargées, disons d'un appareil numérique à un ordinateur portable, des documents susceptibles de dépraver ou de corrompre ont été stockés dans un système de recherche, ce qui constitue également un délit.

Furnish bâille ostensiblement.

— Revenons un peu en arrière, propose Positano. Glenn, tu connais un site dont l'adresse est picture-man.com ?

— Ouais.

— Je ne vois pas le rapport avec... commence l'avocat.

Positano insiste :

— Tu l'as visité, Glenn ?

— Peut-être.

— Ce n'est pas un délit de visiter un site, quel que soit son contenu, affirme Truman.

— Tu l'as visité, oui ou non ?

Rassuré par la remarque de son avocat, Furnish hausse les épaules et répond :

— Oui, bon, je l'ai visité.

— Est-ce que tu t'es connecté de chez toi, hier après-midi vers quatre heures un quart ?

— Possible.

Furnish lève les yeux vers le policier. Il a compris où il veut en venir, maintenant.

— Tu as tapé le code d'accès de l'administrateur du site ?

Furnish hausse les épaules.

— Tu es malin, Glenn. Tu connais bien Internet. Tu sais que si on est remontés jusqu'à toi, on a tout ce qu'il faut pour t'identifier comme étant le tueur. N'oublie pas qu'on a ton portable. Nos gars sont en train d'examiner le disque dur.

Furnish se renverse sur sa chaise.

— Je pense que c'est le moment de vous dire la vérité, soupire-t-il.

Son avocat lui lance un regard d'avertissement dont il ne tient pas compte.

— C'est moi qui ai créé pictureman.com. J'en suis le webmestre. Mais le site est complètement bidon.

— Continue.

— Je n'ai tué personne. Je me suis juste amusé à me faire passer pour l'assassin. Une sorte d'hommage à un type plutôt cool…

— Non, non, Glenn. La première fois que nous nous sommes intéressés à pictureman.com, c'est quand le tueur a écrit ce nom sur le corps d'une de ses victimes.

— Alors, je suppose qu'il devait lui plaire aussi.

— Comment tu t'es procuré les photos ?

— Par un gars, sur Internet. On trouve tout ce qu'on veut si on sait où demander.

— Tu es nécrophile, Glenn ?

L'homme en combinaison blanche se renverse un peu plus en arrière et s'adresse au plafond :

— Je suis prêt à explorer mon côté sombre.

Truman se penche au-dessus de la table.

— Avez-vous réellement quoi que ce soit contre mon client ? lance-t-il aux policiers. Une preuve quelconque qu'il ait commis un crime ou un délit ? Parce que si vous allez simplement à la pêche, je vais conseiller à M. Furnish de ne plus répondre à aucune question.

— Ce n'est pas normal, dit Connie dans la salle d'observation. Ce type est beaucoup trop calme.

— Attendez que les techniciens en aient fini avec son ordinateur, répond quelqu'un dans l'obscurité. C'est là qu'il commencera à craquer.

— Mais il le sait, qu'on a son portable ! argue Connie. Il sait que le temps joue contre lui. Pourquoi ne s'inquiète-t-il pas ?

La réponse à cette question se trouve à la section Délits informatiques, où Rob Fleming est en train d'extraire les secrets de l'ordinateur de Glenn. Dans une pièce climatisée et dépoussiérée, aussi stérile et immaculée qu'un laboratoire d'autopsie, l'appareil est méthodiquement disséqué.

— C'est beaucoup plus facile sur un portable que sur une bécane de bureau, commente Fleming. Le portable est modulaire, tout se démonte en un clin d'œil.

Il déloge le disque dur avec précaution, l'insère dans un autre PC de la même marque et du même modèle, puis lance l'appareil.

— Je fais une copie avant de m'y introduire, au cas où il serait protégé par un mot de passe.

— Ça poserait problème ? demande Weeks.

— Pas vraiment. Ça nous ralentirait. Si l'information est dessus, on finit toujours par l'obtenir.

Quelques minutes plus tard, il reprend :

— Bon. Voyons ce que nous avons.

Il tape une commande qui apparaît sur l'écran.

— Tu te sers du DOS ? s'étonne Weeks.

— Oui. La plupart des gens font plein d'efforts pour cacher leurs secrets à Windows. Ils oublient que Windows n'est pas le vrai système d'exploitation de l'ordinateur. C'est juste l'enjolivure à la surface. Si tu veux vraiment parler aux BeOs, il faut le faire à l'ancienne.

Pendant que Fleming donne ses explications, un texte apparaît sur l'écran en lettres blanches, ligne par ligne.

— Ça a l'air tout simple, ce coup-ci, ajoute-t-il.

— On s'intéresse surtout aux fichiers photos ou aux films.

— Il n'y en a qu'un, de toute façon. Un fichier image. Je te le sors ?

— Bien sûr.

Au bout de quelques moments, le disque dur se met

à ronronner doucement, une image apparaît sur l'écran. C'est un dessin, la représentation grossière d'un crâne sur fond noir. A l'endroit de la bouche, on a superposé le sourire peint d'un clown. Dessous, ces mots, en caractères gothiques :

Bons baisers

— Merde, grogne Weeks. Tu es sûr que c'est tout ?
— C'est tout, confirme Fleming. Y a pratiquement rien d'autre sur ce disque. Ni documents, ni agenda, ni carnet d'adresses. Rien qu'un logiciel de navigation sur Internet et un traitement de texte.
— Ce fumier aurait changé de disque dur ?
— C'est tout à fait possible. Ça ne prend pas plus de quelques minutes, sur un appareil comme celui-là. Et tant que tu le gardes au sec, tu peux planquer l'autre disque presque n'importe où. Même sous terre, si tu l'enveloppes dans du plastique.

— Merde, lâche à son tour Durban quand Weeks lui annonce la nouvelle par téléphone. Bon, voilà ce qu'on va faire. On l'inculpe de vol de carte de crédit, on s'arrange pour que le juge fixe une caution élevée et on ratisse tous les endroits qui ont un rapport avec lui, en commençant par les alentours de la maison qu'il louait.

51

— Tout ce que nous avons fait jusqu'ici visait à développer vos capacités d'acteur. Le moment est venu de mettre les techniques acquises au service d'une pièce.
Claire, qui se tient au dernier rang du groupe

d'élèves, ferme les yeux pour se concentrer sur ce que dit Paul.

— Donc, qu'est-ce qu'une pièce? continue-t-il. Une histoire. Mais quelle sorte d'histoire? Nos improvisations sont aussi des histoires, en fin de compte. La différence, c'est que dans une impro nous acceptons ce qui nous est offert, quoi que ce puisse être. Dans une pièce, un personnage n'accepte pas obligatoirement ce qu'un autre désire, ce qui se traduit par un conflit.

Claire ouvre les yeux. Paul la fixe avec insistance, puis son regard la quitte pour faire le tour du groupe. Un instant, elle pense avoir décelé dans ses yeux une lueur froide, une colère dirigée contre elle. Mais c'était si bref, impossible d'avoir une certitude.

— Stanislavski décrit l'essence d'une pièce, le but de son personnage principal, comme un «super-objectif». Souvent, ce super-objectif demeure caché au public jusqu'à ce que le rideau soit sur le point de tomber pour la dernière fois. Mais vous, vous devez toujours le connaître. Ce n'est qu'armé de cette connaissance que vous pourrez définir comment chaque scène individuelle, «la continuité» comme dit Stanislavski, s'intègre dans le thème.

— Et l'auteur? demande un élève. Le texte ne définit pas la pièce?

— L'auteur, on l'emmerde, répond le metteur en scène.

Eclats de rire, mais il poursuit, d'un ton sérieux :

— Pour que le texte ait un sens, il doit avoir une vérité. Votre vérité.

Plus personne n'a de question.

— Bon. La pièce que nous allons jouer est *Hamlet*. Chris, tu seras le prince. Keith, le roi. Ellen, Gertrude. Claire, tu seras Ophélie.

A nouveau le regard froid. Et pourquoi Ophélie? Compte tenu de l'insistance de Paul à leur faire revivre leurs propres expériences à travers la mémoire affective, le rôle d'une démente suicidaire n'est pas celui qu'elle aurait choisi. Leon, l'étudiant qui a claqué la porte, ne se trompait pas : il y a toutes sortes de jeux intellectuels dans ce cours. Elle se demande si le choix de Paul n'est pas une sorte de punition, et si c'est le cas, pourquoi diable elle est punie.

Une douzaine d'hommes sont amenés des cellules d'attente au plus important des sept tribunaux du New Jersey. La pièce dans laquelle on les introduit est délimitée par des parois de verre et coupée du reste de la salle d'audience, bien qu'une ouverture à hauteur de visage permette aux prévenus de parler à leur avocat. L'un de ceux-ci quitte la table de la défense, se dirige vers la cage de verre.

— Monsieur Felstead ? fait-il en inspectant les visages.
Un prévenu s'approche de l'ouverture et demande :
— Vous êtes Brook ?
L'avocat passe la main par la brèche.
— Michael Brook, oui. Ça va ?
— J'ai pas beaucoup dormi. Les cellules sont plutôt bruyantes.
— Bien sûr, dit Brook. Ecoutez, nous devrions vous faire sortir d'ici rapidement. La question est de savoir si vous voulez décider tout de suite de plaider coupable ou non coupable, ou d'attendre plus tard. A vous de voir, mais cela pourrait avoir une influence sur le montant de la caution.
— En quel sens ?
— J'ai parlé au procureur. Votre femme portera plainte pour coups et blessures, c'est certain, mais si vous acceptez une interdiction de l'approcher, je ne vois pas pourquoi on vous refuserait une libération sous caution. Si vous plaidez non coupable, le juge pourrait fixer le montant un peu plus bas, sur la base de votre

innocence présumée. A votre place, je n'y compterais quand même pas trop.

— D'accord. Non coupable. Tirez-moi d'ici, c'est tout ce que je veux.

Le juge municipal Harvey Chu progresse lentement le long d'une liste de mises en accusation très fournie. Il jette un coup d'œil à sa feuille et appelle :

— Peter Felstead.

L'avocat, Brook, s'approche du perchoir du juge, de même que le procureur. Comme ils se parlent à voix basse, il est impossible de les entendre de la zone vitrée à cause du bruit de fond fait de murmures et de marmonnements. Finalement, le juge relève la tête et décide :

— Dix mille dollars.

Brook retourne auprès de son client.

— Monsieur Felstead, nous devrions pouvoir vous faire sortir d'ici dans une demi-heure. Ensuite, nous irons à mon cabinet pour régler cette histoire de caution.

— Merci. Faudra simplement que je passe à mon bureau prévenir que je serai en retard.

L'audience a été suspendue pour le déjeuner puis a repris avant que le juge Chu ne parvienne à la fin de sa liste.

— Furnish, appelle-t-il d'une voix lasse.

Il ne reste plus dans la cage en verre qu'un homme en combinaison blanche. Positano, assis derrière les tables des avocats, murmure au procureur :

— Où il est, Furnish ?

Le magistrat se tourne vers la zone vitrée.

— Ben, là.

L'inspecteur sent son estomac se nouer.

— C'est pas lui.

— Vous êtes sûr ?

— A votre avis ? Et merde !

— Un instant, Votre Honneur, dit le procureur au juge en s'approchant de la paroi transparente. Qui êtes-vous ? demande-t-il en se tournant vers le dernier prévenu.

— Felstead. Peter Felstead, répond l'homme avec un regard provocant. Y a un problème ?

Ellen Saunders et son nouvel ami, Jake Fincher, viennent de terminer un succulent déjeuner. Ils ont dû faire la queue longtemps pour pouvoir manger au Flint's, bien sûr, mais franchement, ils ont déjà eu de la chance d'avoir une table. L'endroit est bondé, comme tous les jours de semaine, mais ils étaient tellement pris par leur conversation qu'ils ont à peine remarqué le service légèrement chaotique et la longue attente entre les plats.

Finalement, Ellen regarde sa montre et s'affole :

— Oh mon Dieu, Jake, je ne pensais pas qu'il était si tard ! Il faut demander l'addition.

— D'accord. C'est moi qui t'invite.

— On partage. J'insiste.

Quand l'addition arrive, Jake met un terme à la discussion en tirant sa carte de crédit de sa poche et en repoussant celle d'Ellen. Il tient l'assiette avec sa carte et l'addition hors de portée de la jeune femme, attendant qu'un serveur vienne la prendre.

— J'espère que le repas vous a plu, monsieur, dit le garçon qui vient d'apparaître près de la table.

Ce n'est pas celui qui a apporté l'addition, mais après tout, quelle importance ?

— Oui, c'était parfait.

— Vous êtes sûr que vous ne voulez pas un café ?

— Non, nous devons retourner au bureau.

Le serveur hoche la tête, s'éloigne avec l'assiette. Cinq minutes plus tard, un Jake exaspéré fait signe à une serveuse qui passe.

— Vous voulez l'addition ?

— Comment ça, je veux l'addition ? s'énerve-t-il. Ça fait cinq minutes que j'attends pour signer le ticket !

Tandis que la serveuse se dirige vers la caisse pour voir ce qu'il en est, il glisse à Ellen :

— Il peut faire une croix sur le pourboire, fais-moi confiance !

La femme revient au bout d'un moment et demande :

— A quelle serveuse avez-vous donné votre carte ?

— Ce n'était pas une serveuse, c'était un garçon, répond Jake.

Il parcourt la salle du regard, ne voit nulle part l'homme qui a emporté sa carte.

— Il s'est tiré ? fait Durban, incrédule, en fixant son collègue. Qu'est-ce que tu racontes ?

— Il a pris la place d'un autre. Un connard encore à moitié bourré de la veille. Furnish l'a convaincu que ce serait une bonne blague à faire à son ex.

— Et les avocats ? Ils n'ont rien remarqué ?

— Celui de l'alcoolo ne le connaissait pas. Le type avait fait marcher l'assistance judiciaire de son assurance en téléphonant de la cellule. Mais Truman, lui, aurait dû se rendre compte que son client n'était plus dans la cage. A mon avis, il était pas mécontent d'en être débarrassé.

— Il avait l'impression que ça sentait mauvais, cette affaire, d'après toi ?

— Depuis quand ça dérange les avocats, les mauvaises odeurs ? répartit Positano. Plus ça a une chance de faire les gros titres, plus ils en veulent. Non, si tu veux mon avis, Furnish avait quelque chose sur Truman.

— Vérifie ça. Quoi d'autre ?

— On a demandé à être informé de toutes les interventions de la police dans un rayon de quinze kilomètres autour du tribunal. Il y a vingt minutes, quelqu'un a signalé un vol de carte de crédit. Weeks est allé voir. Ça ressemble nettement à du Furnish. Enfin, quel que soit son vrai nom : aucune trace de lui dans les boîtes où il prétend avoir bossé. Les gars des Archives contactent toutes les écoles funéraires pour voir si on peut trouver sa véritable identité.

Weeks téléphone du restaurant.

— C'est bien lui. Cool, le mec, vraiment. La victime ne se rappelle même plus le numéro de sa carte, juste que c'est une Amex.

— Manquait plus que ça, grogne Frank. Une Gold ?

— Ouais. Le gars estime que le crédit qui lui est alloué tourne autour des cinquante mille dollars…

— Super. Bon, reviens ici. Je demande à Rob de prendre contact tout de suite avec American Express.

Vingt minutes plus tard, on retrouve la trace de la carte volée dans un cybercafé situé derrière la Deuxième Avenue. Une unité s'y rend en voiture-radio, toutes sirènes hurlantes, et rapporte que l'utilisateur du PC a téléchargé un virus après avoir effectué ses achats en ligne. Le temps que les flics parviennent à l'ordinateur, la bestiole est déjà en train de mastiquer le dernier octet d'informations du disque dur.

De l'homme qui s'est servi de l'appareil, aucune trace.

52

Les caméras sont de retour.

Claire va et vient dans l'appartement, un muscle tressautant de manière inquiétante sur sa mâchoire.

291

Christian est assis dans l'un des gros fauteuils en cuir, l'air impassible.

Les techniciens de la police les ignorent. Ils ont apporté leur propre échelle. Des fils très minces pendent d'un coin du plafond du loft à un autre. L'un des gars de l'équipe les colle soigneusement à la jointure entre le mur et le plafond, un autre suit avec un pot de peinture. Ils sont aidés par une Coréenne, celle qui prétendait que l'appartement du dessous appartenait à la compagnie de son mari. Durban les regarde travailler depuis le seuil de la porte.

— Ecoutez, Claire, dit-il. Il est encore temps de vous remplacer par deux flics…

— Sans vouloir vous offenser, Frank, ils seraient aussi crédibles qu'un pape hassidique.

L'inspecteur hausse les épaules.

— Comme vous voudrez.

— Pas dans cette pièce ! lance sèchement Claire à l'un des techniciens qui vient de pénétrer dans la chambre. Vous ne mettez pas vos machins dans cette pièce.

— Rien qu'un bouton de signal d'alarme, plaide Durban d'un ton conciliant.

— Vous n'aviez pas affirmé que Furnish ne peut en aucun cas arriver jusqu'à nous ?

— Il ne peut pas, confirme l'inspecteur. Nous avons installé deux postes d'observation à chaque bout de la rue. Nous avons une unité d'intervention dans l'appartement du gardien. Nous avons des équipes de surveillance qui vous suivront partout où vous irez. Les boutons de signal d'alarme sont juste une précaution de plus.

— Qu'est-ce qui vous fait croire qu'il essaiera, de toute façon ? Il pourrait aussi bien courir se cacher dans un endroit tranquille…

— Nous ne sommes pas sûrs qu'il essaiera. C'est la raison pour laquelle nous devons…

'— Il essaiera.

L'affirmation émane de la femme qui vient d'apparaître dans l'encadrement de la porte : menue, élégante, un paquet de Merit et un briquet dans la main droite.

— Salut, docteur Leichtman, dit Claire d'un ton froid.

— Salut, Claire. J'ai été désolée d'apprendre que vous avez été… souffrante.

— Gardez votre baratin pour vos prochains pigeons, Connie.

Avec un haussement d'épaules, Leichtman entre dans l'appartement, inspecte le travail des techniciens.

— Il viendra, affirme-t-elle. Je vous le garantis.

— Tu as l'air drôlement sûre de toi, fait remarquer Durban.

Connie s'approche de l'ordinateur portable posé sur le bureau, lance un moteur de recherche. Malgré elle, Claire l'observe par-dessus son épaule, la voit taper *Blonde + Baudelaire + photos + adresse* avant d'appuyer sur *Entrée*. Le premier nom de la liste qui apparaît sur l'écran est celui de Claire.

— Cliquez sur le lien, lui suggère la fausse psychiatre.

Claire pose la main sur la souris, clique. Son visage envahit l'écran.

— Votre page d'accueil, Claire. Vous commencez à être assez fréquentée.

— Terminologie regrettable, marmonne Frank.

La comédienne tend l'index vers la large zone blanche située en bas de la page.

— Qu'est-ce que c'est ?

Leichtman lève les yeux vers les fils que l'équipe est en train de coller au plafond.

— Webcam. Elle n'est pas opérationnelle pour le moment, bien sûr.

Claire se détourne brusquement et s'éloigne.

— Claire, la rappelle Connie, si vous étiez une actrice célèbre, des tas de sites vous seraient consacrés. La plupart avec des images pornos créées de toutes pièces. Si vous avez vraiment l'intention de devenir une star, autant vous y habituer.

Durban lui touche le bras.

— Laisse, Connie. A quoi il sert, ce moteur de recherche ? Et qu'est-ce qui te rend si sûre que Furnish essaiera de s'en prendre à Claire ?

— Parce qu'il en a la possibilité. Parce que nous lui avons facilité les choses. Claire est en tête de liste, au sens littéral. Un tueur ne s'arrête pas de tuer parce qu'il vient de l'échapper belle. Pour lui, c'est une envie irrépressible, pas un choix. Même s'il soupçonne un piège, il viendra.

Quand Leichtman et tous les flics sont enfin partis, l'appartement redevient silencieux. Claire et Christian se regardent, sans savoir comment entamer la conversation.

— Comme au bon vieux temps, dit-elle enfin.

Il tend la main, lui caresse le cou.

— Pas tout à fait, répond-il. Ton véritable accent est bien plus charmant. Et puis, il y a ça.

Il retourne la main de Claire pour contempler la bague qu'elle porte au doigt.

— Quand tout sera fini, nous quitterons cet appartement et nous recommencerons ailleurs, dans un endroit sans souvenirs, promet-il. Peut-être hors de cette ville.

— Ce serait agréable.

— Une grande maison au bord de la mer.

— Parfait.

— Je prendrai contact avec un agent immobilier demain. Cela nous distraira de cette affaire.

— Christian…

— Oui?

— Il y a une chose que j'aimerais savoir.

— Laquelle?

— Il t'est arrivé de te connecter sur Necropolis?

— Oui, reconnaît-il après un silence. Quand Stella et moi... quand nous avons commencé à nous éloigner l'un de l'autre, j'ai pensé qu'il y avait quelqu'un d'autre dans sa vie. J'ai consulté ses e-mails. On peut appeler cela fouiner, je suppose.

Il baisse les yeux vers le parquet.

— Je n'en suis pas fier. Mais je l'aimais, tu comprends. Ou je croyais l'aimer.

— Je comprends.

— Dans sa boîte aux lettres, j'ai trouvé un message avec un mot de passe pour un site Internet dont je n'avais jamais entendu parler. Par curiosité, j'ai tapé le code, et je n'ai pas été vraiment surpris de ce que j'ai découvert en me connectant sur le site. Il y avait toujours eu chez Stella une partie d'elle qui réagissait à ce genre de choses. C'était le problème, je présume. Je n'arrivais pas à satisfaire ses désirs.

— Mais une fois sur le site, tu as parlé aux autres? A des gens qui te prenaient peut-être pour elle?

— Oui. J'ai essayé de savoir ce qu'elle faisait.

— Tu te souviens d'avoir parlé de Baudelaire?

— C'est possible, répond-il avec un haussement d'épaules.

— Je t'en prie, Christian. Essaie de te rappeler.

— Je crois me souvenir vaguement de quelque chose comme ça. Mais ce n'était qu'une conversation anodine, rien de plus. Pourquoi tu me demandes ça? demande-t-il en posant sur elle un regard aigu.

— Je ne sais pas encore... Quelque chose qui me turlupine depuis un moment. Et que je ne comprends pas bien. Je crois savoir où trouver la réponse.

53

Assis devant le bureau ancien de Christian, une table
à écrire vieille de plusieurs siècles, ils se préparent à un
voyage qui aurait abasourdi n'importe lequel des pré-
cédents propriétaires du meuble.

Ils se connectent sur Necropolis, localisent la porte
qui leur donnera accès à son monde souterrain. Le curseur de la souris que Christian déplace sur une zone
neutre de la page se transforme soudain en main, signe
qu'il a trouvé l'hyperlien. Il clique, un texte emplit
l'écran :

Tu es dans un bosquet de peupliers qui t'entourent de
toutes parts, sauf au nord. Ils se balancent légèrement
au vent froid qui souffle vers toi, tel l'air glacé s'échappant d'une vaste grotte souterraine. Remontant le sen-
tier qui serpente entre les arbres, tu parviens à une série
de portes noires, près de laquelle un énorme chien à
trois têtes est assis. L'animal te renifle, émet un gron-
dement menaçant.

— Il réclame le mot de passe, traduit Christian.

Il tape quelque chose sur le clavier ; quelques secondes après, l'écran annonce :

Reconnaissant en toi un habitant de ces lieux,
Cerbère te laisse passer.

— Allons vers le nord, dit Christian.

>> Vers le nord

Au bout d'un moment, l'ordinateur répond par un nouveau texte :

Tu es dans le Champ d'asphodèles, la première région du monde souterrain. Il abrite quelques dieux endormis mais surtout les figures diaphanes des morts. Elles s'agitent comme des chauves-souris, voletant sans cesse dans la bise soufflant du nord, où un grand Palais domine les prairies d'Erèbe. A l'ouest, un cyprès blanc ombrage le fleuve sombre du Léthé, où les fantômes communs se rassemblent pour boire, aussi craintifs que des oiseaux aquatiques. A l'est, de l'autre côté de prés semés de jonquilles, se trouvent l'Etang de la mémoire à la surface argentée et l'entrée de l'Elysée.

— On continue vers le nord, dit Christian en tapant à nouveau sur le clavier.

>> Vers le nord

L'écran répond aussitôt :

Au moment où tu pénètres dans le Palais de Perséphone, la fille du vestiaire, une Furie répondant au nom de Tisiphone, te demande si tu lui confies tes vêtements. Devant toi, les ruines d'un Escalier autrefois imposant, à présent souillé par les fientes des corbeaux qui se sont glissés à l'intérieur par les crevasses du plafond. A l'est, la Salle. Les portes de vingt pieds de haut sont closes mais tu entends des rires, et une étrange musique dissonante. A l'ouest, l'entrée des Caves.

— Quand tu rencontres quelqu'un, tu peux taper une commande qui te donne sa description, ou tu peux lui parler, explique Christian, dont les doigts courent sur le clavier.

>> Voir Tisiphone

Il obtient ceci :

Tisiphone :
Tu vois une Italienne hip aux yeux noirs avec un long nez droit. Elle porte de lourds Timberland et un pantalon baggy bleu foncé, une planche à roulettes très personnalisée sous le bras. Des dreadlocks et des perles ornent ses cheveux bouclés. Elle a une marque indienne peinte au milieu du front.

— Tu veux prendre le relais ? propose Christian à Claire.
— D'accord.
Cela lui semble d'abord étrange de naviguer avec des mots. C'est comme s'efforcer de trouver son chemin à tâtons, en se servant uniquement du bout des doigts. Les mains suspendues au-dessus du clavier, elle ne sait pas quoi écrire.
— Essaie d'entrer dans la salle, lui conseille-t-il.
— OK.

>> Vers l'est

Réponse :

Tu es dans une salle caverneuse, décorée de frises de Piranèse et de Goya. Des torches brûlent dans des porte-flambeaux de fer, dégageant une fumée d'encre. Tout au fond, de nombreux dieux sont assemblés autour d'un gigantesque trône. A l'est se trouve la Bibliothèque, un endroit tranquille. A l'ouest, la Salle de musique. A en juger par les bruits et les rires qui s'en échappent, il s'y déroule une fête.

— Tape «@ qui» pour savoir qui il y a d'autre.

>> @ qui

Réponse :

Morphée est là.
Ainsi que Kronos, Pluton, Minthé, Perséphone.
Perséphone : «Tu as bien dormi, chérie? Tu as ron-flé pendant des siècles. »

— Dans le jargon SM, dormir signifie être absent, explique Christian. Nous avons endossé l'ancien per-sonnage de Stella, Blanche. Les autres ont donc l'im-pression que Blanche vient de se réveiller.
— Qu'est-ce que je lui dis?
— Rien, à moins que tu n'en aies envie. Elle ne se vexera pas si tu ne lui adresses pas la parole. Tape «Regarder images» pour voir ton environnement.

>> Regarder images

Lentement, une image se déroule. C'est une gravure du dix-septième siècle qui représente un prisonnier mutilé par ses vainqueurs.
— Piranèse, commente Christian d'un ton détaché. Simplement pour créer le climat. Le vrai porno se trouve dans la galerie d'art.
— Qu'est-ce qui se passe, dans la salle de musique?
— Un viol collectif, probablement. Une demi-dou-zaine de joueurs et un cadavre. Je ne te le recommande pas.
— Comment je peux trouver un joueur particulier?
— Tape «Trouver» et le nom.

>> Trouver Charon

Réponse :

Charon est dans la bibliothèque, endormi.

— Comment je fais, déjà, pour aller dans la bibliothèque ?
— Tu n'as pas besoin de suivre une direction. Tape simplement « Aller bibliothèque » et tu y seras.

>> Aller bibliothèque

Réponse :

Tu es dans une Bibliothèque bien aménagée, remplie d'ouvrages anciens et récents. Il y flotte une agréable odeur de cuir qui se dessèche lentement. Quelques fauteuils sont disposés çà et là, et pour ceux que leurs lectures auraient enflammés, un Canapé en cuir assez vaste pour deux.

Sans hésiter, Claire tape une nouvelle ligne :

>> Regarder Charon

Tu vois un jeune homme au sourire charmant dont l'air doux est démenti par des yeux cruels. Son jean et son T-shirt sont couverts de taches qui parcourent le nuancier des rouges, du vermillon du sang frais au bordeaux sombre du sang plus ancien. Il ressemble à un étudiant des Beaux-Arts qui essuierait ses pinceaux à ses vêtements.

— C'est bien lui. L'artiste. Mais pourquoi il est dans la bibliothèque ?

— Qui sait ? Les personnages dorment où ils veulent. Regarde, ça parle de messages…

Dans sa main gauche, Charon serre une poignée de Messages non lus. Dans la droite, aux doigts tachés par des produits chimiques, il tient un Carnet de croquis.

— Je peux les lire, les messages ?
— Non. Lui seul peut le faire. Nous pouvons voir de qui ils proviennent, mais cela ne nous avancera pas beaucoup.
— Et le carnet de croquis ?
— Essaie. Il ne l'aurait pas incorporé dans la description de son personnage s'il ne servait pas à quelque chose.

>> Regarder Carnet de croquis

Tu vois un petit carnet relié en vélin couvert de croquis sur le vif. Charon te le montrera quand il se réveillera. Laisse-lui un Message précisant quel type d'art tu aimes.

— Merde, maugrée Claire, les doigts sur le clavier.
— Comme tu dis. Ce carnet doit être important, pour qu'il en barre l'accès. Les croquis sur le vif sont probablement des échantillons de ses œuvres.
— Je ne peux vraiment pas aller voir ce qu'il y a dedans ?
— Si tu étais programmeur, tu pourrais peut-être. Mais pas forcément. Certains objets ne sont accessibles qu'à leur créateur.
— Comment je pourrais savoir quels autres lieux Charon fréquente ? Où il cache ses œuvres ?
— Tu ne peux pas. Ce monde souterrain est vaste. Chaque nouveau personnage ajoute ses propres pièces aux structures de base. Certaines n'ont même pas de

301

porte. Le seul moyen de les trouver, c'est la commande « Aller », ce qui implique évidemment de savoir où tu veux aller.

Claire réfléchit puis tape :

>> Aller Atelier de Charon

Commande erronée

Elle fait une nouvelle tentative :

>> Aller Atelier de l'Artiste

Commande erronée

— Zut. Quoi d'autre ?

— Il dit que ses doigts portent des taches de produits chimiques. C'est peut-être une référence à la photographie… avance Christian.

— Bien sûr ! Charon n'a pas besoin d'un atelier mais d'un studio !

>> Aller Chambre noire

Au bout d'un moment, l'ordinateur répond :

Tu es dans l'obscurité totale. Tu ne vois rien ni au nord, ni au sud, ni à l'est ni à l'ouest.

— Ah ! En route pour le nord…

>> Vers le nord

Tu trébuches sur des piles de livres, des vêtements abandonnés et des os épars. Tendant une main devant toi pour te protéger, tu sens quelque chose de mou et d'humide. C'est une coupe de fruits qui fermentent lentement dans leur jus.

— Essaie les livres, suggère Christian.

>> Liste livres

L'Anatomie de la mélancolie / Robert Burton
Les Esclaves / Michel-Ange
Der Anatom / Gabriel von Max
La Mise au tombeau du Christ / Rembrandt
Les Fleurs du mal / Baudelaire
De corporis humani fabrica libri septem / Vésale

>> Regarder *Fleurs du mal*

Tu ne peux rien regarder du tout. Il fait noir.

— Bon Dieu! s'impatiente Claire.
— Essaie d'allumer une lumière. Ou de craquer une allumette.

>> Allumer lumière

A la lueur inquiétante de la lumière rouge servant au développement, tu vois un petit volume relié en cuir. Ce cuir est très doux. En le retournant, tu comprends pourquoi. Vers le bas de la couverture, au milieu exactement, il y a le nombril d'une jeune femme. La peau a été traitée si habilement qu'on distingue encore la rosette de poils blonds qui entoure l'ombilic, comme la tonsure d'un moine novice. En dessous, tout en bas du livre, une ligne de poils blonds plus épais marque l'endroit où commençait le pubis.

Le nombril et les poils qui le bordent font penser à une fleur. Outre ce détail, il n'y a aucune indication du titre.

>> Ouvrir livre

Tu ne peux pas l'ouvrir. Un petit fermoir en forme de serpent se mordant la queue t'en empêche.

>> Ouvrir fermoir

Il te faut la clef pour ouvrir le fermoir.

— C'est pas vrai! explose Claire. Bon, peu importe, je crois savoir ce qu'il y a dans ce bouquin…
— Comment ça?
— Quand j'étais à l'hôpital, j'ai proposé un jour à un malade d'échanger mon livre contre le sien. Tu sais ce qu'il a répondu? Qu'il ne lisait pas de bouquin sans images.
— Je ne te suis pas, dit Christian, secouant la tête.
— Tu as un exemplaire des *Fleurs du mal*?

Il prend un livre sur une étagère, le tend à Claire. Elle le prend, le feuillette jusqu'à ce qu'elle ait trouvé la page qu'elle cherche.

— Tu te rappelles ce poème? *Une martyre.*
— Bien sûr. «Au milieu des flacons, des étoffes lamées…»

Claire enchaîne en lisant le texte:
— «Et des meubles voluptueux,/Des marbres, des tableaux, des robes parfumées/Qui traînent à plis somptueux,

«Dans une chambre tiède où, comme en une serre,/L'air est dangereux et fatal,/Où des bouquets mourants dans leurs cercueils de verre/Exhalent leur soupir final,

«Un cadavre sans tête épanche, comme un fleuve,/Sur l'oreiller désaltéré/Un sang rouge et vivant, dont la toile s'abreuve/Avec l'avidité d'un pré.

«Semblable aux visions pâles qu'enfante l'ombre/Et

qui nous enchaînent les yeux,/La tête, avec l'amas de sa crinière sombre/Et de ses bijoux précieux,

« Sur la table de nuit, comme une renoncule,/Repose ; et, vide de pensers,/Un regard vague et blanc comme le crépuscule/S'échappe des yeux révulsés.

« Sur le lit, le tronc nu sans scrupules étale/Dans le plus complet abandon/La secrète splendeur et la beauté fatale/Dont la nature lui fit don ;

« Un bas rosâtre, orné de coins d'or, à la jambe,/Comme un souvenir est resté ;/La jarretière, ainsi qu'un œil secret qui flambe,/Darde un regard diamanté… »

Claire s'interrompt, referme le livre.

— C'est un poème magnifique, dit-elle. Si on fait abstraction de ce dont il parle.

— Tirer la beauté du mal, telle était sa philosophie, commente Christian avec un haussement d'épaules. Mais ce n'était qu'une idée avec laquelle il jouait. Jamais il n'a vraiment…

— Quand je travaillais avec Leichtman, le coupe-t-elle, il y a eu un meurtre. Une prostituée noire. L'assassin l'a décapitée. Exactement comme la femme du poème. Puis il a pris des photos qu'on a retrouvées sur Internet.

Il paraît songeur. Claire poursuit :

— Stella — excuse-moi, Christian —, Stella a été éviscérée, n'est-ce pas ? Le tueur lui a arraché la rate. Le siège des humeurs noires, selon la médecine ancienne. Du spleen.

— Oh non. Ne me dis pas que tu penses…

— « Spleen ». C'est le titre d'un autre poème, non ?

— Tu penses que c'est de ma faute ? Que je l'ai en quelque sorte inspiré avec mes traductions ?

— Autrefois, les éditions de poèmes pour bibliophiles comportaient parfois des gravures, non ? persiste Claire.

— Oui. Il existe une édition très célèbre des *Fleurs du mal* illustrée par Doré. Elle vaut une fortune, maintenant. J'en ai un fac-similé quelque part, dit-il en indiquant de la main les rayonnages de livres.

— C'est ce qu'il fait, conclut Claire. Tu ne vois pas? Il crée une sorte d'édition virtuelle des *Fleurs du mal.* Avec ses photos pour illustrer les poèmes.

— Seigneur, murmure Christian en fermant les yeux. Alors, c'est bien de ma faute. Ce sont mes traductions qui l'ont amené à commettre ces actes.

Il enfouit son visage dans ses mains, secoue la tête.

— Stella, Stella, que t'ai-je fait? geint-il.

Claire voudrait lui dire qu'il n'est pas plus responsable des crimes de ce monstre que les traducteurs de la Bible ne le furent de l'Inquisition espagnole. Que les malades trouvent de quoi alimenter leur folie partout où ils regardent. Mais elle sait que ce n'est pas le moment.

— Comment je sors de là? demande-t-elle doucement en montrant les lignes de texte sur l'écran.

— Il suffit de taper « Dormir », murmure Christian.

>> Dormir

Morphée, dieu du Sommeil, t'apporte une coupe d'eau froide et claire du Léthé. Tu la bois. Son goût minéral, légèrement sulfureux, demeure dans ta bouche longtemps après ton retour dans le monde d'au-dessus.
Tu reviendras très bientôt.

Dans un appartement du Lower East Side — loué *via* Internet, depuis le cybercafé —, Glenn Furnish se connecte avec un ordinateur portable acheté de la même façon et livré le jour même à l'appartement. Tandis que le modem siffle et crachote, Glenn enfonce un couteau dans la flaque de camembert coulant qui s'étale dans une assiette, sur la table, près de lui, et lèche pensivement la lame. Une bouteille de vin plus vieille que Glenn est ouverte à côté du fromage. Il renifle le bouchon, le passe et le repasse sous son nez comme un fumeur le ferait d'un cigare non allumé, inhale l'odeur de moisi et de cave humide, tendue de toiles d'araignée.

Glenn pénètre dans le monde souterrain de Necropolis non comme Charon mais sous le nom d'un autre de ses personnages, Bran, dieu celte des forêts, qu'il a gardé en réserve précisément pour ce genre d'urgence. En tapant « Regarder Bran », on n'obtiendrait que cette description :

> Tu vois un homme de constitution robuste, vêtu de noir et sans tête. Il porte à l'épaule un sac dans lequel on peut supposer que se trouve le chef manquant.

Bran s'introduit dans la bibliothèque par une voie détournée, observe un moment Charon endormi. Glenn tape :

> >> @ qui Charon/en dernier

L'ordinateur répond :

> Blanche était là.

Parfaitement immobile, Glenn réfléchit. Blanche ne peut avoir visité la bibliothèque récemment, parce que c'était le pseudonyme de la première femme du traducteur, et elle est morte. Il tape :

> >> Aller Chambre Noire

Puis :

> >> @ qui Chambre Noire/en dernier

> Blanche était là.

Bran prend l'édition virtuelle des *Fleurs du mal* sur la table où Claire l'a laissée, ouvre le fermoir et tourne lentement les pages, s'arrêtant de temps à autre pour admirer l'une de ses œuvres. Il a presque terminé. Il va falloir qu'il porte tout cela ailleurs, maintenant que sa cachette a été découverte. Par chance, dans ce monde virtuel, créer un nouvel espace pour soi n'est pas plus ardu que l'imaginer.

Dans le monde réel, Glenn demeure perdu dans ses pensées, serrant entre ses doigts le bouchon oublié.

54

Le Paris décadent du dix-neuvième siècle. Un monde souterrain calqué sur les Enfers des Grecs anciens. Une brève escale dans le Manhattan du vingt et unième siècle et, finalement, le Danemark du quatorzième siècle, tel que l'a imaginé un dramaturge anglais du dix-septième.

Pas étonnant que Claire éprouve des difficultés à entrer maintenant dans le rôle d'Ophélie.

— «Voici du romarin, pour se souvenir. De grâce, amour, souvenez-vous. Et voici des pensées, pour penser à l'amour», récite-t-elle en faisant semblant de distribuer fleurs et herbes.

— Non! rugit Paul, du côté gauche de la salle de répétition. Claire, c'est terrible, tu ne me donnes pas la vérité.

Quelle vérité? se demande-t-elle. Ophélie distribuant ses fleurs lui paraît aussi éloignée que possible de toute réalité.

— Fais appel à la mémoire affective, lui assène-t-il sèchement. Essaie d'enraciner ça dans quelque chose.

Elle ferme docilement les yeux, repense à l'hôpital, tente d'imaginer ce que les patients de Bannerman auraient fait d'une prescription de vingt milligrammes de pensées.

— Qu'est-ce qu'il y a de si drôle ? lui lance Paul d'un ton glacial.

— Quand j'étais à l'hôpital, les autres ne s'intéressaient pas beaucoup aux fleurs et aux herbes. Plutôt à la méthadone et au Primozide.

— Alors, change. Tu crois que Shakespeare n'aurait pas parlé de méthadone et de Primozide s'ils avaient existé à son époque ? Essaie.

Elle se concentre, et puis :

— « Voici du Tuenol, pour se souvenir. De grâce, amour, souvenez-vous. Et voici du Prozac, pour penser... »

Elle fait semblant de faire tomber des pilules d'un bocal dans la main de l'acteur qui joue Laertes. Un frisson inattendu la parcourt.

— C'est mieux ! aboie Paul en la fixant d'un œil mauvais. Ne me cache rien, Claire. Ne fais pas semblant parce que c'est moins risqué.

Il s'éloigne pour aller harceler un autre groupe.

Glenn regarde l'image de la webcam sur son portable. La Vénus se déplace de gauche à droite sans savoir qu'il l'observe. Elle porte ce qui ressemble à un drap plié. Il clique sur le lien portant le mot « Chambre », et l'instant d'après, comme de juste, il la voit entrer dans la pièce et étendre le drap sur le grand lit.

Dehors, un orage d'automne obscurcit le ciel, et Glenn tend la main pour allumer une lampe de bureau. La main toujours sur l'interrupteur, il l'éteint presque aussitôt. Sur l'écran du portable, un rayon de soleil éclaire la chambre de Claire Rodenburg.

Glenn va à la fenêtre de l'appartement qu'il a loué, regarde vers le sud, vers Manhattan. La pluie mouchette la vitre ; il fait si sombre qu'il distingue à peine les gratte-ciel, mais il y voit assez pour être sûr qu'il n'y a pas de soleil là-bas non plus.

Il retourne devant l'écran et clique. Sur le sol de la chambre de Claire, il remarque un exemplaire du *New York Times* dont le titre principal est pixelisé. Glenn s'approche. Pendant un long moment il reste là, à fixer l'image, complètement absorbé, dans une parfaite immobilité.

La seule autre personne à qui elle a besoin de parler de ses fiançailles, c'est son ancien patron, Henry. Elle se rend en taxi dans le Lower East Side, suivie sur tout le trajet par une Lincoln banalisée, monte au quatrième étage dans un ascenseur à grille déglingué.

Dans le couloir, elle remarque la peinture fraîche et les appareils d'éclairage rénovés dans le style industriel chic. Mais la vraie surprise, c'est le bureau lui-même. Disparus, les meubles et le portemanteau en bois recourbé 1950. La tanière de Henry, à présent élargie à la suite voisine, a été repeinte en crème et rouge. Des tables de travail aux pieds chromés supportent une série d'iMac aux tons pastel.

Henry a toujours les jambes sur le bureau, mais les semelles que Claire découvre en entrant portent le logo aux couleurs vives d'une marque à la mode. Et au lieu de la cravate en berne, il porte un T-shirt sous son costume.

— Salut, Claire, dit-il avec un plaisir évident en se levant pour l'accueillir. Comment tu vas ?

— Très bien. C'est superbe, ici, dis donc.

— Géant, hein ? Nous faisons la majeure partie du

boulot en ligne, maintenant, explique Henry en désignant les ordinateurs du pouce. C'est mieux que de passer ses journées dans les bars.

— Toi, tu t'es mis à l'informatique ? s'esclaffe-t-elle.

— Enfin, pas personnellement, admet-il. J'ai une bande d'étudiants qui se tapent le gros du boulot. Tu bois quelque chose ?

Il ouvre un classeur métallique, en tire une bouteille.

— Tu paies tout ça avec les chiens perdus ? s'étonne Claire.

Henry secoue la tête.

— Les personnes disparues, surtout. Les ados fugueurs, les pères qui oublient de verser la pension alimentaire, les hommes mûrs qui se rendent brusquement compte que la fille qu'ils ont bécotée au lycée était l'amour de leur vie. Le marché de l'information est en plein boom.

Il se penche vers Claire, lui lance un clin d'œil.

— En fait, poursuit-il, je pourrais obtenir toutes les informations que nos clients désirent avec deux ou trois coups de téléphone. Mais les ordinateurs, ça fait classe, et je sais prendre le train en marche.

Il lui tend un verre.

— Dis-moi tout sur toi, maintenant.

— Tu ne vas pas me croire, Henry, mais…

Elle lui parle de Christian et d'elle. Il écoute en hochant pensivement la tête et, lorsqu'elle a terminé, il lui propose :

— Tu veux que j'enquête sur lui ? En guise de cadeau de mariage ? Je pourrais te dire s'il est susceptible de coucher à droite et à gauche, tous ces vieux trucs…

— Henry ! s'indigne-t-elle. Si je n'avais pas confiance en lui, je ne l'épouserais pas. D'ailleurs, l'enquête a déjà été faite. Rappelle-toi : je l'ai dragué et il a repoussé mes avances. Tu connais beaucoup d'hommes dont tu pourrais dire la même chose ?

— Non, c'est vrai, reconnaît l'ancien comédien d'un ton hésitant.

— Qu'est-ce qu'il y a, Henry?

Il allonge de nouveau les jambes sur le bureau.

— Ce piège que nous lui avions tendu, c'était pour quoi, à ton avis?

Claire hausse les épaules.

— Pour voir s'il était du genre cavaleur, non?

— Pas exactement.

— Qu'est-ce que tu veux dire?

— Dans la plupart des affaires dont nous nous occupions, c'était pour ça, oui. Mais dans certains cas...

Henry évite à présent le regard de Claire.

— Les résultats obtenus étaient transmis à un cabinet d'avocats, avoue-t-il. Spécialisé dans le divorce. Des types impitoyables, capables de tous les coups bas pour leurs clientes.

— Où veux-tu en venir, Henry?

— La plupart des femmes qui faisaient appel à nos services avaient manifestement envie que nous concluions à la fidélité de leur mari. Mais celles qui nous étaient envoyées par le cabinet d'avocats voulaient le contraire. Elles voulaient que leur mari te drague à mort, devant une caméra, pour avoir plus de cartes en main dans la négociation du divorce. Qu'est-ce que tu veux que je te dise? Le monde est dégueulasse, conclut-il en écartant les bras.

— Pourquoi tu ne m'as pas prévenue, à l'époque?

— Je ne savais pas comment tu le prendrais. Tu semblais assez naïve. Romantique. J'ai pensé qu'il valait mieux que tu en saches le moins possible.

Elle soupire. Encore une chose qu'elle n'avait pas besoin de savoir, d'après les autres.

— Tu as sans doute bien fait. Alors, Stella faisait partie des affaires de divorce?

Il acquiesce.

— Elle était sur le point de le quitter. Lui n'en savait rien, bien sûr. Mais ce que je veux souligner, c'est que leur couple partait en eau de boudin. Alors j'ai pensé qu'avant de te passer la corde au cou, tu aimerais peut-être savoir pourquoi. Je peux appeler mon contact au cabinet d'avocats, me faire envoyer les dépositions de Stella. Comme ça, tu sauras au moins où tu mets les pieds…

Il tend la main vers le téléphone mais elle l'arrête :

— Non.

— Tu es sûre ?

— Je suis sûre. Ecoute, Henry, j'apprécie ton offre mais je savais déjà que leur couple ne marchait pas. Ça arrive. Je ne dis pas que c'était de sa faute à elle, mais voyons les choses en face, quel genre de femme faut-il être pour laisser ses avocats faire un truc pareil à son mari ? Christian n'a pas prononcé un mot contre elle, mais je sais lire entre les lignes : elle était complètement névrosée. Je crois qu'elle ne supportait pas qu'il lui ait été aussi attaché. De toute façon, Christian mérite une deuxième chance. Tout le monde mérite une deuxième chance.

— Comme tu voudras. Bon, on dirait bien que je vais devoir offrir un grille-pain aux heureux mariés. Mais si jamais tu changeais d'avis, préviens-moi. Il suffirait d'un ou deux coups de fil.

Glenn Furnish est assis, immobile, au volant de la petite Miata. Depuis plus d'une heure, il fixe la porte de l'immeuble de bureaux jusqu'où il a suivi la fille.

Finalement, il voit Claire sortir, passer devant une Lincoln garée un peu plus loin dans la rue, lever le bras pour héler un taxi. Quand celui-ci redémarre, la Lincoln prend son sillage.

Glenn reste encore un moment sans bouger puis tend la main vers le tableau de bord pour retirer les clefs.

Henry avale les dernières gouttes de son verre de bourbon et le repose sur le bureau. Au moment où il achève son geste, on frappe à la porte.

— Nous sommes fermés ! crie-t-il.

— C'est le gardien, dit une voix. On m'a signalé une inondation à l'étage au-dessus. Je viens voir si l'eau a fait des dégâts chez vous.

— L'eau ne coule pas ici, elle n'oserait jamais, glousse le détective.

— J'aimerais quand même vérifier, monsieur Mallory.

— D'accord, d'accord, soupire Henry en allant ouvrir.

Le gardien est un jeune homme, qui considère la charpente maigrelette de Henry et s'exclame :

— Ah ! ce que je suis content que vous ne soyez pas obèse !

— Pardon, petit ?

C'est la dernière réplique que Henry Mallory prononcera jamais. Excepté, naturellement, la brève déclaration qu'il fera plus tard, quand Glenn lui ôtera son bâillon et le laissera parler.

55

La femme de l'agence est en retard, et Claire regarde sa montre à plusieurs reprises en attendant devant la maison. Un peu plus loin dans la rue, Positano et Weeks constituent une présence rassurante dans la Lincoln banalisée. Elle tourne la tête de leur côté. Weeks feuillette les pages d'un *Playboy*, Positano la regarde d'un œil dénué d'expression en remuant les lèvres. De temps à autre, Weeks hoche la tête sans lever les yeux de son magazine.

Claire reporte son attention sur la façade de la maison. C'est, comme Christian l'avait promis, une vaste bâtisse blanche en bois — vaste en comparaison de ce à quoi Claire est habituée en ville. Ici, à Westchester, à quatre-vingts kilomètres plus au nord, elle fait plutôt quelconque à côté de certaines de ses voisines, plus spacieuses. Claire remarque que devant plusieurs des maisons bordant la rue, de petites pancartes plantées au coin des pelouses lancent cette mise en garde : *Riposte armée.*

Une voiture tourne le coin, se range le long de la sienne. Le visage d'une femme apparaît dans l'encadrement de la fenêtre latérale.

— Mademoiselle Rodenburg ?

— Oui. Madame Loncraine ?

— Désolée, j'ai été prise dans les embouteillages.

Claire voit Positano se pencher en avant quand la femme de l'agence sort de sa voiture, puis se détendre en constatant que tout va bien.

— Ce n'est pas grave. L'endroit me plaît, de toute façon.

— Attendez d'avoir vu l'intérieur. Elle est merveilleuse, cette maison.

La femme tire une clef de sa poche, déverrouille la porte, la tient ouverte pour Claire. L'entrée est aussi grande que tout l'appartement de Christian, avec un escalier double qui monte vers les étages, au fond.

— Votre fiancé n'est pas avec vous ? s'enquiert Mme Loncraine tandis que sa cliente regarde autour d'elle.

Elle veut dire : Est-ce que je suis en train de perdre mon temps ? pense Claire.

— Non, il a dû rester en ville. Mais il a regardé les photos sur votre page du Web. Si la maison me plaît, il viendra la voir cet après-midi.

315

— Les propriétés comme celle-là sont très rares, déclare la femme d'un ton suffisant. Très rares, vraiment. Elle vient d'être mise sur le marché, et je peux vous assurer qu'elle sera vendue dans la semaine.

Les deux femmes passent dans une cuisine de la taille d'un terrain de basket. A lui seul, le frigo est plus grand que toutes les cuisines que Claire a connues dans le passé.

— Très agréable, dit-elle.

— Et vous n'avez pas vu le haut...

Elle monte docilement l'escalier derrière Mme Loncraine, qui s'arrête brusquement.

— Oh.

— Qu'est-ce qu'il y a ?

— Je pensais que la maison serait vide, mais je crois... Il y a quelqu'un ? Il y a quelqu'un ?

De l'autre côté de la porte de la salle de bains, le bruit de la douche s'arrête.

— Bonjour ! fait une voix d'homme. Ne vous gênez pas pour moi, je suis présentable.

Une autre voiture s'engage dans la rue bordée d'arbres. Positano la repère dans le rétroviseur de la Lincoln, prévient son collègue d'un coup de coude.

— De la compagnie.

Ensemble, ils regardent le véhicule remonter lentement la rue, se garer derrière eux. Deux hommes en descendent, vêtus d'uniformes. Se dirigent vers la Lincoln en roulant des épaules, un de chaque côté, défont le rabat de l'étui de leur arme. Le plus proche de Positano tapote la vitre.

— Oui ? fait l'inspecteur en pressant le bouton.

— Vous pouvez me dire ce que vous faites ici, monsieur ?

— Ça m'étonnerait, rétorque Positano en montrant son insigne. Et vous ?

— Williams Sécurité. On, euh, on nous a signalé un véhicule suspect. Nous sommes venus vérifier.

— Bon, vous avez vérifié. Dégagez, maintenant.

— Pas de problème, inspecteur, répond le vigile avec un salut ironique. Ça me fait une heure sup' de plus, si vous voyez ce que je veux dire.

Les deux gardes retournent à leur voiture d'un pas nonchalant et repartent.

— Voici la grande chambre, dit l'homme. Comme vous le voyez, elle offre une vue magnifique sur le bois. Oh, et sur la cabane dans l'arbre. C'est ma femme qui l'a construite.

— Votre femme a construit ça elle-même ? s'extasie Mme Loncraine, adressant une grimace à Claire dans le dos de l'homme.

— Oui. Elle aime y dormir les nuits de pleine lune.

La femme de l'agence a un rire incertain. L'homme saisit la ceinture de son peignoir et la fait tourner comme un boa de plumes en esquissant un pas de danse. Il se fige soudain, fixe Mme Loncraine.

— Mon Dieu, quel teint adorable vous avez ! C'est naturel ?

Une voix provenant du Central s'élève de la radio de la voiture :

— Tout va bien, les gars ?

Weeks décroche le micro.

— A part qu'on a failli se faire plomber par deux connards de vigiles. Et de votre côté ?

— On vient de découvrir le corps de Henry Mallory, le privé avec qui Claire travaillait. Nous ne savons pas encore s'il y a un lien, mais faites gaffe, d'accord ?

— D'accord, grogne Weeks, qui raccroche le micro.

— Qu'est-ce qu'il a voulu dire, avec son heure sup' ? fait Positano d'un air pensif.

— Qui ça ?

— L'enfoiré de vigile. Il a dit qu'il venait de se faire une heure sup' de plus.

— C'est le temps qu'il met pour venir ici et retourner à son bureau, je suppose.

— Ouais, c'est ce qui m'étonne.

— Pourquoi ?

— Ben, s'il a mis une demi-heure pour venir, c'est pas notre caisse qu'on lui avait signalée. Ça fait pas si longtemps qu'on est là.

Weeks hoche lentement la tête, indifférent.

Positano sort de la voiture, récupère sa veste sur la banquette arrière.

— Je vais jeter un œil. Tu viens ?

— Non, répond Weeks en reprenant son *Playboy*.

Le corps de la femme de l'agence fend l'air, projeté par le pied de Glenn Furnish au creux de ses reins. Elle tombe de trois étages avant de s'écraser sur le sol du vaste hall.

— Joli vol plané, commente-t-il.

A côté de lui, Claire se met à hurler. Elle hurle délibérément, soigneusement, en mettant dans son cri des années d'expérience, de contrôle de la respiration, du diaphragme et de la voix.

Calmement, Glenn tire de sa poche un rouleau de sparadrap, en déroule une cinquantaine de centimètres.

Ne parvenant pas à ouvrir la porte d'entrée verrouillée, Positano jette un coup d'œil par la fente des volets. Ce qu'il aperçoit sur le sol du hall l'expédie vers sa voiture au pas de course.

Avec précaution, Glenn installe Claire dans le coffre de la voiture qu'il a garée derrière la maison. Etendue dans l'obscurité imprégnée d'une odeur vaguement

318

vinaigrée, elle sent la voiture rouler sur une chaussée creusée d'ornières. Au bout d'un moment, le sol devient plus raboteux encore : ils ont quitté la route pour un chemin. L'homme a pris à travers le bois, suppose-t-elle, dans la direction opposée aux policiers postés devant la maison.

Une dizaine de minutes plus tard, la voiture s'arrête, le coffre s'ouvre. Glenn la regarde. Il tient à la main un morceau de tissu.

— Je vais te bander les yeux, annonce-t-il. Ne t'inquiète pas.

Quand le bandeau est en place, il la soulève, la porte à un autre véhicule. Cette fois, le coffre dans lequel elle doit s'étendre est exigu, comme celui d'une voiture de sport. Il sent le bois neuf et le vernis, mais le bruit du moteur fait plutôt penser à celui d'un tracteur ou d'une camionnette que d'une voiture.

Ils se retrouvent dans une salle, quelque part dans les locaux du NYPD. Durban, silencieux, attentif, ne laisse rien paraître de ce qu'il pense. Christian, les yeux incandescents de colère, le visage blême d'inquiétude, menace bruyamment la police de poursuites si tous les flics de la ville ne sont pas détachés illico de leurs autres fonctions pour retrouver Claire, si tous les hélicoptères et tous les chiens de ce côté des Rocheuses ne sont pas dans l'heure affectés à sa recherche. Connie Leichtman, parfaitement calme en apparence, fait rouler entre ses doigts une cigarette non allumée. Elle ne dit rien, mais réfléchit intensément.

Le barrage fait s'étirer une longue file de véhicules sur la bretelle d'accès à la voie express. Glenn attend, moteur au ralenti, tandis que la file progresse lentement. Un seul flic, campé devant sa moto, examine avec soin chaque chauffeur, réclame les papiers, inspecte l'intérieur de chaque véhicule, particulièrement le coffre.

Quand vient enfin le tour de Glenn, il baisse sa vitre. Le policier s'excuse de l'avoir fait attendre.

— Pas de problème, répond poliment Glenn, avec un mouvement de tête par-dessus son épaule. Ce monsieur n'est plus si pressé, et moi je suis à ses ordres.

Le flic considère le cercueil occupant l'arrière du fourgon funéraire.

— Je veux bien le croire, dit-il.

Il jette un coup d'œil aux papiers, qui sont en règle, fait signe à Glenn de repartir.

— Bonne journée, monsieur Samuels.

Le corbillard démarre lentement.

Au bout d'une heure, Claire sent le véhicule ralentir. Il s'arrête, recule. Glenn en descend. Elle entend le grincement de portes qu'on ouvre. Il remonte dans le fourgon, franchit les portes en marche arrière.

L'air qui caresse son visage lui fait comprendre que la caisse dans laquelle elle se trouve vient d'être ouverte. Ce n'est pas de l'air frais ; il a la même odeur que le coffre de la voiture : la même odeur de formol, mais plus forte.

On la porte sur une sorte de chariot, on lui détache les poignets pour qu'elle puisse reposer à plat sur le dos, mais on lui entrave aussitôt les bras. Une soudaine lumière fait larmoyer ses yeux, même à travers le bandeau. Elle sent une douleur au creux du bras, comme une incision, et pousse un cri.

Des doigts tirent sur le nœud du bandeau. Elle voit, maintenant, mais la lumière est aveuglante, et le visage qui se penche vers elle n'est guère plus qu'un contour. L'homme lui ôte aussi son bâillon.

— Ecoutez, dit-elle aussitôt, vous n'êtes pas obligé de faire ça. Me tuer ne vous avancera à rien, cela ne fera qu'aiguiser votre désir de tuer. Vous êtes assez fort pour vous arrêter par vous-même. Je pourrais vous aider, mais pas si vous me tuez.

— Bien sûr, ironise-t-il. Tu es comédienne. Tu as envie de crier, de supplier et de pleurer, mais tu affectes le plus grand calme. Tu as été formée pour ça, n'est-ce pas ? Tu sais ce que tu dois me dire. Tu sais faire semblant.

— Je ne fais pas semblant, Glenn. Pas en ce moment. Je l'ai fait quand je collaborais avec la police. Plus maintenant.

— C'est ce que vous faites. Vous, les femmes. Avec vos vêtements, votre maquillage, vos jolis sourires. Vous faites semblant. Peu importe, je suis la vérité. Mes œuvres sont vraies parce que je suis vrai moi-même.

Comme il parle d'un air détaché, presque sur le ton de la conversation, elle met un moment à prendre conscience du fait qu'elle n'a aucune, mais alors aucune idée de ce qu'il veut dire.

— Où sommes-nous ? demande-t-elle.

Au lieu de répondre, il oriente la lampe pour le lui montrer, balayant lentement la pièce de son faisceau comme si c'était un projecteur.

Ils se trouvent apparemment dans une sorte d'hôpital désaffecté. Une salle d'opération, ou d'anesthésie, peut-être. Trois ou quatre chariots, chacun d'eux relié à un appareil, sont rangés le long de grands éviers métalliques, sous de grosses lampes orientables comme celle qui l'éclaire en ce moment. Des tuyaux et des câbles sortent des murs aux endroits où d'autres appareils ont été arrachés. Des gravats, des plaques de plâtre ont été poussés dans les coins pour déblayer un espace autour du chariot sur lequel Claire est attachée.

— Ce n'est pas très propre, dit-il, suivant le regard de sa prisonnière, mais ne vous inquiétez pas, j'ai tout désinfecté. Tout fonctionne.

— C'était un hôpital ?

— Pas exactement, répond-il dans un rire. On n'a jamais guéri personne ici.

Il place une petite caméra sur un trépied, devant les pieds de Claire. Derrière l'appareil pend un fil que Glenn branche sur l'ordinateur portable posé sur le chariot voisin.

— Je t'explique, poursuit-il. Ceci est une caméra numérique, Claire. Elle est reliée à cet ordinateur, lui-même connecté à un site du Net. Si quelqu'un clique sur ce site, il verra ce que voit la caméra. Autrement dit, toi. En direct.

Le sang tambourinant aux tempes, elle s'écrie :

— Quoi ? Qu'est-ce que vous racontez ?

Les doigts de Glenn effleurent les touches du portable.

— Ça, c'était mon communiqué de presse. Je l'ai envoyé aux principales agences de presse et autres organes d'information. Tu es prête pour le maquillage ? Je sais que tu souhaites être vue sous ton meilleur jour…

Vers midi, le moral est en berne dans la salle du NYPD. Ils apprennent alors par téléphone que les agences diffusent des vidéos de Claire.

— Très bien, commente Christian. C'est sa première erreur. Nous allons pouvoir le localiser.

— Attendez, fait la voix au téléphone. D'après son communiqué de presse, c'est plus compliqué que ça.

— Tu vois, quand j'ai pris conscience que ce serait mon bouquet final, j'ai décidé de tenter quelque chose d'un peu différent.

Debout derrière elle, il la maquille, appliquant du fond de teint sur ses pommettes.

— Le tuyau enfoncé dans ton poignet s'appelle un trocart. Il est relié à une pompe aspirante. Quand je mettrai l'appareil en marche, il videra ton corps de son sang et le remplacera par un liquide d'embaumement. A un certain point du processus, ton cœur cessera de battre et tu mourras.

— Qu'est-ce que vous attendez, alors ? Faites-le maintenant !

— C'est là qu'est l'astuce, répond-il en riant.

Dans la salle des opérations, Leichtman, Durban et Weeks, regroupés autour d'un ordinateur, fixent le texte inscrit sur l'écran.

Quand un millier d'internautes se seront branchés sur cette webcam, un système se déclenchera automatiquement. Vous aurez alors le plaisir de voir le sujet mourir sous vos yeux. Toute tentative des autorités pour fermer le site aurait le même effet. Cliquez *ici* pour avoir accès à la caméra, mais seulement si vous voulez faire partie des mille personnes qui participeront activement à cette œuvre d'art unique.

Cet événement du web s'intitule « Au lecteur », d'après le célèbre poème de Baudelaire qui l'a inspiré. Cliquez *ici* si vous voulez le lire.

Furnish arpente la salle de préparation et fait de grands gestes avec le livre en déclamant :

— « La sottise, l'erreur, le péché, la lésine,/Occupent nos esprits et travaillent nos corps,/Et nous alimentons nos aimables remords,/Comme les mendiants nourrissent leur vermine.

« Nos péchés sont têtus, nos repentirs sont lâches ;/Nous nous faisons payer grassement nos aveux,/Et nous rentrons gaiement dans le chemin bourbeux,/Croyant par de vils pleurs laver toutes nos taches... »

L'une après l'autre, il récite les strophes, jusqu'aux derniers vers :

— « Tu le connais, lecteur, ce monstre, délicat,/ — Hypocrite lecteur, — mon semblable, — mon frère ! »

Il pousse un soupir plein de vénération et referme le recueil.

— Ça ne marchera pas, dit Claire.

— Tu crois ? réplique-t-il en jetant un coup d'œil à l'ordinateur. Nous avons déjà plus de deux cents participants. Tu penses vraiment qu'il n'y a pas dans le monde un millier d'individus prêts à saisir l'occasion si on leur offre la possibilité de devenir un meurtrier dans le secret de leur maison ou de leur bureau ? La pornographie hard représente quarante pour cent de tous les échanges qui se font sur Internet. Sur ces millions d'utilisateurs, il ne s'en trouverait pas mille qui, dans leurs rêves les plus noirs, veulent être comme moi ?

Il désigne la caméra et reprend :

— Mais pourquoi ne pas exposer directement ton point de vue à nos hôtes ? Nous sommes connectés pour le son aussi bien que pour l'image. Ils t'entendent parfaitement. Dis-leur pourquoi tu ne devrais pas mourir, d'après toi. Ils estimeront peut-être que tu as raison et se déconnecteront…

Claire fixe le petit iris de verre situé au centre de la caméra, aussi sombre et insensible que le canon d'un fusil.

— Ecoutez-moi… commence-t-elle.

Elle est suffisamment actrice pour ne pas s'effondrer mais sa voix tremble un peu quand elle continue :

— Je ne suis pas uniquement une image sur votre écran. Je suis une personne réelle. Au petit déjeuner, j'ai pris des Cherrios et du lait. Je lis le journal, comme vous. Je suis contrariée par la pluie, comme vous, quelquefois. Je pourrais être n'importe quelle personne que vous connaissez, un membre de votre famille, peut-être, ou votre prochaine copine. En restant sur ce site, vous me tuerez. Ce ne sera pas un fichier informatique qui s'efface, ce sera sale, douloureux et réel. Songez à l'opinion que vous auriez de vous après. Déconnectez-vous. Maintenant. Je vous en prie.

— Excellent, murmure Glenn, qui s'approche de l'écran. Et efficace, en plus. Quarante-six personnes se sont déconnectées en réponse à ton appel…

Il marque une pause.

— Leur nombre est toutefois plus que compensé par les trois cent vingt-trois qui sont restées.

56

— Nous devons absolument nous connecter sur cette caméra, dit Connie Leichtman, fixant le communiqué de presse. Nous devons voir ce qui se passe là-bas.

— Et il arrive quoi, si neuf cent quatre-vingt-dix-neuf connards ont pensé la même chose avant nous ? rétorque Durban. Comment nous expliquerons que c'est le NYPD qui l'a tuée ?

— Un visiteur de plus ne changera probablement rien.

— C'est ce que se dit chacun des fêlés qui sont déjà en train de regarder. Sans parler de tous les bureaux de presse qui se sont connectés soi-disant dans l'intérêt du public, ni des types qui enregistrent chez eux dans l'espoir de se faire un peu de fric.

— S'ajouter à ce public présente un risque, reconnaît Connie. Mais il faut mettre dans l'autre plateau de la balance l'avantage potentiel que nous en retirerons. Branchons-nous sur ce site, Frank.

Au bout d'un moment, Frank adresse un signe de tête

à Rob Fleming. Le technicien clique sur le lien, et ils voient apparaître une image grenue de Claire, attachée sur un chariot.

— Qu'est-ce que c'est? marmonne Durban. Une sorte de civière?

— Un chariot de morgue, répond lentement Connie. Il l'a emmenée dans une entreprise de pompes funèbres. Cela veut dire qu'il est possible de les retrouver, Frank. Ils ne peuvent pas être à plus d'une heure de voiture de l'endroit où il l'a enlevée.

Durban se tourne vers Fleming.

— Rob? Tu peux m'obtenir la liste de tous les croque-morts dans un rayon de quatre-vingts kilomètres autour de Westchester?

— Bien sûr. Il y a une douzaine de sites qui nous la donneront, affirme le technicien tandis que ses doigts s'activent sur le clavier. J'en ai trouvé une. Je l'imprime.

— Combien d'adresses?

— Quatre-vingt-dix environ.

— Quatre-vingt-dix? répète Durban, effondré. Nous n'arriverons jamais à les vérifier toutes à temps.

— Tu as de vieux annuaires de téléphone? demande Connie.

— Je crois. Pourquoi?

— Il a forcément choisi un endroit désaffecté. Récemment, pour que le bâtiment n'ait pas encore été revendu. Si tu dégotes un annuaire vieux d'un an ou deux, et si tu compares avec la liste de Rob, les noms qui figurent sur le premier et pas sur la seconde seront ceux d'entreprises qui ont fermé depuis. Tu saisis?

Durban est déjà dans le couloir, à la recherche d'annuaires.

Il y a deux possibilités. L'une dans le New Jersey, l'autre à Tannersville, là-haut dans les Catskill.

— Il vaut mieux nous séparer, décide Durban. Je me

charge de la première, je vous rejoindrai s'ils n'y sont pas.

— Je vais avec Mike, dit Connie.

— Tu penses qu'il est à Tannersville ?

— Il aime les communautés rurales. Leur isolement. Si j'étais joueuse, je mettrais mon argent sur Tannersville.

— En ce moment, nous sommes tous joueurs, murmure Durban.

Fleming reste au bureau pour tenter d'organiser un embargo. Au début, les grandes chaînes d'information acceptent de ne pas parler de l'affaire. Mais quand il devient clair que la nouvelle se répand déjà sur Internet telle une traînée de poudre, elles reviennent sur leur promesse. Comme l'un des journalistes le fait remarquer à Rob avec une pointe de regret, une fois que le génie est sorti de la bouteille, il est impossible de l'y remettre.

Fleming prévient Durban par téléphone.

— Bordel de Dieu, jure l'inspecteur. Il y a un moyen de connaître le nombre de gars qui vont sur le site ? Au moins, nous saurons quand nous aurons perdu la partie.

— Oui, mais seulement si je reste branché moi-même.

— Fais-le.

Durban arrive à l'ancienne entreprise de pompes funèbres du New Jersey un peu avant l'unité d'intervention. D'un coup de pied, il ouvre la porte condamnée par des planches alors que les tireurs d'élite sont encore en train de se déployer autour du bâtiment.

Un ivrogne occupé à finir une bouteille de Thunderbird dans le local abandonné reçoit le choc de sa vie.

Frank appelle Positano.

— Mike ? Il n'y a rien, ici. On dirait bien que c'est Tannersville, finalement. Vas-y mollo, d'accord ? Vous avez une demi-heure d'avance sur nous.

Dans la salle de préparation, Glenn Furnish chantonne en travaillant au maquillage de Claire. De temps en temps, il lui présente un miroir pour qu'elle puisse admirer son œuvre. Elle ne reconnaît pas la personne qu'il lui montre. Son teint est à présent d'un rose horrible, artificiel, et le rouge de ses joues la fait ressembler à une poupée. Ses cils hérissés sont raides comme des pattes d'araignée.

— Ils finiront par se lasser, prédit-elle.

Un froid étrange engourdit son bras autour de l'aiguille plantée dans sa chair. L'appareil injecte déjà en elle un peu de liquide d'embaumement.

— Ils croiront à une supercherie, ajoute-t-elle.

Glenn secoue la tête avec agacement.

— Ils ont vu les autres photos, ils savent que je ne trompe pas mes clients. Parfait, ma modestie dût-elle en souffrir, ajoute-t-il en reculant d'un pas. Voyons un peu les comptes, dit-il en jetant un coup d'œil à l'ordinateur. Cinq cent quatre-vingt-trois. Bienvenue, les amis. Merci de votre patience. Encore quelques entrées et le spectacle pourra commencer dans la galerie des horreurs !

Une fois qu'ils ont quitté la voie express, la route menant aux collines se rétrécit considérablement pour serpenter à travers les contreforts de Hunter Mountain. Ne pouvant doubler dans les virages sans visibilité, les policiers sont contraints à réduire leur vitesse. Ils n'utilisent pas leurs radios, au cas où Furnish aurait un récepteur réglé sur la fréquence de la police. Dans la voiture de tête, le téléphone portable de Positano sonne. C'est Durban.

— Mike, tu as une HPA[1] ?

1. Heure probable d'arrivée. (N.d.T.)

— Dans une vingtaine de minutes. On roule aussi vite qu'on peut:

— OK. Ecoute, Rob n'a pas réussi à faire fermer le site mais il pense qu'il pourrait l'inonder.

— L'inonder ? Ça veut dire quoi ?

— Si un grand nombre d'internautes essaient tous de se connecter dessus en même temps, ça foutra le logiciel en l'air.

— Je croyais que Furnish avait au contraire besoin d'un certain nombre de visiteurs pour déclencher son système...

— Ouais, mais le site ne pourra pas en accueillir plus de quelques dizaines en même temps. Rob pense que s'il arrive à en envoyer deux mille, le site se bloquera.

Positano réfléchit avant de demander :

— Il risque pas de la tuer quand même ?

— Aucune idée. Passe-moi le Dr Leichtman.

L'inspecteur tend son portable à Connie, qui écoute un moment puis répond :

— C'est possible, mais il perdra probablement un temps précieux à essayer d'abord de régler son problème technique. Vas-y, Frank. C'est notre meilleure chance.

— Sept cent quatre-vingt-dix, annonce Glenn, qui prend une profonde inspiration.

Son énergie trépidante a fait place à un calme déterminé. Claire a vu ce genre de concentration chez les acteurs, quand à l'énervement d'avant la représentation succède peu à peu le sentiment d'un acheminement inéluctable vers le lever du rideau.

— OK, Rob, vas-y, lance Durban dans son téléphone.

— D'accord. J'envoie simultanément un communiqué de presse et un e-mail. Nous demandons à tous ceux qui veulent nous aider d'adresser d'abord le même e-mail à cinq autres personnes, et de se connecter ensuite sur le site à dix-huit heures précises, heure de la côte Est.

Durban consulte sa montre.

— C'est dans quarante minutes, Rob, tu ne pourrais pas…

— Il faut que ce soit à dix-huit heures, Frank. Pour qu'on puisse couvrir aussi la côte Ouest et l'Europe.

— Bon. J'espère que tu as raison.

Sirènes éteintes, les voitures s'arrêtent à cinq cents mètres de l'entreprise abandonnée. Au moment où on distribue armes et gilets pare-balles, Leichtman se place dans la file. Positano la repère, s'approche d'elle.

— Vous devez rester près de la radio. Ordre de Frank.

— Pourquoi ? Je pourrais…

— Il risque d'y avoir des coups de feu, vous devez rester à l'écart. Désolé, c'est comme ça.

— Vous avez déjà négocié avec un preneur d'otages, Mike ?

L'inspecteur secoue la tête.

— Et les autres ?

— Non plus.

— Alors, vous pourriez avoir besoin de moi.

Il pose une main sur l'épaule de Leichtman.

— S'il y a négociation, nous ferons appel à vous. Mais pour le moment, ce n'est pas ce qu'on a prévu.

A l'arrière du bâtiment, ils découvrent un fourgon mortuaire. Positano tend une main vers le capot.

— Encore chaud, chuchote-t-il. Ils sont là-dedans.

Les policiers armés prennent position en silence.

— Neuf cent quinze participants, jubile Glenn, le regard sur l'écran. Ce ne sera plus long, Claire. Plus long du tout. Neuf cent seize… Neuf cent vingt.

Il ferme les yeux.

— Je le sens venir. Comme une onde. Prépare-toi.

17 h 40

En passant d'un ordinateur à un autre, l'e-mail de Fleming se divise et se subdivise, comme une cellule après la conception, doublant sans cesse en nombre. Les éléments obtenus traversent l'Atlantique sous forme de minuscules impulsions de lumière, rebondissent d'un satellite à un autre sous forme d'ondes radio, de successions de points et de traits éthérés qui, une fois assemblés de nouveau, redeviennent des mots, des pensées, des idées : un appel à l'aide.

Dans la salle de préparation, Glenn tend la main, presse un bouton de la pompe. En l'entendant se mettre en marche, Claire ne peut retenir un cri.

— Ne t'affole pas, dit-il. Je m'assure seulement qu'elle est amorcée et prête à démarrer.

Il s'approche pour vérifier les liens de Claire.

— Maintenant, je te fais mes adieux. Cette dernière œuvre ne requiert pas ma présence, donc je te laisse…

Un instant, ses yeux, aussi clairs et paisibles que ceux d'un enfant, se posent sur elle, puis il tourne le portable pour qu'elle puisse voir son propre visage sur l'écran.

— Je regarderai, c'est promis, dit-il avant de quitter la pièce.

Claire n'avait pas envisagé qu'il puisse la laisser mourir seule.

Elle attend. Dans le silence.

Soudain elle se met à crier, à apostropher les spectateurs invisibles tapis derrière la caméra, les désirs sans visage, anonymes, numérisés, qui la reniflent, elle le sent, qui la flairent de leur museau hésitant, comme une meute de chiens s'approchant lentement de leur proie, prêts à détaler à tout moment.

La trotteuse de la montre de Positano avance sans bruit, comme les échelles de siège que les policiers dressent en silence sur les murs du bâtiment.

— Maintenant, dit-il.

Claire hurle.
L'écran de l'ordinateur devient blanc.

Le navigateur web ne peut pas afficher cette page. Elle a peut-être été transférée sur un autre site, ou l'ordinateur sur lequel vous êtes connecté est trop chargé. Essayez de vous connecter plus tard, s'il vous plaît.

Dehors quelque part, elle entend un bruit de verre brisé.

Connie Leichtman, qui attend près des voitures, perçoit un bruissement dans les fourrés. Tout autour d'elle, les radios se mettent à crachoter. Elle lève la tête.

Glenn Furnish se tient à une vingtaine de mètres d'elle et la regarde.

Lentement, elle braque son arme sur lui.

Le visage de Furnish ne reflète qu'une légère surprise. Le doigt de Connie se raidit sur la détente.

Derrière le tueur, elle entend un cri, des pas précipités : ils sont lancés à sa poursuite. Il se retourne, dévale la colline. Pendant une seconde, deux peut-être, elle l'a tenu dans sa ligne de mire.

Elle laisse retomber son arme.

Furnish dégringole la pente sans pouvoir contrôler sa course. Le sol est accidenté et ses poursuivants, handicapés par leur fusil et leur gilet pare-balle, ne parviennent pas à le mettre en joue. Il a pris une certaine avance sur eux quand il arrive à la route. Il la traverse moitié courant, moitié sautant, au moment où Durban sort du virage à la tête de la deuxième caravane de voitures de police. L'impact est conséquent. Un instant, Furnish reste plaqué sur le pare-brise tandis que le véhicule dérape, quitte la route, glisse de côté sur la pente. Puis Frank dégaine son arme et tire deux fois à travers la vitre. Le pare-brise s'étoile, s'effondre ; Furnish tombe sur les genoux de l'inspecteur. Ses lèvres forment un mot, il murmure quelque chose, ou essaie, mais la deuxième balle a percé un poumon, et sa voix n'est plus soutenue par la pression nécessaire : ce n'est qu'un sifflement vide, comme de l'air s'échappant d'un ballon crevé.

57

Cinq jours plus tard, Claire prend l'avion pour la France avec Christian.

Quelques heures après la mort de Furnish, les journalistes campaient devant la porte de leur appartement. Le NYPD leur avait offert une «planque» pour aussi longtemps qu'ils le souhaiteraient, mais il leur avait paru plus simple d'avancer la date du mariage et de s'échapper. Ils choisirent la robe ensemble, Christian ne semblant pas se soucier de la superstition selon laquelle laisser le fiancé la voir avant le mariage porte malheur.

Il y a une distance, à présent, entre elle et Christian. Non qu'il montre moins de sollicitude à son égard — au contraire, il se reproche encore visiblement de ne pas avoir été auprès d'elle quand le tueur l'a enlevée —, mais une partie d'elle-même s'est coupée de lui et revit les événements de cette étrange après-midi comme un film en boucle, plus intense et plus réel que ce qui se passe ici et maintenant. Elle a encore dans les oreilles le sifflement provoqué par les grenades incapacitantes dont la police s'est servie en donnant l'assaut.

Paul a parlé un jour à ses élèves d'un drame japonais dans lequel un personnage est contraint de revivre indéfiniment les circonstances de sa mort jusqu'à ce qu'elles ne recèlent plus aucune émotion pour lui. Alors seulement son esprit peut quitter la terre. Claire se sent un peu dans cet état : incapable d'abandonner le passé avant qu'il ne soit devenu moins prégnant que le présent.

Il l'emmène dans un petit hôtel proche de l'Arc de Triomphe, havre paisible d'élégance discrète façon dix-huitième siècle. Pendant qu'elle défait leurs bagages et se fait couler un bain dans l'immense baignoire blanche, Christian sort. A son retour, il lui suggère de mettre des vêtements chauds.

— Pourquoi ? s'étonne-t-elle.

C'est un soir d'automne ensoleillé, bien plus doux que l'octobre glacé qu'ils ont laissé derrière eux.

— Nous allons dans un endroit très froid, répond-il simplement en soulevant le sac à dos qu'il a amené de New York. On y va ?

Dans la rue, il demande à un taxi de les conduire rue Dareau. En chemin, il fait la conversation en français avec le chauffeur à propos d'une équipe de football locale, et Claire est stupéfaite du changement : à New York, Christian aurait préféré mourir qu'échanger des banalités avec un chauffeur de taxi.

Finalement, la voiture s'arrête devant un petit jardin public. En coulant un regard oblique à Christian, le chauffeur lui demande en français :

— Vous allez visiter les catacombes, monsieur ?

— Oui, peut-être. Mademoiselle ne les a jamais vues.

— Il faut faire attention à ne pas s'y perdre.

— Bien sûr, nous avons une carte.

— Qu'est-ce que vous racontiez ? demande Claire tandis que le chauffeur s'éloigne avec son pourboire.

— Par ici, dit Christian, ignorant la question.

Il l'entraîne vers une petite grille sertie dans un mur, en haut d'un escalier. On dirait l'entrée d'une cave. Christian tire une clef de sa poche, ouvre la grille.

— Nous avons de la chance. Je craignais qu'on n'ait changé les serrures.

L'escalier s'enfonce dans l'obscurité. Christian prend deux torches électriques dans son sac à dos, en tend une à Claire.

— Où allons-nous ?

— Dans les catacombes, répond-il par-dessus son épaule. Il y a des centaines d'entrées, toutes fermées, naturellement, mais on trouve facilement des clefs au marché noir. Le chauffeur de taxi m'en aurait probablement procuré une si nous en avions eu besoin. Les étudiants aiment organiser des fiestas dans les catacombes. Il y en a sans doute plusieurs qui battent leur plein en ce moment même.

Claire tend l'oreille.

— Je n'entends rien.

— Il faudrait vraiment que tu aies l'ouïe fine, dit-il en riant. Ces galeries s'étendent sur plus de trois cents kilomètres, sous tout Paris et jusqu'en banlieue. Nous nous dirigeons vers l'endroit que préférait Baudelaire : l'ossuaire.

A la lumière de sa lampe, Claire voit au-dessus d'elle un haut plafond de roche. Hormis le craquement du sol sous leurs pas et le bruit des gouttes d'eau, le silence est total, impénétrable.

— C'étaient des carrières, à l'origine. Certaines remontent à l'époque romaine. Plus on bâtissait au-dessus de la surface, plus on creusait en dessous. Pendant la Deuxième Guerre mondiale, la Résistance y avait établi un QG, et certaines galeries servaient de champignonnières. Mais c'est au dix-huitième siècle que les Parisiens ont eu l'idée brillante de libérer des terrains pour la construction en installant les cimetières au sous-sol.

Il braque sa torche vers la voûte, où des mots sont gravés dans la roche.

— « Arrêtez ! C'est ici l'empire de la mort », lit-il à voix haute en français avant de traduire pour Claire.

Il fait un pas en avant.

— Prête ?

— Je crois, répond-elle d'un ton dubitatif.

Claire promène le faisceau de sa lampe autour d'elle. Elle pense d'abord qu'elle se trouve dans un espace étroit puis se rend compte que la galerie dans laquelle ils sont engagés est en fait immense. Ce qu'elle avait pris pour des parois sont en réalité des piles de crânes et autres ossements humains, noircis par l'âge, qui montent aussi haut que sa lampe éclaire.

— Ce sont les restes de six millions de Parisiens, dit Christian, probablement bien plus qu'il n'y en a au-dessus de nous en ce moment. Tous les morts, de Rabelais à Robespierre.

Lentement, ils parcourent les salles de pierre vides, aussi vastes que des églises. Certaines sont éclairées par des ouvertures percées dans les hauteurs et par lesquelles tombe la lumière du crépuscule. Enfin, Christian s'arrête.

— Ici, dit-il avec un geste.

Ils sont en haut d'une volée de marches ménagées dans le calcaire. Dessous s'étend un vaste bassin d'eau claire.

— Les ouvriers qui travaillaient ici avaient besoin de se laver. Ils ont simplement creusé jusqu'à la nappe phréatique. Regarde.

Il passe devant elle, prend un peu d'eau dans ses mains et la laisse couler entre ses doigts.

— Elle est plus pure que celle d'Evian, et deux fois plus vieille.

Il pose sa lampe par terre, tend la main à Claire.

— On se baigne ?

— Elle n'est pas froide ?

— Presque glacée, répond-il en commençant à déboutonner ses vêtements. J'ai une serviette dans mon sac à dos. Ainsi que quelques accessoires indispensables...

Il prend dans le sac un candélabre d'argent, une demi-bouteille de château-yquem et des verres, une tranche de foie gras et une baguette fraîche.

— Plaisir et douleur.

— En ce cas... dit Claire.

Elle se déshabille, il fait de même. Les bougies projettent sur la caverne une lueur jaune, palpent les parois rocheuses de leurs doigts tremblants. Même avant de pénétrer dans l'eau, Claire a la chair de poule. Elle hoquette en trempant un pied dans le bassin.

Christian s'avance dans l'eau, qui lui arrive aux cuisses.

— Un baptême, dit-il. Et une renaissance. Ici, dans l'empire des morts, nous sommes encore en vie.

Il tend les bras vers elle, la soulève de ses bras puissants et l'attire vers lui. Malgré le froid, il est en érection. Quand les jambes de Claire touchent l'eau glacée, elle les relève involontairement, les noue autour des hanches de son futur mari.

— Prends-moi en toi, murmure-t-il.

Elle baisse un bras, place le sexe de manière à ce qu'il puisse s'introduire en elle. Elle est froide, tendue ; elle grimace quand il la presse contre lui pour la pénétrer.

Il lui fait l'amour avec douceur et elle passe un bras autour de son cou pour alléger le poids qu'il supporte et lui permettre d'utiliser ses mains pour la guider dans ses mouvements. Elle se met à gémir et, dans le silence absolu, ses plaintes les surprennent comme le bruit d'un intrus.

— Maintenant, dit-il. Fais-moi confiance.

D'un mouvement souple, il se penche, laissant Claire tomber en arrière dans l'eau. Ses mains la tiennent sous la surface aussi aisément qu'elles l'ont soutenue au-dessus. Le choc glacé chasse l'air des poumons de Claire, qui avale un peu d'eau, s'étrangle, essaie de se redresser pour respirer. Mais les mains de Christian la maintiennent. A travers l'eau, elle voit son visage, elle voit qu'il l'observe attentivement. Il place maintenant ses mains autour de son cou et, même si elle le voulait, elle ne pourrait avaler une goutte d'eau de plus. Au martèlement dans ses tempes répond le martèlement dans son vagin, curieusement reliés, le sexe de Christian la frappant à chaque poussée derrière les oreilles, derrière les yeux, allumant sur les parois de la caverne des soleils pyrotechniques flamboyants, des fusées et des éclairs de douleur.

Après, il la berce dans ses bras, la caresse, essuie doucement de la main la morve sur son visage.

— Merci, dit-il à voix basse. Merci d'être venue avec moi.

Elle ne sait pas s'il parle de cet endroit ou des catacombes de sa propre tête.

S'il avait eu pour intention de chasser les fantômes qui la tourmentent, il semble avoir réussi. Le choc de l'eau glacée et la violence de son désir ont nettoyé le cerveau de Claire de ses toiles d'araignée. Lentement, elle commence à renaître à la vie. Il l'emmène dans les endroits qu'il connaît le mieux — les petites rues pavées d'un quartier nord-africain, où ils mangent du couscous dans des bistrots bondés, bruyants et empuantis par le tabac français bon marché, où ils boivent du vin râpeux dans des carafes. Des narguilés bouillonnent aux fenêtres des cafés, l'embout enveloppé de papier d'argent, concession symbolique à l'hygiène du vingt et unième siècle. Il lui montre comment aspirer la fumée chaude à travers un bain d'eau alcoolisée pour en adoucir le goût. Epaisse comme la fumée d'un cigare, c'est une injection de nicotine et d'alcool qui, après deux ou trois bouffées, fait tourner la tête de Claire.

— Attends-moi, dit Christian.

Il va au comptoir en zinc situé au fond de la salle, échange quelques mots à mi-voix avec le patron, revient avec une bouteille sans étiquette.

— Absinthe, annonce-t-il en versant le liquide d'un vert criard. Pour compléter l'expérience décadente. Elle contient un hallucinogène léger provenant de l'armoise. Tu sais ce qu'Oscar Wilde disait de cette liqueur? «Après le premier verre, on voit le monde tel qu'on voudrait qu'il soit. Après le deuxième, on voit des choses qui n'existent pas. Après le troisième, on voit les choses telles qu'elles sont.»

Il prend une cuillerée de sucre, la plonge dans le verre puis la tient au-dessus de la flamme de la bougie. Quand le sucre commence à se caraméliser, il le dissout dans l'absinthe.

— Si nous devons nous marier demain, ne ferions-nous pas mieux d'éviter la gueule de bois? suggère Claire en levant son verre.

— A la différence de Baudelaire, nous disposons d'ibuprofène. Santé.

— Santé. Je t'aime.

Le lendemain matin, ils vont à l'ambassade américaine retirer les papiers. Ils passent plus de trois heures à parcourir l'élégant labyrinthe de la bureaucratie française, puis trois ou quatre minutes seulement à l'hôtel de ville, où ils sont mariés par un représentant du maire. Maire, mariés, les mots semblent tourner dans la tête de Claire. Elle est peut-être encore un peu ivre. Toute la cérémonie se déroule en français, évidemment, et par moments, elle perd le fil, si bien que Christian doit lui faire signe quand vient son tour de répondre oui.

Le maire la regarde avec insistance et elle se rend compte qu'on attend autre chose d'elle : sa main. Christian la prend, tire une bague de sa poche de poitrine et la glisse au doigt de Claire. Pas une alliance ordinaire, mais une lourde chevalière ancienne en or blanc, portant le même blason familial que le torque autour du cou de Claire et la bague au doigt de Christian.

Le maire ajoute deux ou trois phrases. Le français de Claire n'est pas assez bon pour lui permettre de suivre, mais elle reconnaît quelques mots au passage. Elle devine à son rythme quand il approche de la fin. Elle baisse les yeux vers sa main, fait bouger la chevalière d'un côté à l'autre. Puis Christian l'embrasse devant le maire, tout sourires. Un dernier petit coup de paperasse et ils sortent. Christian fait signe à un taxi, la ramène directement à l'hôtel pour lui faire l'amour.

Dans le taxi, il remarque qu'elle regarde la bague.

— Elle te plaît ?

— Elle est lourde.

— Elle a une très grande valeur pour moi, dit-il. Comme toi.

Comme dans un rêve, elle le laisse la soulever pour franchir le seuil de la chambre, l'étendre sur le lit et la baiser dans sa robe de mariée. Il y a une bougie sur la table de chevet et, étrangement, Claire ne trouve rien à redire lorsque Christian s'arrête de faire l'amour pour l'allumer, passer un baume sur la cuisse droite de sa femme, tout en haut, chauffer la bague à la cuticule jaune de la flamme et presser le métal rougeoyant contre la peau à présent insensible, afin qu'elle soit à jamais marquée par ses armoiries familiales.

Ensuite il s'endort. Claire se glisse hors du lit en silence et, grimaçant, enfile quelques vêtements amples. Elle emporte son passeport, un peu d'argent.

La démarche raide, elle s'approche de la réception du hall et demande à l'employé où se trouve le poste de police le plus proche.

— Un problème ? s'enquiert l'homme. Madame a peut-être été victime d'un vol ?

— Le poste de police, répète-t-elle.

Il hausse les épaules, lui explique comment se rendre au commissariat situé à quelques minutes à pied de l'hôtel. Voyant Mme Vogler s'éloigner en boitant, il pense que cela risque de lui prendre un peu plus longtemps. Eh bien ! L'époux se sera peut-être montré un peu trop ardent pour leur nuit de noces. Souriant, il imagine la scène.

Et quand le mari de la dame descend à son tour, vingt minutes plus tard, l'employé ne voit aucune raison de ne pas lui dire où sa femme s'est rendue.

58

Elle demande à voir un inspecteur et l'homme qui vient s'occuper d'elle après ce qui lui paraît une éternité est à la fois incroyablement beau et tout aussi incroyablement élégant, avec sa chemise vert foncé et sa cravate un ton en dessous. Il a plus l'air d'un médecin que d'un flic, pense-t-elle.

— Dites-moi ce que je peux faire pour vous... (il baisse les yeux vers ses notes), madame Vogler.

Son anglais, Dieu merci, est bon.

— Je viens de découvrir que mon mari est un assassin, déclare-t-elle.

— Je vois, répond-il, impassible. Il a assassiné qui ?

— Sa première femme. Elle s'appelait Stella.

— Vous avez des preuves ?

Elle fait glisser la chevalière le long de son doigt, la pose entre eux sur la table. Le policier la prend.

— Une bague ?

— Sa première femme a été tuée à New York. Quand on a trouvé son corps, elle ne portait aucun bijou. Or, je l'avais vue moi-même avec cette bague, plus tôt dans la soirée.

L'inspecteur hausse un sourcil.

— Vous la connaissiez ?

— Je ne l'ai rencontrée qu'une seule fois. Mais j'ai remarqué la bague.

— Elle est remarquable, convient-il. C'est une bague d'homme, non ?

— Une chevalière, précise Claire. Elle appartient à la famille de mon mari depuis longtemps.

Elle défait le torque, le montre à l'inspecteur.

— Regardez, c'est le même dessin.

Un autre policier, lui aussi incroyablement élégant, entre dans la pièce et murmure quelque chose à l'oreille de son collègue. Le premier inspecteur lève les yeux.

— Votre mari est ici.

— Vous devez l'arrêter. Ensuite, vous pourrez joindre la police de New York. Les inspecteurs Durban, Positano… Weeks, Lowell. Dites-leur que vous avez la bague. Qu'il m'a marquée avec. Ils comprendront.

— Il vous a… marquée ? s'étonne le policier, perplexe. Excusez-moi, mon anglais…

— Très chaud, tente-t-elle en français. Brûler. Szzzz, fait-elle, imitant le crépitement du fer rouge sur la chair.

— Attendez-moi ici.

Claire attend. Elle attend plus d'une heure. Le point douloureux de sa cuisse devient un petit dôme cramoisi de chair brûlée auquel elle se retient de toucher. L'inspecteur revient enfin, s'assied en face d'elle, plisse les lèvres, lui sourit. Il a de jolis yeux.

— Bon, j'ai parlé à votre mari.

— Vous l'avez arrêté ?

Il lève une main.

— Une minute. Il m'a dit que vous avez été récemment hospitalisée en Amérique. C'est exact ?

— Oui, c'est exact.

— On vous a prescrit certains médicaments, je crois.

Claire acquiesce.

— Vous continuez à les prendre ?

Elle secoue désespérément la tête.

— Je n'en avais pas besoin. C'était une erreur.

— Votre mari se fait beaucoup de souci pour vous, je crois. Il va faire venir un docteur à l'hôtel.

— Non. Ne croyez pas ça. Il me tuera.

Le policier sourit de nouveau.

— Vous venez de vous marier, reprend-il avec douceur. C'est un grand jour, beaucoup de tension, hein ? Et vous avez bu de l'absinthe, votre mari me l'a dit. Une boisson qui n'est plus autorisée en France. Trop de gens devenaient…

Il fait un geste pour indiquer la folie.

— Retournez à l'hôtel, madame Vogler. Votre mari s'occupera de vous.

Elle se lève, baisse son pantalon pour lui montrer sa cuisse.

— Regardez ce qu'il m'a fait.

— Votre mari dit que vous vous êtes brûlée volontairement avec une cigarette. Il vous achètera une pommade à la pharmacie. Je vous en prie, madame, couvrez-vous.

Docilement, elle laisse Christian l'emmener hors du poste de police, la faire monter dans un taxi. Il lui caresse les cheveux en murmurant :

— Mon amour, mon amour. A quoi tu pensais ?

Sur le chemin de l'hôtel, il demande au chauffeur de s'arrêter, descend, entre dans une pharmacie puis dans le garage qui se trouve à côté. Quand il regagne le taxi, il a un grand sac à la main.

A l'hôtel, il ferme à clef la porte de leur chambre, fait couler un bain pour Claire. Elle attend, paralysée, que la baignoire se remplisse.

— Viens, l'appelle-t-il avec douceur.

Elle entre dans la salle de bains, voit Christian agiter l'eau de sa main. Ni trop chaude, ni trop froide.

Obéissante, elle se déshabille, enjambe le bord de la baignoire. Bien que l'eau soit à peine tiède, sa brûlure à la cuisse lui fait mal. Elle s'allonge et Christian la lave, tendrement, comme la première fois qu'ils ont fait l'amour, savonne ses cheveux et les rince. Quand il a terminé, il va chercher la bouteille d'absinthe.

— Bois, lui enjoint-il.

Claire avale une longue gorgée.

— Cela fera partir la douleur, explique-t-il.

Elle ignore s'il parle de sa brûlure à la cuisse ou de ce qui va suivre.

— Je n'avais pas bien compris, hein ? dit-elle. Je croyais que c'était Stella qui en avait assez, qui était fatiguée de ton adoration. Mais c'était toi, pas elle, qui voulais en finir. Comme Baudelaire, qui trouvait plus facile de vénérer une déesse que d'aimer une femme. Est-ce qu'elle a téléphoné chez vous de son hôtel ? Est-ce ainsi que tu as découvert où elle était ce soir-là ? Tu m'as confié que tu lisais ses e-mails…

Christian la considère avec une expression d'infini regret.

344

— C'est plus que cela, répond-il calmement. C'est quelqu'un que j'ai rencontré. Une étrangère, une femme dans un bar. Elle m'a lu une de mes traductions, et sa voix... Un moment parfait, une révélation, totale et unique. J'ai compris à cet instant que c'était fini avec Stella.

— Tu l'as tuée. Tu es allé dans cette chambre d'hôtel et tu l'as tuée.

— Oui, avoue-t-il. Je l'ai tuée. Et elle est redevenue parfaite.

La chambre voisine est pleine à craquer. Des hommes de la BRI en tenue d'assaut, armés de lance-grenades lacrymogènes et incapacitantes. Connie Leichtman, aussi, et d'autres observateurs du FBI. Là également, l'équipe de surveillance fournie par les autorités françaises, notamment le policier qui a joué le rôle du maire. Et Frank Durban, qui se sent nu sans son arme, collé contre le mur, un casque à écouteurs sur la tête.

Le capitaine de la brigade de recherche et d'intervention porte lui aussi des écouteurs mais son anglais n'est pas très bon, et il regarde l'inspecteur américain, attend son signal. Le Français hausse un sourcil ; l'Américain lève une main : pas encore.

— Pas parfaite, corrige Claire. Passive. Elle n'était plus Stella, après ce que tu lui avais fait. Elle n'était qu'un corps. Un tas de chair.

— Ne gâche pas cet instant, Claire. Ne nous querellons pas.

— Tu étais un des clients de Furnish, poursuit-elle. De Charon. Cette édition virtuelle des *Fleurs du mal* t'était destinée.

— Hommage approprié aux poèmes, commente Christian en prenant un livre sur le sol de la salle de bains. Lis-en un. Lis-en un à voix haute pour moi, comme la première fois.

Claire regarde la page qu'il a marquée et commence d'une voix monocorde :

— « J'ai plus de souvenirs que si j'avais mille ans./Un gros meuble à tiroirs encombré de bilans,/De vers, de billets doux, de procès, de romances,/Avec de lourds cheveux roulés dans des quittances,/Cache moins de secrets que mon triste cerveau./C'est une pyramide, un immense caveau,/Qui contient plus de morts que la fosse commune… »

Elle laisse le recueil glisser entre ses doigts, tomber dans l'eau. Christian pleure. Il pleure en ouvrant un bidon d'essence et en laissant le liquide couler dans la baignoire. Une pellicule recouvre la surface, telle une peau grasse et irisée. Des arcs-en-ciel viennent lécher le corps de Claire. Plaçant une boîte d'allumettes sur le bord de la baignoire, Christian assure :

— Je ne te ferai aucun mal.

Il referme ses doigts autour de son cou.

— Aucune douleur. C'est promis.

— Maintenant ! crie Durban. Allez, allez !

Le capitaine se tourne vers ses hommes, lance un ordre. Pendant une fraction de seconde, il ne se passe rien, puis…

… la chambre explose, elle se remplit d'uniformes bleu foncé, d'hommes en tenue d'intervention qui beuglent en deux langues.

Christian se retourne, fait un pas en arrière. L'un des hommes de la BRI lance aussitôt une grenade lacrymogène ; la pièce est envahie d'une fumée âcre dont seuls les policiers munis d'un masque sont protégés.

Claire, tirée de son bain mortel par Connie et Frank, se recroqueville par terre, nue et mouillée, toussant sous l'effet du gaz. Des larmes lui montent aux yeux.

Ou peut-être y étaient-elles déjà.

59

La Martine, située à la sortie de Lyon, à proximité du siège d'Interpol, a une longue histoire mouvementée. Asile psychiatrique à l'origine, elle a été utilisée comme centre d'interrogatoire par la Gestapo pendant la guerre. Aujourd'hui prison, elle a vu passer quelques-uns des prisonniers les plus surveillés d'Europe, notamment — ironie du destin — certains des nazis dont les victimes avaient été torturées dans ses murs.

Le Dr Constance Leichtman y arrive par un matin de givre du début décembre pour procéder, comme tant d'autres avant elle, à un interrogatoire. On la conduit dans une petite pièce couleur pastel où, autrefois, les interrogateurs utilisaient des tuyaux de caoutchouc, des baignoires remplies d'excréments, des matraques et des poucettes. Elle, elle a apporté un stylo et du papier, un petit magnétophone et un paquet de cigarettes.

On fait entrer Christian Vogler, qui tient dans une main un paquet de gauloises et un briquet.

— Je vous ai apporté des cigarettes, dit-elle. J'ai appris que vous vous êtes mis au tabac.

— Tout le monde fume, ici, répond-il en s'asseyant en face d'elle. Ce n'est pas comme en Amérique.

— Vous êtes bien traité ?

Il hausse les épaules.

— C'est tolérable.

Connie allume sa propre cigarette puis celle de Vogler en disant :

— J'ai une proposition à vous faire.

— Oui ?

— Les autorités vont devoir décider dans quel pays

vous serez jugé. Soit en Amérique, soit ici. Ici, ce serait mieux pour vous, je crois. Vous vous rappelez Jeffrey Dahmer, ce type assassiné par un autre détenu ? Le système est plus civilisé, en France. Je parie que les autorités pénitentiaires ne peuvent même pas se résoudre à vous servir un café infect...

Il attend la suite.

— Je pourrais peut-être faire en sorte que vous restiez ici. Le temps que je vous étudie.

Il souffle sur le bout de sa cigarette pour faire tomber un peu de cendre sur le sol.

— M'étudier ?

— Vos relations avec Charon. Je veux savoir comment cela se passait entre vous. Qui inspirait qui. Vous aviez des rapports d'artiste à client ou vous vous considériez tous deux comme des artistes œuvrant dans des domaines différents ? Vos propres désirs seraient-ils restés à l'état de fantasme sans les images qu'il a créées ? Il y a là un matériau abondant, Christian. Si vous me le livrez, si vous acceptez de collaborer, cela pourrait vous aider.

Il réfléchit un moment.

— J'ai des questions, moi aussi.

— Je m'efforcerai d'y répondre.

— Elles concernent Claire, essentiellement.

Il détourne les yeux. Dans la pièce sans fenêtre, la fumée s'accumule en couches épaisses et molles semblables à des écheveaux de laine.

— Dans quelle mesure était-elle sincère ?

— Ah, fait Connie.

Il attend.

— C'est une femme remarquable, Christian. La trouver nous a fourni la clef. Tout au début, j'ai passé quelques jours avec Claire. Je devais m'assurer qu'elle n'avait rien à voir avec la mort de Stella, bien sûr, mais aussi éprouver sa force de caractère. C'est là que j'ai mesuré l'étendue de son talent… et de son courage.

Leichtman cherche des yeux un cendrier et, faute d'en trouver un, fait tomber elle aussi sa cendre par terre.

— Elle suivait un cours d'art dramatique et était très impliquée dans la Méthode, théorie selon laquelle un acteur doit habiter un personnage avec une sincérité absolue. Elle a accepté de se mettre entre mes mains sans réserve. Je lui ai expliqué le rôle qu'elle devrait jouer mais, à part ça, elle n'avait pas la moindre idée de ce qui allait se passer.

— Quel était ce rôle ?

— Elle devait tomber amoureuse de vous.

Il pousse un soupir, qui se traduit en un long rejet de fumée.

— Et l'hôpital ? Les médicaments qu'elle a pris ? Les troubles dont elle souffrait, d'après les médecins ?

— Nous devions vous convaincre qu'elle ne travaillait plus pour nous. Je vous l'ai dit, elle était prête à jouer ce rôle avec une sincérité absolue. Comme elle avait vécu quelque chose de semblable en Angleterre, je savais qu'elle était capable de réussir.

Il hoche la tête d'un air songeur.

— Vous nous avez suivis en France, naturellement.

— Oui. Après la frousse que nous avions eue avec Charon, nous ne voulions plus prendre le moindre risque.

— Je me demandais pourquoi tous les chauffeurs de taxi étaient si serviables, murmure-t-il. Et le mariage ?

— Vous n'êtes pas mariés. La cérémonie n'avait aucune valeur légale. Claire n'en savait rien, d'ailleurs. Elle nous faisait totalement confiance.

— Une actrice remarquable, estime Vogler. Comme vous, ajoute-t-il, levant les yeux vers Leichtman.

— Je ne suis pas actrice.

— Dans le monde réel, peut-être, mais dans le monde virtuel... Vous faisiez partie des joueurs, n'est-ce pas ? Des personnages de Necropolis.

— Vous voulez essayer de deviner lequel ?

— J'y ai réfléchi. Vous êtes Hélios. Le dieu grec de la lumière. N'est-ce pas, docteur Leichtman [1] ?

Elle acquiesce.

— Une façon inhabituelle de mener une étude scientifique, je dois le reconnaître, reprend-elle. Il est rare que le chercheur fasse lui-même partie des rats. Vous étiez en communication avec Charon, je présume ? Vous lui disiez ce qu'il devait faire. Quand il devait tuer. Vous tiriez ses ficelles.

Il se renverse en arrière, croise les bras.

— Une partie de vous doit être bouleversée par sa mort, poursuit-elle. Les créatures de ce genre sont fascinantes, n'est-ce pas ? Internet est pour nous une nouvelle arme extraordinaire, Christian. Toutes ces informations à notre portée, pour peu que nous sachions comment y accéder.

Elle souffle par les coins de sa bouche deux jets de fumée qui lui font comme des dents de sabre.

— Nous en avons encore collecté un grand nombre avec cette affaire, reprend-elle. Près d'un millier de personnes se sont connectées sur le site de Charon pour participer à son petit *snuff movie*. Elles ont toutes été localisées et seront étudiées. Celles qui semblent susceptibles de passer un jour à l'acte seront conviées dans le monde souterrain de Necropolis, où nous pourrons les surveiller de près.

— Les pauvres, dit Vogler. Mais vous n'avez pas répondu à ma question.

— Non, reconnaît Connie. Et c'est maintenant à votre

---

1. Jeu de mots sur *Lichtman*, « homme de la lumière » en allemand. (*N.d.T.*)

350

tour de répondre aux miennes. J'installe le micro, nous allons commencer...

Ils demeurent longtemps dans la petite cellule. Au bout de deux heures environ, Connie a épuisé sa provision de cigarettes et tend la main par-dessus la table pour partager celles de Vogler.

On lui a posé un lapin.

C'est ce que vous penseriez en la voyant attendre seule au bar de l'hôtel Royalton, essayant de faire durer son bloody mary au maximum : une jeune cadre à un rendez-vous. Peut-être un peu plus jolie que la moyenne. Un peu plus sûre d'elle. Habillée avec un peu plus d'audace. Elle n'est pas venue directement du bureau, c'est évident.

Le bar est bondé et, quand une table se libère enfin, elle s'empresse de s'y asseoir, pose son verre, met son sac sur l'autre siège.

— Pardon...

Elle lève la tête : un homme se tient devant elle.

— C'est ma table, je suis simplement allé aux toilettes. J'ai laissé mon verre pour retenir ma place, dit-il avec un geste en direction du verre de Claire.

Autour d'eux, une ou deux têtes se sont tournées avec curiosité dans leur direction, mais il n'y aura pas d'affrontement, pas de déversement de stress new-yorkais. La femme sourit.

— Salut, Frank. Vous avez été retenu au bureau ?

— Salut, Claire, répond Durban, qui prend le sac et le tend à la comédienne pour pouvoir s'asseoir. Encore de la paperasse. Bon Dieu, je croyais notre système bureaucratique, mais les Français... A ce propos...

Il tire de sa veste une grande enveloppe marron, la fait glisser sur la table en direction de Claire.

— Les papiers que vous réclamiez. Tout y est.

Envoyez-les aux services d'immigration, ils se chargeront du reste.

— Merci, répond-elle en glissant l'enveloppe dans son sac.

L'inspecteur regarde autour de lui.

— Qu'est-ce qu'il faut faire, ici, pour avoir une bière ?

Elle secoue la tête.

— Pas de bière. Lever de rideau dans dix minutes. Et je ne veux pas être en retard. Ces billets valent de l'or.

Il soupire.

— C'est le type avec qui vous avez passé une audition pour son prochain spectacle ?

— Lui-même.

— Alors, il vaut mieux aller voir de quoi il est capable, dit Frank, qui ne se lève toujours pas, cependant. Vous avez décroché le rôle, je suppose.

Claire tourne la main dans un sens, puis dans l'autre.

— Allez, fait-il en riant. Je vous connais. Je parie que vous avez été formidable.

— Je n'ai pas été mauvaise. Non, pas trop mauvaise.

Elle sourit et, au bout d'un moment, il sourit aussi, parce qu'ils savent tous deux que la vérité est un peu différente.

— En ce cas, dit Frank en se levant, après vous, mademoiselle Rodenburg.

REMERCIEMENTS

De nombreuses personnes m'ont aidé dans mes recherches pour ce livre. Je tiens en particulier à remercier les éminents pathologistes et entrepreneurs de pompes funèbres qui ont répondu avec patience et amabilité aux questions par e-mail d'un parfait inconnu. Le regretté professeur Chao, de l'Institut des sciences et de médecine légale de Singapour, s'est révélé une véritable mine d'informations, de même qu'un grand nombre d'autres voix secourables sur www.funeral.net.

Ce livre n'aurait pu être écrit sans les deux relations très différentes de l'opération montée après l'assassinat de Rachel Nickell à Wimbledon Common en 1997 : *The Jigsaw Man*, de Paul Britton, et *Who Really Killed Rachel ?*, de Colin Stagg et David Kessler. J'espère que tous ceux qui ont été mêlés à cette affaire me pardonneront d'avoir pris une tragédie réelle comme point de départ de mon roman. J'ai également une dette envers les auteurs de plusieurs ouvrages sur l'art dramatique et le jeu du comédien, en particulier Keith Johnstone et Patsy Rodenburg.

Toute une série d'amis ont accepté de lire ce livre dans ses premières moutures. Je tiens tout particulièrement à remercier Michael Ward, Clark Morgan et Paul Philips, pour leurs conseils concernant des problèmes spécifiquement américains ; Natasha Taylor et Anthea Willey, pour leur aide inestimable concernant *Les Fleurs du mal* ; Mandy Wheeler, pour ses lumières sur le métier d'acteur ; Clive Tanqueray, pour son enthousiasme ; les habitants de Virtual Chicago, pour m'avoir initié au jeu de rôles multi-utilisateurs, au SM, au sexe sur Internet et aux mœurs du réseau. Merci à Brian Innes, pour ses connaissances en police scientifique, à Ian Wylie et Siân Griffiths, pour leur soutien, et surtout à mes agents, Caradoc King et Sam North, d'AP Watt, pour leur capacité apparemment sans limite à prétendre n'avoir pas de plus grand désir au monde que me relire.

Ce livre est dédié à Michael Durban, qui ne lira jamais ces lignes mais que je remercie néanmoins.

Aubin Imprimeur
LIGUGÉ, POITIERS

Achevé d'imprimer en juillet 2003
pour le compte de France Loisirs
123, bd de Grenelle, 75015 Paris
N° d'édition 39119 / N° d'impression L 65581
Dépôt légal février 2003 / Imprimé en France